First Edition

All about
복합레진과
심미수복
Composite Resin
and Esthetic Restoration

저자 **박성호 교수** (연세대학교 치과대학 치과보존학교실)

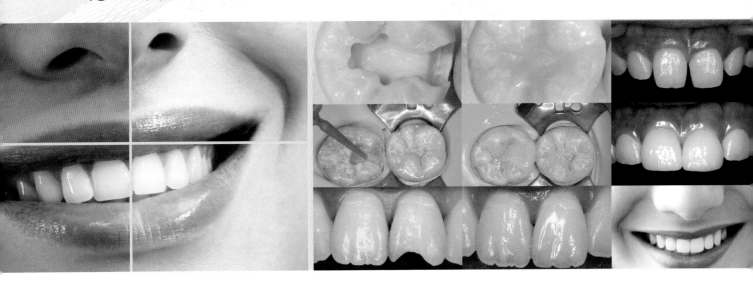

군자출판사

All about
복합레진과
심미수복

첫째판 1쇄 인쇄 | 2017년 8월 14일
첫째판 1쇄 발행 | 2017년 8월 30일

지 은 이 박성호
발 행 인 장주연
출 판 기 획 한인수
편집디자인 서영국
표지디자인 김재욱
일 러 스 트 유학영
발 행 처 군자출판사(주)
　　　　　등록 제 4-139호(1991. 6. 24)
　　　　　본사 (10881) **파주출판단지** 경기도 파주시 회동길 338(서패동 474-1)
　　　　　Tel. (031) 943-1888　　　Fax. (031) 955-9545
　　　　　www.koonja.co.kr

ISBN 979-11-5955-215-1

정가 120,000원

저자소개

박 성 호

경력

1987.2	연세대학교 치과대학 졸업
1991.2	연세대학교 치과병원 보존과 수료
1991.3~1994.2	연세대학교 치과대학 보존학교실 연구강사
1994.3~1996.2	연세대학교 치과대학 보존학교실 전임강사
1996.3~2001.2	연세대학교 치과대학 보존학교실 조교수
2001.3~2006.2	연세대학교 치과대학 보존학교실 부교수
2012.9~2016.8	연세대학교 치과대학 보존학교실 주임교수 및 과장
2006.3~현재	연세대학교 치과대학 보존학교실 교수

해외연수

1997.3~1998.5 Visiting Researcher, 한국과학재단 해외 PostDOC Program Dept. of Cariology, Preventive Dentistry, Periodontology, University of Zurich, Switzerland

학술관련 경력

연세대학교 대학원 치의학과 석사 (1987)
연세대학교 대학원 치의학과 박사 (1993)

학회활동

대한치과보존학회 학술이사 (2005~2007)
대한치과보존학회 전문의이사 (2007~2010)
대한치과보존학회 부회장 (2016~)
한국접착치의학회 창단회원

감사의 글

책을 쓰려고 모아둔 자료를 정리하려고 보니, 처음 작업을 시작한 날짜가 10년 전인 것을 깨닫고는 웃고 말았습니다. 이렇게 게으르기만 한 제가 본격적으로 책을 써야겠다고 결심을 한 계기는 아버님과 어머님에 대한 생각 때문이었습니다. 아버님은 혈혈단신 월남하시어, 홀로 많은 고생을 하시다가, 어렵게 가정을 이루셨다고 합니다. 맏이인 제가 태어났을 때 "이루어서 밝게 일어나라"라는 의미의 성호(成晧)라는 이름을 지어주시며, 누구보다도 저를 자랑스러워 하시고 아껴 주셨습니다. 그렇게 성실하고, 강인하신 아버님께서 몇 년 째 병환으로 거동을 전혀 하지 못하고 계시고, 어머님은 힘든 병간호를 하고 계십니다. 자식으로서 너무나 무기력하게 지켜 볼 수 밖에 없어 너무 마음이 아픕니다. 부모님께 힘을 드리기 위하여 무엇을 해 드릴 수 있을까 고민하다가 이 책을 생각하게 되었습니다. 저의 마음이 부모님께 전달되어 빨리 쾌차하시기를 바라는 마음이 간절합니다.

올해로 치과대학을 졸업한 지 30년이 됩니다. 지난 30년을 되돌아 볼 때, 그래도 치과의사와 대학교수로서 큰 실수 없이, 정도를 지켜온 것은, 사랑하는 가족의 힘이 제일 컸습니다. 즐거웠을 때나 힘들었을 때나 모든 것을 같이하여 온, 사랑하는 아내 차윤정, 외국에 있어서 너무도 그리운 딸 윤희와 딸을 끔찍이 사랑하는 사위 김현준, 그리고 속 정이 깊고 다정한 아들 정우, 모두 너무도 소중한 존재들입니다.

주위에 존경하는 분들과 삶의 멘토가 있다는 것은 정말 큰 행운이 아닐 수 없습니다. 이러한 의미에서 저는 정말 행운아라고 할 수 있습니다. 「치과보존학」이라는 학문으로 처음 인도해 주신 이정석 교수님, 돌아가시기 전, 그렇게 힘들고 고통스러우시면서도, 학문과 인생, 그리고 우리 과를 위한 여러 가지 당부의 말씀을 하시던 모습이 지금도 눈에 선한 박동수 교수님, 삶을 통째로 배우고 싶은 존경하는 인생의 멘토이신 이승종 교수님, 저의 박사 지도교수님으로 과학하는 방법과 자세를 가르쳐 주시고, 꼿꼿한 선비의 기개를 가르쳐 주신 이찬영 교수님, 그리고 모든 분들께 다시 한 번 감사를 드립니다.

이 책에는 저의 자료 이외에도 김예미, 서덕규, 이윤 교수님 그리고 여러 전공의들의 자료도 포함되어 있습니다. 이 자리를 빌어 감사 드립니다.

바쁜 3년차 시기에, 싫다는 소리 한 번 하지 않고, 수 차례의 교정 작업을 도와 준 레지던트 김준영, 배경아, 안소연, 여상호, 오영렬 선생에게도 감사의 마음을 전합니다.

2017년 8월

박 성 호

이 책을 읽으시는 분들께

　제가 전공하고 있는 「치과보존학」을 가장 잘 표현하는 말은 "Art & Science"라고 생각합니다. 치과의사로 30년을 지내오면서 많은 책과 강연을 접하며 보았습니다. 훌륭한 강연과 책도 많았지만, 두 부분 중 하나에 치우친 경우도 많이 봐 왔습니다. 이 책을 쓰면서 둘 중 어느 것도 모자람이 없도록 노력을 하였습니다

　이 책은 일반 치과의사 선생님들을 위해 쓰여졌습니다. 하지만 「치과보존학」을 공부하는 전공의들도 생각의 틀을 잡아가는데 많은 도움을 줄 것이라고 생각합니다.

　각 장은 필수지식, 증례, FAQ로 구성되어 있습니다. 필수지식은 science에 관한 것인데, 복잡한 도표나 Table은 최대한 생략하고 되도록 쉬운 언어로 설명하고자 노력하였습니다. 세 구성 요소 중 제일 재미 없는 부분이긴 하지만, 찬찬히 읽어 두시면 이론을 정리하는데 많은 도움이 되실 것이라 생각합니다. 증례에서는 단순히 보기 좋은 사진을 나열하는 것은 자제하고, 앞으로 치료하시는데 도움이 될, 생각의 틀을 잡을 수 있는 자료들로 구성하였습니다. 물론 제가 실수한 것도 포함되어 있습니다. 각 증례에는 환자의 자세한 배경과 치료과정 그리고 증례에 대한 소견과 반성의 글이 모두 포함되어 있습니다. FAQ에는 그간 개원의들을 위한 강의를 해 오면서, 질문을 받았던 부분들을 따로 정리하였습니다. FAQ만 보아도 많은 부분을 정리하실 수 있으리라 생각합니다. Chapter에 따라 임상에서 도움이 되는 자잘한 재료들을 정리한 부분도 있습니다.

　책을 읽으시다가, 부족한 점, 아쉬운 점, 궁금한 점을 이메일 주소(sunghopark@yuhs.ac)로 알려 주시면, 앞으로 저에게 큰 도움이 되겠습니다.

2017년 8월

박 성 호

목차

목차

chapter 3

복합레진을 이용한 전치부 직접수복　　94

chapter 4

복합레진을 이용한 구치부 직접수복   **194**

목차

Chapter

1 서론

Chapter 1

서론

1. Post amalgam age와 치료개념의 변화

21세기를 앞둔 1990년대 중, 후반기에 치의학자들 사이에서는 지나간 20세기를 되돌아 보고, 다가오는 21세기에는 치의학이 어떤 방향으로 전개될 것인가에 대한 논의가 활발하게 진행되었는데 20세기의 치과가 "Amalgam Age", 21세기의 치과는 'Post-amalgam Age"라고 정의하며 이러한 논의를 진행하였다.

학자들은 치아우식이나 경조직 질환의 치료에 있어서 20세기의 치의학이 "질병을 발견하고, 제거하고, 충전하는" Black GV의 개념에 기초한, 외과적 개념의 치의학 이라고 한다면, 21세기의 치의학은 "질병의 원인을 분석하여 예방하고, 우식 단계에 따른 치료재료와 치료기법을 적용하고, 질병을 추적하여 관리하는, 마치 내과의사가 당뇨환자를 치료하는 것과 같은 pattern을 띠게 될 것"이라고 예측하였다.

그 당시 다소 애매하게 느껴졌던 그와 같은 예측들이, 2017년 현재 생각해 보면, 이미 그러한 방향의 큰 흐름이 진행되고 있음을 새삼 느낀다.

치아우식을 초기에서부터 진단하고, 관리하며, 치료하고, 추적하며, 보완하는 system이 점점 체계를 갖추어 가고 있으며, 각 단계에 맞는 진단기법, 치료재료, 수복 방법들이 개발되고 있다. 사용되는 수복재료들도 아말감과 금수복물이 주조를 이루던 19세기에서 지금은 tooth colored restoration으로 많은 부분 대체되어 가고 있으며, 앞으로는 단순히 구강 내에 위치하여 저작작용만을 돕는 수복물이 아니라, 환자의 구강 내 상태에 맞추어 치아의 탈회를 선택적으로 막아주는 smart material의 개발이 활발히 진행될 것이다.

20세기에서는 자정작용을 돕기 위한 'extention for prevention'의 개념이 필요했지만, 현재에는 'minimal intervention(최소한의 치질 삭제)'이 더 중요하다고 생각되고 있으며, metal restoration보다 물성은 떨어지지만, 접착기법에 의하여 치아 삭제를 줄여줄 수 있는 방법들이 더 각광을 받게 되었다.

20세기 치의학에서는 한 번 치료하면, 수복물에 문제가 생긴 후에야 수복물을 완전히 제거하고, 더 많은 치아 삭제를 통하여 완전히 수복물을 다시 해 주었지만, 21세기의 치의학에서는 치료해 준 후, 정기적으로 follow-up하여서 수복물을 관리하고, 문제가 생기기 시작하면 접착기법으로 repair하여 주어서 궁극적으로는 치아 삭제량을 줄여줄 수 있다.

국내에서는 여러 사정으로 인하여 이러한 흐름이 다소 늦게 진행되는 감이 없지 않으나 결국 큰 흐름에 동참하게 될 것이라고 생각한다.

이 책은 이러한 새로운 흐름에 맞추어 여러 개념을 정리하고 설명하고자 노력하였다.

2. 치아색 수복물의 종류

치아색 수복물은 복합레진, 세라믹, 지르코니아, 글라스아이노머, 컴포머 등을 들 수 있다.

복합레진은 처음에 직접법으로만 사용되었으나, 그 후 간접법, CAD/CAM restoration 등으로 적용 영역을 넓혀가고 있어서 현재 가장 폭 넓게 사용되고 있는 수복물이다. 심미성이 우수하고, 가장 적은 치질 삭제를 통하여 치료가 가능한 많은 장점을 가졌다.

세라믹 수복물은 처음에는 간접법으로만 이용되다가, 물성이 증가되고, CAD/CAM 기법 등으로 응용이 되면서 적용 범위가 넓어졌다. 심미성이 매우 뛰어나고, 물성도 이전보다 향상되었고, 접착 술식을 효과적으로 이용할 수 있어서 복합레진의 적응증보다 범위가 큰 경우 가장 많이 애용되는 수복물이 되었다.

글라스아이노머는 불소를 방출하고 치아의 화학반응에 의한 접착이 가능하여 이차우식을 막아주는 좋은 특징을 가지고 있다. 글라스 분말 위에 금속을 coating하여(cermet cement) 물성을 높이고, 유구치에서도 사용이 가능하게 되었지만, 물성이 기본적으로 다른 수복재료에 비하여 취약하여 교합압이 가해지는 부위에는 사용을 자제하여야 한다. 영구치 영역에서는 5급 와동이 적응증이 되고, 중간단계의 수복물, 교합이 잘 이루어지지 않은 상태의 혼합치열기의 1급, 3급 와동에서도 적용이 가능하다.

컴포머는 유럽에서 아말감을 점차 사용하지 않게 되면서 그 대용으로 개발된 제품이다. 복합레진에 비하여 조작이 편하고, 글라스아이노머와 같이 불소 방출도 되며, 물성도 글라스아이노머보다 높다. 그래서 유치의 전 · 구치 영역에 폭 넓게 적용할 수 있으며, 영구치에 있어서는 글라스아이노머와 같이 5급 와동이 적응증이 되고,

중간단계의 수복물, 교합이 잘 이루어지지 않은 상태의 혼합치열기의 1급, 3급 와동에서도 적용이 가능하다.

그림 1-1에 각각 재료의 적응증이 정리되어 있다.

앞으로 이 책에서 각각의 재료의 적용 및 응용방법에 대하여 자세히 다루게 될 것이다.

그림 1-1. 진행성 우식과 비진행성 우식의 비교

			아말감	금	복합레진	세라믹	글라스아이노머	컴포머	지르코니아
Direct	영구치	Class I	○		○		*	*	
		II	○		○				
		III			○		*	*	
		IV			○				
		V			○		○	○	
		VI			○				
		Diastema			○				
		Facing			○				
		Pit & fissure sealing			○		○	○	
	유치	전치			○		○	○	
		구치	○		○		Cermet	○	
CAD/CAM Chairside restoration		Laminate			○	○			
		Inlay			○	○			
		Onlay/Crown			○	○			
		Bridge				○			
Indirect		Laminate			○	○			
		Inlay		○	○	○			○
		Onlay/Crown		○	○	○			○
		Bridge		○		○			○

*혼합치열기, 노인의 경우 교합이 되지 않거나 약하게 형성되는 경우, 중간단계의 수복물(Interrim restoration) 일 경우 영구치에서 선택적으로 가능.

Chapter 2

복합레진 수복을 위한 필수 지식

복합레진 수복을 위한 필수 지식

I. 진단

1. 일반적인 검사

복합레진을 하기 위한 진단은 우선 일반적인 진단이 선행되어야 한다. 환자의 주소(chief complaint)를 파악하고 의과적 병력과 치과적 병력에 대한 검사 및 구강 내 검사와 방사선 검사를 기본으로 하여야 한다. 또한 치수와 치근단에 대한 진단을 시행하여야 하는데 냉온자극 검사, 전기치수검사(EPT), 타진, 촉진, 저작 검사 등이 포함된다. 만약 이 과정을 소홀히 하면 원인치아를 찾지 못해 엉뚱한 치아를 치료하여 환자의 주소가 해결되지 않는다거나, 치료 후 과민증, 혹은 치수 괴사와 같은 원치 않는 결과가 올 수 있다.

임상에서 레진 수복을 하는 이유를 보면 치아우식으로 인한 치료, 노출된 치경부로 인한 과민증, 심한 교합면 마모로 인한 저작 시 과민증, 치아 외상으로 인한 치아 파절, 이차우식이나 수복물 파절, 변색으로 인한 기존 수복물의 재수복, 치아의 형태변형을 통한 심미성의 개선 등과 같이 거의 모든 수복영역에 사용될 수 있는데, 이 중에서 가장 흔한 경우가 우식의 치료와 치경부 수복이 될 것이다.

우식의 수복을 하는데 있어서는 먼저 우식을 평가하여야 한다. 어떠한 수복물도 평생 사용하는 것이 아니고 재수복을 하여야 하기 때문에, 치아의 우식이 active 한 상태인지 arrest 된 상태인지에 대한 평가를 시행하고, 환자의 우식활성도 검사와 같은 추가적인 진단과정을 통해 수복이 반드시 필요한지를 결정하는 것이 바람직하다.

2. Active vs arrest caries

우식의 진행여부를 평가하기 위한 임상적인 소견은 **표 2-1-1**과 같다. 하지만 우식은 다인자 병소(multifactorial disease)이고, 우식 진행이 동역학적으로 탈회와 재광화 사이의 균형에 의해 결정되므로 arrest 된 우식이라도 환자의 구강 내 환경이 우식 진행 쪽으로 기울 경우 active 한 상태로 바뀔 수 있으므로 진단에 유의하여야 한다. 이러한 동적인 구강 내 환경에 대한 평가는 우식위험도 평가의 과정을 통해 현재의 상태를 진단할 수 있다.

표 2-1-1. 진행성 우식과 비진행성 우식의 비교

Active	Arrest
Chalky white	Dark grey or black
Cavitated	Smooth surface
Soft texture	Firm or hard texture
Plaque 침착	Plaque 침착이 없음

3. 우식 위험도 평가

아직까지 국내 치과에서는 이러한 검사를 권하지 않지만 선진국일수록 병의 치료보다 예방적인 측면을 중시한다고 볼 때 관심을 가질 필요가 있다.

우식병소는 잘 알다시피 세균이 탄수화물과 같은 영양소를 분해하여 유기산을 형성하고, 이 산에 의해 hydroxyapatite의 무기질이 용해되어 나타난다. 따라서 환자의 구강 내 치태의 침착 정도와 같은 oral hygiene에 대한 평가가 중요하다. 그리고 환자의 음식섭취 빈도와 음식의 cariogenicity에 대한 평가를 위한 식이분석(diet analysis)을 하여 이에 대해 상담을 해주는 것도 필요하다(**표 2-1-2**). 그리고 환자의 전신건강 상태에 대해 병력을 알아보고 현재 약을 복용하는 것이 있는지도 알아봐야 한다. 경우에 따라 일부 약은 구강건조증과 같은 부작용을 유발할 수 있다(**표 2-1-3**). 이 표를 보면 대부분 우리가 일반적으로 복용하는 약물이 모두 구강건조증을 유발할 수 있는 가능성이 있음을 알 수 있으므로 전신적인 건강상의 이유로 약을 복용하는 환자에서는 우식 위험이 증가한다고 봐야 할 것이다. 다음으로 구강 내 타액에 대한 검사와 세균에 대한 검사를 시행하는데, 이를 위한 kit가 판매되고 있다. 여기에는 타액의 분비량을 측정하고 타액의 완충능력을 검사하며, 치태의 pH를 측정하고 구강 내

표 2-1-2 식이분석에 의한 위험도 분석표(예)

식이분석에 의한 위험도 분석

환자 이름   Chart No.

타액분비량

자극 _____ml/min   비자극 시_____ml/min

환자의 식이습관(1, 2번 항목은 있을 경우 1점, 3~7은 숫자를 직접 기록)

점수

1. 병원에서 처방을 받아 드시고 계신 약이 있습니까?   _____

2. 처방약 외에 임의로 사 드시는 약이 있습니까? (비타민제 제외)   _____

3. 하루에 몇 차례나 식사 사이에 간식을 드십니까?   _____

4. 하루에 탄산음료나 주스 등을 몇 잔이나 드십니까?   _____

5. 하루에 몇 잔이나 설탕이 든 커피나 차 등을 드십니까?   _____

6. 하루에 몇 번이나 사탕, 과자, 설탕이 포함된 빵을 드십니까?   _____

7. 하루에 몇 차례나, 일반적인 껌을 드십니까? (자이리톨 껌 제외)   _____

* 5점 이하: 정상 (   ) 5점 이상: 식이조절 필요 (   )

병원에서 처방 받으시는 약이 있으면 어떤 약인가요?

처방약 외에 임의로 드시는 약이 있으시면 어떤 약인가요?

좋아하시는 간식은 어떤 것인가요?

표 2-1-3 구강건조증을 유발할 수 있는 약물.

Anorexiants (식욕감퇴제)

Antiasthmatics (천식억제제)

Anticholinergics (항콜린제)

Anticonvulsants (항경련제)

Antidepressants (항우울제)

Antiemetics (항구토제)

Antihistamines (항히스타민제)

Antihypertensives (항고혈압제)

Anti-inflammatories (소염제)

Antinauseants (항구토제)

Antiparkinsonians (항파킨슨병약)

Antipruritics (항소양약)

Antispasmodics (진경약, 항경련약)

Appetite suppressants (식욕억제제)

Cold medications (감기약)

Decongestants (충혈완화제)

Diuretics (이뇨제)

Expectorants (거담제)

Muscle relaxants (근육이완제)

Neuroleptics (신경이완제)

Psychotropic drugs

      CNS depressants (중추신경억제제)

      Dibenzoxazepine derivatives (다이벤족사제핀 유도제)

      Monoamine oxidase inhibitors (모노아민산화효소 억제제)

      Phenothiazine derivatives (페노타이아진 유도제)

      Tranquilizers (진정제)

Sedatives (진정제)

Sympathomimetics (교감신경흥분제)

streptococcus mutans, lactobacillus와 같은 대표적인 우식 유발 세균의 수를 측정하는 검사가 포함된다. 또한 환자가 얼마나 불소에 노출되어 있는지에 관한 평가도 이루어져야 한다. 일반적으로 우리가 가장 흔히 접하는 불소 원은 매일 사용한 치약이 될 수 있고, 이외에 치과에서 시행하는 fluoride varnish, chlorhexidine varnish 등과 같은 술식도 우식예방을 위한 좋은 불소 치료가 될 수 있다(**그림 2-1-1, 2**).

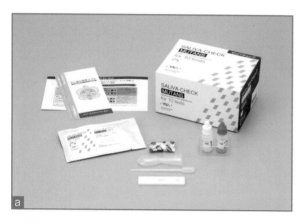
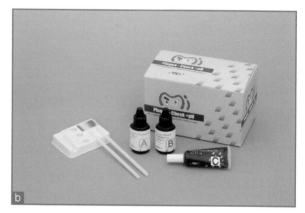
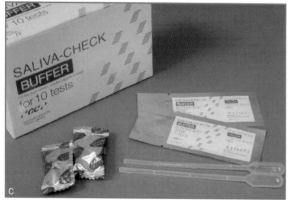
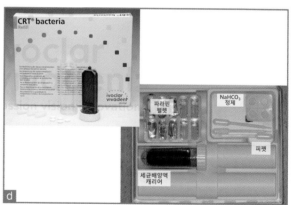

그림 2-1-1
a. 타액 내의 S. Mutans의 수를 검사하는 시약(GC 사)
b. 치태를 표시하여 주고, 치태의 pH 를 측정하는 시약(GC 사)
c. 타액의 산에 대한 완충능력을 검사하는 시약(GC 사)
d. 타액 내의 S. Mutans와 Lactobacillus 검사 그리고 타액분비량 검사를 위한 Kit (CRT bacteria, Ivoclar Vivadent)

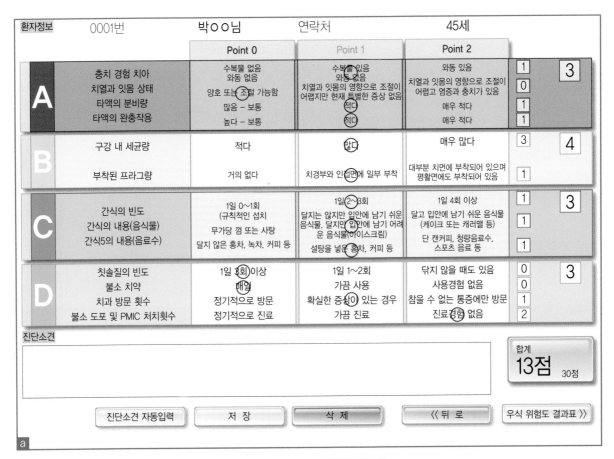

환자정보	0001번	박○○님	연락처	45세		
		Point 0	Point 1	Point 2		
A	충치 경험 치아 치열과 잇몸 상태 타액의 분비량 타액의 완충작용	수복물 없음 와동 없음 양호 또는 조절 가능함 많음 – 보통 높다 – 보통	수복물 있음 와동 없음 치열과 잇몸의 영향으로 조절이 어렵지만 현재 특별한 증상 없음 적다 적다	와동 있음 치열과 잇몸의 영향으로 조절이 어렵고 염증과 충치가 있음 매우 적다 매우 적다	1 0 1 1	3
B	구강 내 세균량 부착된 프라그량	적다 거의 없다	많다 치경부와 인접면에 일부 부착	매우 많다 대부분 치면에 부착되어 있으며 평활면에도 부착되어 있음	3 1	4
C	간식의 빈도 간식의 내용(음식물) 간식5의 내용(음료수)	1일 0~1회 (규칙적인 섭치) 무가당 껌 또는 사탕 달지 않은 홍차, 녹차, 커피 등	1일 2~3회 달지는 않지만 입안에 남기 쉬운 음식물. 달지만 입안에 남기 어려 운 음식물(아이스크림) 설탕을 넣은 홍차, 커피 등	1일 4회 이상 달고 입안에 남기 쉬운 음식물 (케이크 또는 캐러맬 등) 단 캔커피, 청량음료수, 스포츠 음료 등	1 1 1	3
D	칫솔질의 빈도 불소 치약 치과 방문 횟수 불소 도포 및 PMIC 처치횟수	1일 3회 이상 매일 정기적으로 방문 정기적으로 진료	1일 1~2회 가끔 사용 확실한 증상이 있는 경우 가끔 진료	닦지 않을 때도 있음 사용경험 없음 참을 수 없는 통증에만 방문 진료경험 없음	0 0 1 2	3

진단소견

합계
13점
30점

[진단소견 자동입력] [저 장] [삭 제] [《 뒤 로] [우식 위험도 결과표 》]

a

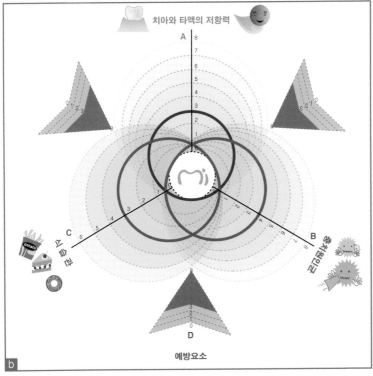

치아와 타액의 저항력

A

예방요소

C 식습관

B 세균과 프라그

D

b

그림 2-1-2
이상의 정보를 이용하여 환자의 우식위험도를 평가
할 수 있다. 이를 토대로 환자의 식습관 조절을 권
유하고, 부가적인 약제 및 치료를 권유할 수 있다.
위의 표 및 도표는 이와 같은 정보를 토대로 우식
위험도를 분석하고(a), 그 결과를 알기 쉽게 보여주
는 Cariogram(b)의 예이다.
특히 복합레진 환자에서는 정기적인 수복물의 관리
가 중요하기 때문에 환자를 정기적으로 내원시켜야
되는데, 이와 같은 test 결과를 토대로 하여 환자의
식이를 조절하여 주고, 정기 내원의 빈도를 조절하
며, 부가적인 예방치료(불소도포, 불소 varnish, 클
로르헥시딘 varnish) 등을 결정할 수 있어서 많은
도움이 된다.

4. 초기 우식의 진단

구강 내 검사를 시행하다 보면 우식이 의심되는 병소가 있어 방사선 사진을 찍어봤지만 이것이 어느 정도 진행이 되었는지 알 수 없는 경우가 있다. 이때 진단에 유용한 도구들이 있다. 이를 위해 개발된 것 중 가장 대표적인 것이 Diagnodent (Kavo)인데, 이것은 655 nm의 파장을 정상상태의 법랑질과 우식상태의 법랑질에 조사했을 때 fluorescence intensity의 강도에 차이가 발생하는 것을 detector로 감지하여 우식 정도를 평가하는 기구이다. 이것은 객관적인 재현성을 가지고 있으므로 초기 우식을 주기적으로 측정하여 진행여부를 평가하고 치료를 할 것인지 말 것인지를 결정하는데 도움을 줄 수 있다(**그림 2-1-3∼7**).

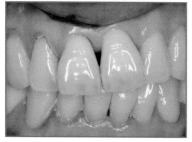 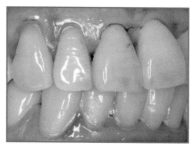 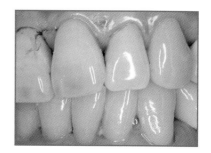

그림 2-1-3
위 앞니의 색이 변한 것 같아 충치가 아닌지 알아보고 싶다는 것을 주소로 내원한 환자이다.
정면 및 측면 사진에서 보는 바와 같이 사진만으로는 정확한 진단이 어려웠다.

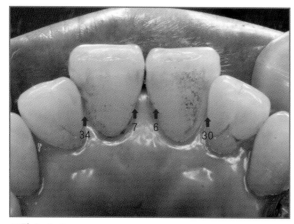

그림 2-1-4
설측에서 관찰한 사진이며 중절치 사이에 변색이 보이지만 DIAGNOdent를 이용한 측정값은 7과 6으로 와동형성에 의한 치료가 필요한 단계는 아닌 것으로 나왔다. 반면에 상악 좌·우측 중절치의 원심은 30이 넘는 측정값이 나왔다. 이러한 측정값에 근거하여, 상악 중절치 사이는 불소도포 등을 하며 좀더 기다려 보고 좌·우측 중절치의 원심부위만 처리하기로 하였다.

DIAGNOdent 값	진단-치료
0 to∼13	정상치아 - professional tooth cleaning (PTC)
∼14 to∼20	탈회초기, 정기적 관찰, 불소권유
∼21 to∼29	탈회진행, 불소도포 정기적 관찰 필요한 경우 minimal intervention
>∼30	치료필요

그림 2-1-5
DIAGNOdent 측정치에 따른 처치. Lussi et al, 2005

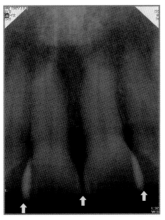

그림 2-1-6
환자의 periapical X-ray 사진이다.
X-ray 사진으로도 정확한 진단을 내리
기 어려웠다.

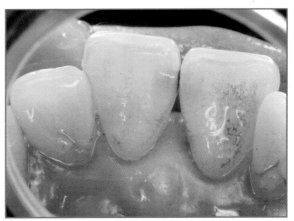

그림 2-1-7
복합레진을 이용하여 좌·우 중절치의 원심부를 치료하였다.

5. 치경부 병소의 진단

과거에는 우식 이외의 치경부 병소를 단순히 칫솔질에 의한 abrasion과 같은 이유만으로 생각하고 치료했지만 최근에는 abrasion 외에도 erosion, abfraction과 같은 noncaries cervical lesion (NCCL)으로 분류하여 진단하고 치료하고 있다. Abrasion의 경우 원인을 칫솔질과 같은 기계적인 마모로 생각하므로 대부분 supragingival 병소이며 여러 개의 치아에 동시에 나타나고 표면이 매끈하며 경계가 명확하다. 이에 비해 erosion은 산부식에 의해 나타나므로 치은변연 바로 위쪽에 주로 나타나며 병소의 경계가 불규칙적인 형태를 가지며 색상이 흰색 혹은 연한 갈색을 띄고 있는 경우가 많다. Abfraction은 치아에 가해지는 교합력 등에 의해 가장 얇은 치경부 법랑질이 반복적으로 compressive-tensile 한 힘을 받아 파절되어 나타나는 것으로 치아 하나 혹은 여러 개에 나타날 수 있고 supragingival, 혹은 subgingival로도 나타날 수 있다. 따라서 같은 치경부 병소라고 해도 치료 시 원인을 제거해야 수복물의 수명도 오래갈 수 있으므로 이를 고려하여야 한다(**그림 2-1-8**). 치경부 병소의 진단 시 주의하여야 할 사항으로 치료할 부위가 sensitivity가 있는지 없는지를 평가하여야 한다. 만약 단순히 치아가 파여 있어 치료할 경우에는 술후 sensitivity에 대해 걱정할 필요가 없는 경우가 많지만, 만약 cold sensitivity를 주소로 하여 치료할 경우에는 반드시 cold test를 시행하여 원인치아를 확인하고 sensitive 한 부위를 모두 레진으로 덮어주도록 해야 한다(**그림 2-1-9**). 치료 과정 중 변연이 underfilling되거나 마무리 과정 중 sensitive 한 부분을 노출시키지 않도록 주의하여야 한다. Abfraction의 경우

눈에 잘 보이지 않는 작은 enamel chipping 만으로도 매우 민감한 상태가 될 수 있으므로 loupe와 같은 확대경을 이용하는 것도 좋은 방법이 될 것이다.

Abrasion	Abfraction	Erosion
Frontal View	Frontal View	Frontal View
Cross Section	Cross Section	Cross Section
Close Up Abrasion	Close Up Abfraction	Close Up Erosion

그림 2-1-8
비우식성의 치경부 결손에 대한 설명

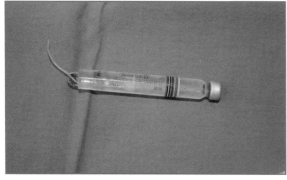 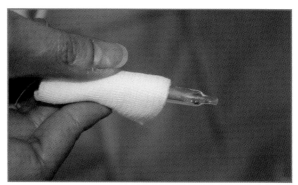

그림 2-1-9
사용한 마취 ample을 이용해 물을 넣고 얼려서 sensivity와 vitality 측정을 간편하게 할 수 있다.
또는 전용으로 나온 냉매를 이용할 수 있다.

II. 복합레진을 이용한 치아수복

1. 복합레진 shade의 선택과 심미적 효과 증진을 위한 치아의 삭제

1) 색의 선택 방법

(1) 언제 색을 선택할까요?

복합레진에 있어서 색의 선택은 치료를 시작하기 전에 하는 것을 원칙으로 한다. 되도록 자연 채광이 잘 들어오는 것에서 하는 것이 바람직하다. 이것이 어려울 경우에는 자연채광을 비교적 가깝게 재현하는 형광등을 설치하거나 자연채광을 재현하는 장치를 이용할 수도 있다.

(2) 쉽고 간단한 case : Mock-up을 이용하는 방법

비교적 크기가 크지 않은 간단한 와동은 mock-up을 이용하여 쉽게 색을 재현할 수 있다. 즉, 수복할 치아 부위에 몇 가지 shade의 복합레진을 위치시킨 후, 광조사하여 그 색을 직접 비교하는 방법이다(**그림 2-2-1**).

일반적인 도재로 만들어진 shade guide 등만을 이용하여 복합레진의 색을 선택하는 것은 쉽지도 않고 바람직하지도 않다. 제품에 따라 복합레진으로 직접 제

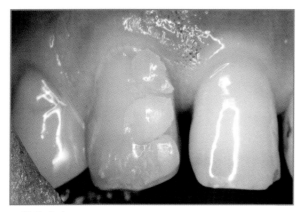

그림 2-2-1
Mock-up을 이용하여 shade를 측정하는 예. 몇 가지 색조의 복합레진을 산처리 되지 않은 치면에 위치시키고 광조사한 후, 나타나는 복합레진의 색 변화를 통하여 원하는 색조의 복합레진을 선택한다. 치아부위에 따라서 조금씩 다른 색조를 재현하는데 많은 도움을 준다. Mock-up은 치면으로 부터 쉽게 제거가 된다.

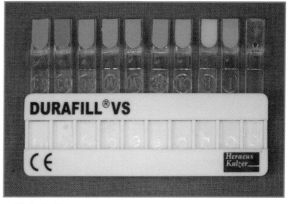

그림 2-2-2
사용하는 복합레진으로 직접 제작한 shade guide가 제품에 직접 포함되어 있을 경우에 shade 선택에 도움을 줄 수 있다. 원하는 경우 맨 오른쪽 비어 있는 mold에 원하는 색의 복합레진을 직접 넣고 광조사시켜서 그 색을 관찰할 수 있다.

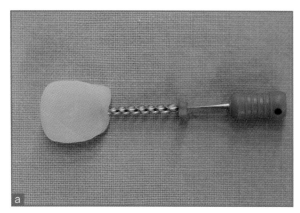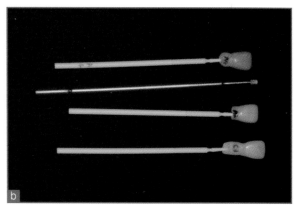

그림 2-2-3
사용하는 복합레진으로 직접 제작한 shade guide. Endodontic file이나 접착제를 도포하는 brush를 이용하여 손잡이로 만든 것이 재미있다.

작된 shade guide를 제공하는 제품들이 있으며(**그림 2-2-2**), 치과에서도 얼마든지 간단히 만들 수 있다(**그림 2-2-3**).

(3) 복잡한 case : 먼저 복합레진의 shade system 이해하기

그럼 조금 더 복잡한 case를 복합레진을 이용하여 수복할 경우, 예를 들면 크기가 큰 4급 와동이나 라미네이트 등에 대하여 생각해 보자. 이를 위해서는 다소 복잡해 보이는 복합레진의 shade system을 이해해야 할 필요가 있다.

우선 다음의 표를 참고해 주기 바란다(**표 2-2-1**).

위의 표는 다소 혼란스럽기까지 한 현재의 복합레진 shade system의 이해를 돕기 위하여 저자 나름대로 분류한 것임을 이해하여 주기 바란다.

현재 사용 가능한 복합레진의 shade의 수는 표에서 보는 바와 같이 회사마다 많은 차이가 있다. 그렇지만 현재 많은 회사에서 만들어 내는 복합레진은 복합레진의 투명도에 따라서 법랑질용(enamel), 상아질용(dentin), 겸용(universal), 절단부위용(incisal), 소아의 치아 및 미백치아용(super white) 등으로 구분할 수 있다. 이 표에서 겸용(universal)으로 표현된 것들은 비교적 크기가 크지 않고, 와동이 순, 설면으로 개통되어 있지 않은, 그리고 주로 구치부와 같이 심미적으로 그리 민감하지 않은 경우를 수복할 경우에 주로 사용할 수 있는 색조와 투명도를 나타내는 복합레진들이다. 이에 반하여 상아질용 복합레진은 보다 투명도가 낮은 복합레진으로서 4급 와동이나 순, 설면 부위로 개통이 된 크기가 큰 와동, 심미적으로 민감한 와동에서 설측에 위치시켜 자연치의 상아질과 비슷한 심미적 역할을 하여서 그 위에 위치시키는 법랑질용 복합레진과 같이 복합레진의 심미적인 효과를 증진시키는 역할을 한다. **그림 2-2-4**에 그 투명도의 차이를

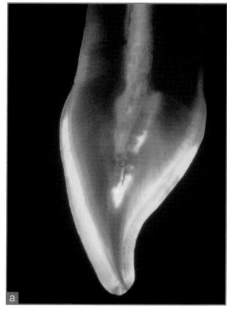
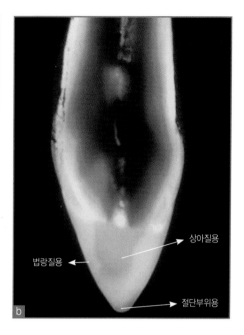

상아질용

법랑질용

절단부위용

그림 2-2-4
a. 자연치아를 역광에서 찍은 모습. 법랑질, 상아질, 절단부위의 투명도가 뚜렷이 차이나는 것을 알 수 있다.
b. 자연치의 일부를 잘라내고 이를 복합레진으로 수복한 모습. 법랑질, 상아질, 절단부위용 복합레진으로 수복을 하였
   으나 자연치의 자연감을 완전히 재현했다고는 할 수 없다.

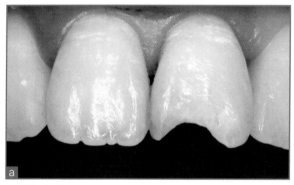
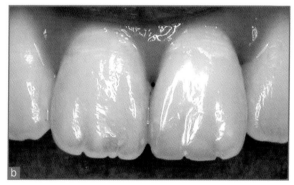

그림 2-2-5
절단부위가 투명한 환자에게는 절단부용 복합레진을 사용하면 좋은 효과를 얻을 수 있다.

나타내는 그림을 참고해주기 바란다. 상아질용, 법랑질용 그리고 절단부위용 복
합레진으로 충전을 하였지만, 자연치아와는 차이가 있다. 결국 이러한 차이를
어떻게 하면 눈에 덜 들어나게 하는지가 임상가의 술기라 할 수 있겠다. 이에 대
한 tip을 3장과 4장에서 자세히 다루게 될 것이다.
절단부위용 복합레진은 투명도가 아주 높아서 치관부 절단부의 투명한 효과를
나타낼 수 있다(**그림 2-2-5**). 미백치료가 끝난 치아나 유치의 경우 치아가 보다
하얗고 불투명한 양상을 나타내는데, 이를 위하여 소아의 치아 및 미백치아용

표 2-2-1 복합레진의 shade system

회사명	제품명	Type	Incisal	Enamel	Dentin	Universal	미백치및 유치	Radiopacity
3M ESPE	Filtek Z350 XT	N	4	8	7	body : 16	WD, XWD, WB, XWB, WE	o
	Filtek Z250	MH	1	10	1			o
	Filtek Z250 XT	NH		10	opaque:2			o
	Filtek Z100	MH		9	1		P:1	o
	Filtek P60	MH				3		o
	Filtek bulkfil posterior	N				5		o
Bisco	AESTHETIC Enamel	N	3	16			W:1	o
	All-Purpose Body	MH			7 opaque:2			o
	LS Posterior	H				8		o
	pro-v fil				opaque:1			o
Coltene-whaledent	Synergy D6	NH		2	6			o
	Synergy Duo	NH				6		o
	Synergy Compact	NH				3		o
Dentlply	spectrum TPH3	MH		12	opaque:2		W:1	o
	esthet XHD	MH	※	5	opaque:7	19		o
	Ceram X mono +	NH				7		
	Ceram X duo	NH			3	4		
	Ceram X one universal	NH				7		
	Ceram X one dentin & enamel				3	4		
	suer fil	MH				3		
	Qui X fil	MH				1		
GC	GRADIA direct anterior	MH		6	opaque:3	10	BW:1	x
	GRADIA direct posterior	MH		2		4		o
	MIGRACEFIL	N	2	10	opaque:3		BW:1	o
Kerr	Point 4	MH-H	3		body:15		XL1,XL2	o
	Premisa	N	4	18	8		XL1,XL2	o
	Prodigy condensable	MH				7	XL:1	o
	Revolution formula 2	MH	1	16	opaque:2		XL:1	o
	Sonic fill	N				4		o

회사명	제품명	Type	Incisal	Enamel	Dentin	Universal	미백치및 유치	Radiopacity
Kuraray	Clearfil AP–X	MH	1	11	1		XL:1	o
Ivoclarvivadent	Tetric N ceram	NH	1	10	2		Bleach L, I, M:3	o
Tokuyama	ESTELITE Sigma Quick	N	1(CE)	13	opaque:4		BW, WE:2	o
	ESTELITE posterior	N	1(PCE)			3		o
DENTKIST	Charmfil plus	MH	1	10	opaque:1			o
Vericom	Denfil	MH	1	1	opaque:2	11	P(유치):1	o
	Denfil N	N		7	opaque:2		W:1	o

미백치아: 미백한 치아나 소아 치아의 색조에 맞출 수 있는 복합레진
※ enamel 용 레진으로 사용가능

회사명	제품명	Type	Incisal	Enamel	Dentin	Universal	미백치및 유치	Radiopacity
3M ESPE	Filtek Z350 Flowable	N		9	opaque:1		Extra white, White2	o
	Filtek bulkfil flowable	N				4		o
Bisco	AELITEFLO	MH	1	10	opaque:1		Opaque white:1	o
Coltene–whaledent	Synergy D6 flow	N		1	6			o
Dentlply	esthet X–flow	MH		7	1			o
	SDR	NH				1		o
GC	G–aenial flo	NH		10	opaque:2			o
	G–aenial universal flo	NH	AE, JE: 2	10	opaque:2		BW:1	o
	unfil flow	MH		6				o
	unfil loflow plus	MH	1	9	opaque:1		BW:1	
Kerr	Dyad flo	MH	1	5	opaque:1		W:1	o
	premise flow	N		7	opaque:1		XL1,XL2:2	o
Ivoclar	Tetric N ceram flow	NH	1	7	1			
Tokuyama	ESTELITE Flow Quick	M	1	12	opaque:3		BW:1	O
	ESTELITE Flow Quick high Flow	N		3	opaque:1			O
	ESTELITE LV	M		3 or 4				O
DENTKIST	Charmfil flow	MH	1	6	opaque:1			O
Vericom	Denfil flow	MH	1	7	opaque:2			O

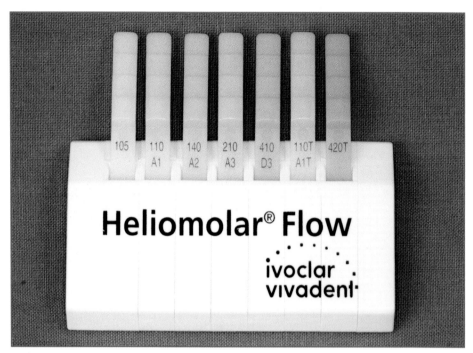

그림 2-2-6
두께에 따라 복합레진의 색이 달라 보인다. 일반적으로 더 진하고 탁해 보인다. 복합레진을 충전할 경우 설측으로부터 해오면서 두께의 변화에 따른 색의 변화를 감지하는 것이 중요하며, 순측에 올라가는 복합레진의 색을 조정해야 하는 경우가 많다.

복합레진을 이용할 수 있다(super white). 이 복합레진들은 회사에 따라 따로 분류되지 않은 경우가 많아서, 표 **2-2-1**에서 사용할 수 있는 색조를 같이 나타내었다.

그런데 복합레진의 shade 표시에 있어서 치과의사들을 곤혹스럽게 만드는 것은 회사마다 shade의 표기 방법이 다르다는 것이다. 예를 들면 상아질용 A3 shade에 A3(D), A3 opaque 등으로, 법랑질용 A3 shade는 A3(E), A3와 같이, 치아 미백용 shade는 따로 bleaching 용으로 나타내는 경우도 있지만 B0, A0 등으로 표시하는 경우도 있다. 판매회사 직원도 이를 잘 인식하지 못하는 경우가 있으니 제품에서 제공하는 안내서를 반드시 참고해 두는 것이 좋겠다.

(4) 복잡한 case : 두께에 따라 색이 달라 보여요.

복합레진의 shade 결정을 어렵게 만드는 이유 중의 하나가 그 두께에 따라서 복합레진의 색이 다르게 보일 수 있다는 것이다(**그림 2-2-6**). 일반적으로 두꺼워질수록 색이 더욱 진하고 탁해 보이기 때문에 와동이 협설측으로 관통되어 있는 경우 우리가 원하는 색과는 다른 결과를 나타내는 경우가 많다. 그래서 다음과 같은 특별한 shade guide를 만들어 두면 도움이 되는 경우가 많다.

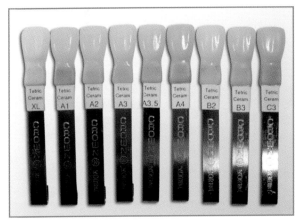

그림 2-2-7
Custom shade guide의 enamel portion.

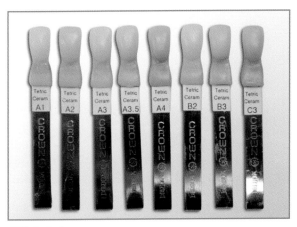

그림 2-2-8
Custom shade guide의 dentin portion.

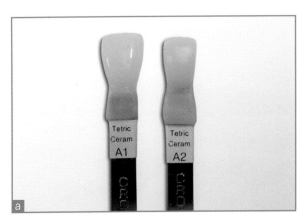

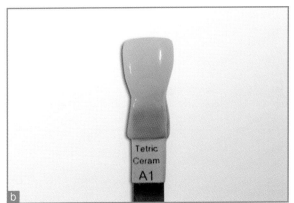

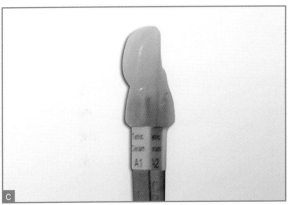

그림 2-2-9
enamel portion과 dentin portion을 겹쳐서 관찰할 수 있다. 따라서 여러 가지 색의 조합에 따른 차이를 관찰할 수 있다.

(5) Custom shade guide 만들어 보기

Custom shade guide는 enamel shell과 dentin core로 구성되어 있으며, 이 둘을 겹쳐 볼 수 있어서, 색을 선택하는데 도움을 받을 수 있다. 치과에서 사용하는 복합레진으로 직접 만들 수 있다(**그림 2-2-7~2-2-11**).

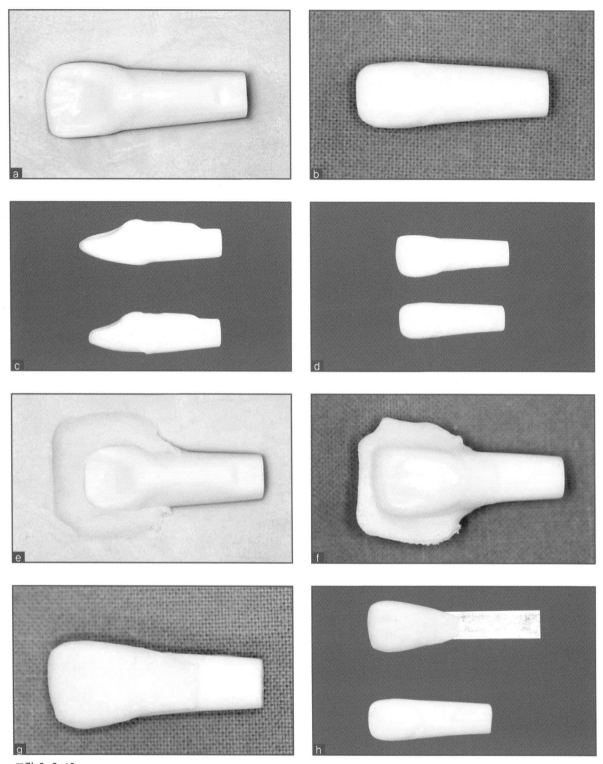

그림 2-2-10
custom shade guide의 enamel shell 만들기(a~h)
발치된 자연치, 또는 실습용 dentiform 등에서 사용하는 model 치아를 사용할 수 있다.
a. Putty에 치아를 눌러서 찍는다.   b. 치아를 삭제한다.   c. 삭제한 치아 비교
d. 삭제한 치아 비교   e. Resin 분리제를 바르고 putty에 레진을 담고 삭제한 치아를 눌러서 찍는다.
f. Lightcuring 한 후에 putty에서 분리한다.   g. Finishing한다.   h. 적당한 막대를 resin으로 접착하고 polishing한다.

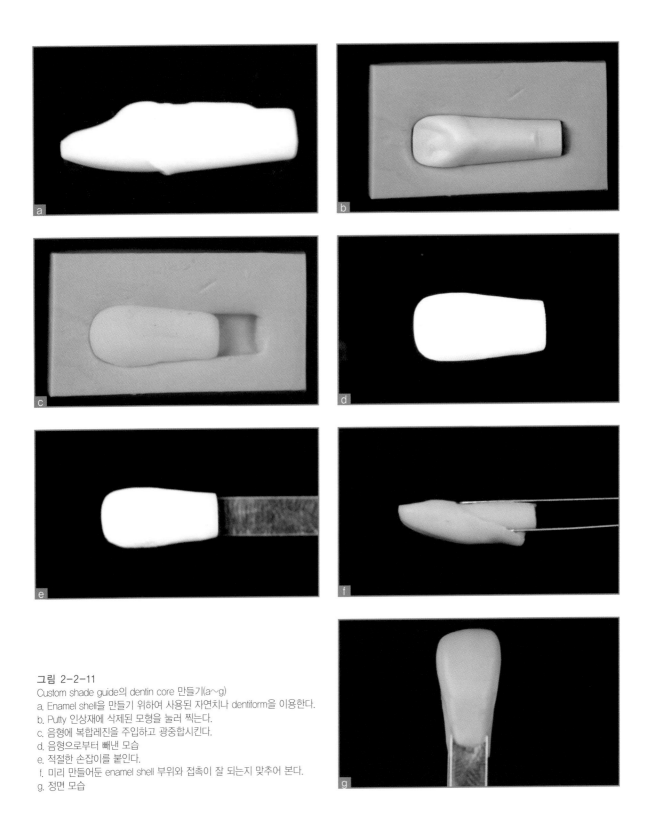

그림 2-2-11
Custom shade guide의 dentin core 만들기(a~g)
a. Enamel shell을 만들기 위하여 사용된 자연치나 dentiform을 이용한다.
b. Putty 인상재에 삭제된 모형을 눌러 찍는다.
c. 음형에 복합레진을 주입하고 광중합시킨다.
d. 음형으로부터 빼낸 모습
e. 적절한 손잡이를 붙인다.
f. 미리 만들어둔 enamel shell 부위와 접촉이 잘 되는지 맞추어 본다.
g. 정면 모습

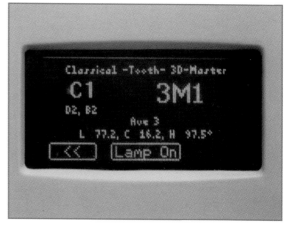

그림 2-2-12
DIGITAL 색 측정 장비. 색을 좀 더 객관적으로 평가하는데 도움을 준다.

(6) Digital 장비 이용하기

최근 몇 년 동안에 치아 색을 측정하는 여러 종류의 다양한 digital 장비들이 도입되었다. 필자의 경우도 현재 digital 장비를 이용하여 색을 측정하고 있는데, 새삼 느끼는 점은 그 동안 너무 타성에 젖어 색을 선택하였다는 것이다. 예를 들면 digital 장비 사용 전에는 C shade 계통의 복합레진을 사용하는 예는 매우 드물었는데, digital 장비를 이용하여 색을 측정한 후에는 C shade의 색조를 예전보다 훨씬 많이 사용하게 되었다. Digital 장비는 보다 객관적으로 색을 평가하는데 도움을 주는 것 같다(**그림 2-2-12**). 또 다른 장점은 기공소와의 의사 소통에 매우 유리하다는 점이다. 제작하여 온 수복물의 shade에 관하여 보다 객관적인 사실에 입각하여 shade를 주문할 수 있다.

(7) 복합레진의 심미적 한계 이해하기

복합레진이 그 투명도에 따라 법랑질, 상아질, 절단부위용, 미백치아 용도로 구별하여 사용할 수 있을 만큼, 예전보다 자연치아에 훨씬 가깝게 재현을 할 수 있지만, 그림 2-2-4에서 보는 것처럼 자연치아와는 아직 차이가 있는 것이 사실이다. 치과의사는 여러 가지 임상기법을 통하여 이와 같은 차이가 되도록 덜 나타나게 노력할 뿐이다. 3, 4, 5장에서 진행되는 임상 case에서 실제 임상에서 적용할 수 있는 여러 기법을 통하여 이를 알아보도록 하겠다.

Ⅲ. 와동의 삭제

1. 와동 삭제의 이유

와동을 삭제하는 목적은 세 가지 정도로 요약할 수 있다.

첫째, 병소를 제거하기 위함이다.

모든 우식은 제거되어야 한다. 단 복합레진 수복의 경우 치질의 삭제를 최소로 하도록 노력해야 한다.

둘째, 유지력을 증가시키기 위함이다.

법랑질 부위에 bevel을 형성하여 접착력을 높일 수 있다. Bevel을 부여함으로서 접착면적을 증가시켜 줄 수 있을 뿐만 아니라, 접착의 강도도 더 높일 수 있다. 와동 삭제가 이루어진 법랑질은 그렇지 않는 법랑질에 비하여 산부식에 의한 접착 시 더 유리하다.

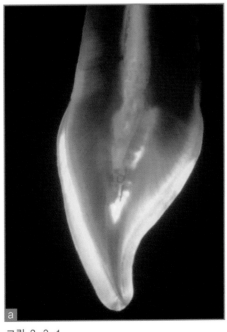 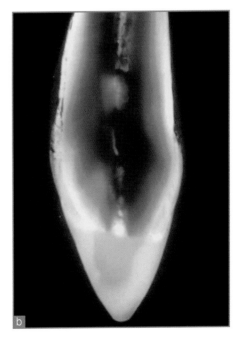

그림 2-3-1
a. 자연치아를 종으로 잘라 본 모습. 법랑질, 상아질의 투명도 두께를 잘 알 수 있다
b. 치아의 절단면쪽 1/2을 자르고 복합레진으로 충전한 모습. 자연치아와 비교하여 복합레진의 빛의 투과도가 차이가 있음을 알 수 있다.

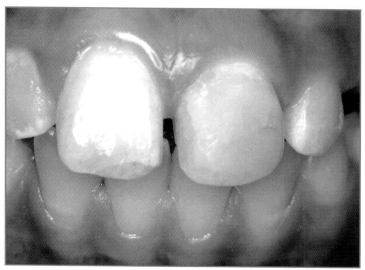

그림 2-3-2
그림 2-3-1에서 본 바와 같은 복합레진의 단점을 고려하지 않고 복합레진으로 치아를 수복한 경우. 그림에서 보는 바와 같이 자연치아 부위와 복합레진 부위가 확연히 구별되어 심미적으로 바람직하지 않다. 순면측에 되도록 긴 bevel을 부여하여 자연치아로부터 복합레진으로의 이행부를 길게 하는 것이 유리하다.

셋째, 심미적인 목적을 위함이다.

복합레진이 아직 심미적으로 자연치아와 차이가 있기 때문에(**그림 2-3-1a, b**), bevel을 부여하지 않고 치아에서 복합레진으로 갑자기 이행하게 되면 심미적으로 자연스럽지 못한 결과가 나타난다. 즉, 자연치와 복합레진의 구별이 너무 확연히 나타나게 된다. 이러한 이유로 순면부위의 bevel을 3~5 mm 정도 길게 하여 그 이행 부위를 넓게 해 줌으로서 좀 더 심미적으로 보일 수 있게 한다

2. 와동 삭제의 원칙

첫째, 먼저 모든 우식은 기본적으로 완전히 제거되어야 한다.

고속 dismond 및 cabide bur, 저속 carbide bur, spoon excavator 등을 이용한다.

둘째, 유지력의 증가를 위하여 법랑질 부위에 bevel을 부여하여야 한다.

복합레진 수복을 위하여 부여하는 bevel은 gold inlay 등에서 부여하는 bevel과는 달리 와동 변연부의 법랑질을 치아의 자연스러운 외면을 따라 1~2 mm 정도의 넓이로 약간 삭제하여 주는 것을 의미한다. Rasmussen 등

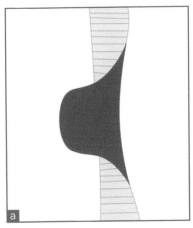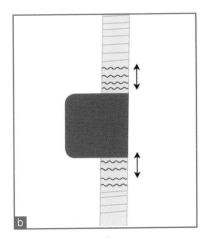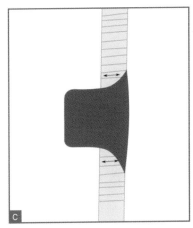

그림 2-3-3
a. 복합레진에서의 bevel이란 치아의 외형을 따라 자연스럽게 법랑질의 치질 일부를 그림과 같이 삭제하는 것을 의미한다.
b. Bevel을 주지 않고 butt joint의 와동을 형성하면 복합레진의 중합수축의 stress가 법랑질 부위에 불리하게 작용한다.
c. Bevel을 줄 경우 가상적인 법랑질 소주의 방향을 머리 속에 상상하고 bevel을 부여해야 b에서와 같은 문제를 피할 수 있다.

(1976)에 따르면 법랑질은 법랑질 소주(enamel rod)의 방향과 평행하게 당기는 힘에 저항하는 능력을 100으로 한다면, 수직으로 당기는 힘에 대한 저항력은 10에 불과하다고 한다. 따라서 와동의 변연이 법랑질 소주의 방향과 평행하다면 법랑질의 접착에 의하여 이루어지는 효과는 없고 오히려 복합레진의 중합수축에 대하여 법랑질에는 균열이 먼저 발생할 수 있다. 결국 bevel을 부여함으로써 중합수축에 대한 응력에 더 높은 저항성을 부여하는 것이다(**그림 2-3-3**). 따라서 bevel을 부여할 경우 법랑소주의 방향을 잘 고려하여야 한다. Bur를 이용하여 bevel을 부여하기 어려운 경우는 diamond strip, polishing strip 등을 이용할 수 있다.

셋째, 심미성에 따라 bevel의 길이를 변화시킨다.
심미적으로 더 중요한 경우에는 bevel의 길이를 더 길게 하여 심미성을 증가시킬 수 있다.

3. 와동별 삭제 방법

1) 1급 와동
Bevel을 주지 않는 편이 유리한 경우-
보통 크기가 크지 않은 와동은 특별히 bevel을 줄 필요가 없다. 그 이유는 교합면 부위의 법랑질 소주의 방향이 특별히 bevel을 주지 않아도 접착에 유리하게 되어 있기 때문이다(**그림 2-3-4**).

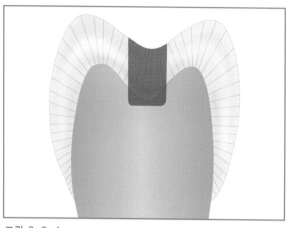

그림 2-3-4
1급 와동의 법랑질 소주의 방향과 와동의 형성. 와동이 크지 않은 경우는 특별히 bevel을 주지 않더라도 와동 삭제 후 법랑질 소주의 삭제된 면이 bevel을 준 모습과 같게 된다.

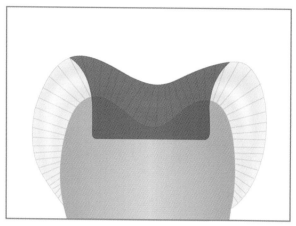

그림 2-3-5
1급 와동이 큰 경우 bevel을 부여하여야 복합레진의 중합수축의 응력에 저항할 수 있는 모습이 된다.

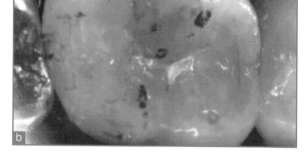

그림 2-3-6
수복 전 미리 교합상태를 관찰하여 되도록이면 와동의 변연에 직접 교합되지 않도록 와동을 design하는 것이 바람직하다. 변연부에 직접 교합이 되어(a), bevel을 통하여 와동의 design을 변경하고 충전하였다(b).

Bevel을 주는 편이 유리한 경우-

와동의 크기가 큰 경우 또는 교합면의 교두가 해부학적으로 평평한 모양을 가지고 있는 경우에는, 법랑질 소주의 방향을 고려한다면, bevel을 부여하는 것이 바람직하다(**그림 2-3-5**).

교합-

와동 삭제 전, 환자의 교합상태를 미리 기록하여, 되도록 와동의 변연 부위에 직접 접촉이 되지 않게 design하도록 하자(**그림 2-3-6**). Bevel을 적절히 형성함으로서 이러한 문제를 해결할 수 있으며, 이 때 형성하는 bevel을 일반적인 경우보다 약간 더 깊게 형성하여 주는 것이 바람직하다.

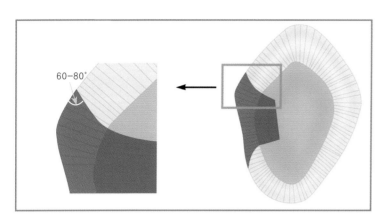

그림 2-3-7
2급 와동에서 인접면 부위의 와동삭제 시, 60~80도의
각도가 형성되게 bevel을 부여하는 것이 바람직하다.

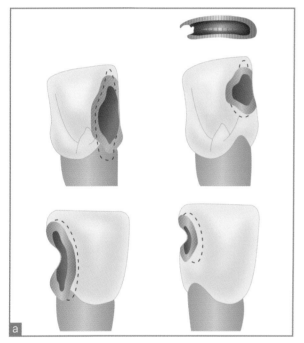

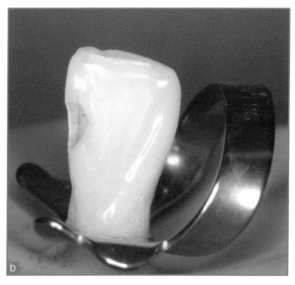

그림 2-3-8
3급 와동에서 bevel의 모습(a, b).

2) 2급 와동

교합면 부위는 1급 와동에서와 같은 원칙을 적용하면 된다.

2급 와동의 축벽은 butt joint가 형성되지 않도록 약간의 bevel을 주도록 주의해야
한다. Butt joint가 되면 중합수축의 방향 때문에 변연 부위에서 발생하는 응력에
의하여 법랑질 변연 부위에서 균열 등이 생길 수 있다(**그림 2-3-7**).

3) 3급 와동

모든 변연에 bevel을 형성한다(**그림 2-3-8**). Bur를 이용하기 어려운 좁은 부위는
diamond strip 등을 이용할 수 있다(**그림 2-3-9**).

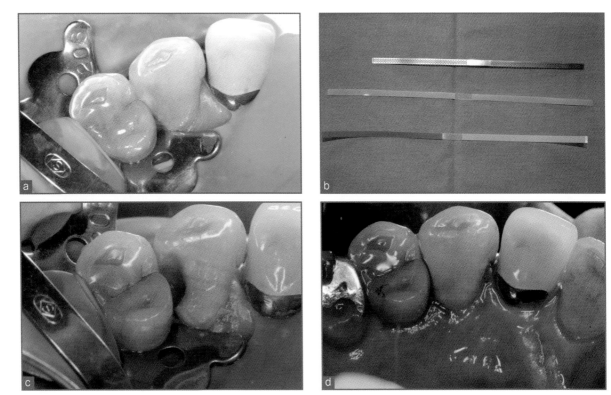

그림 2-3-9
a. #13 치아의 원심면에 우식이 있다. 일반적인 경우보다 협설로 넓은 인접면 접촉이 형성되어 있어서 bur만을 이용하여 와동을 형성할 경우에는 자칫 와동이 너무 커지고 인접치아의 손상도 우려된다.
b. Bur를 이용하여 bevel을 부여하기 어려운 인접면 부위는 diamond strip 또는 polishing strip을 이용할 수 있다.
c. 와동의 대부분은 bur를 이용하여 형성하였지만, bevel 부위는 diamond strip를 이용하여 인접 치아의 손상없이 좁은 공간에서 효과적으로 치아를 삭제하였다.
d. 복합레진 수복이 완료된 모습.

4) 4급 와동

심미적인 목적을 증가시키기 위하여 순측에는 비교적 넓은 bevel을, 설측에는 교합에 장애가 되지 않는 부위에 1 mm 정도의 bevel을 부여한다(**그림 2-3-10**). 순측에 형성하는 bevel은 치질 손상 정도, 심미적 특성을 고려하여 그 길이를 결정하는데, bevel의 길이가 넓을수록 자연치아부터 복합레진으로의 이행이 좀더 자연스럽다. 또한 치아 파절 부위를 다른 부위보다 약간 더 삭제하면서 bevel을 주는 것이 심미적으로 유리한 경우가 많다. Diamond bur를 이용하며, bur를 이용할 경우 치질 삭제가 너무 많아질 우려가 있는 인접면 부위는 diamond strip 등을 이용하는 것이 바람직하다(**그림 2-3-11**).

5) 5급 와동

5급 와동은 교합변연(occlusal margin), 근심변연(mesial margin), 원심변연(distal margin)은 법랑질, 치은변연(cervical margin)은 상아질로 구성되는 경우가 대부

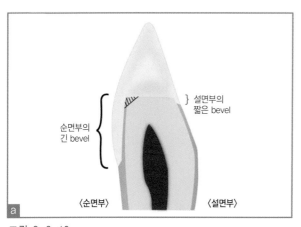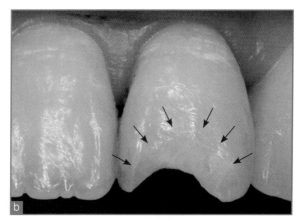

그림 2-3-10
순면부는 3~5 mm 정도의 긴 bevel, 설면부는 1 mm 정도의 짧은 bevel을 부여한다. 치아파절 부위는 다른 부위보다 약간 치질 삭제를 더하는 것이 심미적인 관점에서 유리하다.

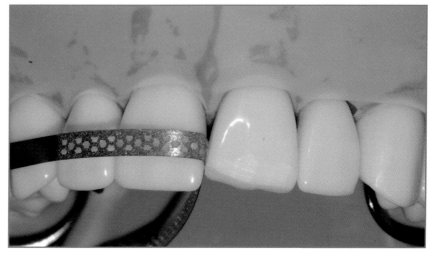

그림 2-3-11
Bur를 이용하여 bevel을 부여하기 어려운 인접면 부위는 diamond strip, polishing strip을 이용할 수 있다.

분이다. 따라서 치아우식 때문에 생긴 5급 와동의 경우는 우식을 제거한 후 법랑질 교합변연 부위는 bevel을 형성하여 주어야 한다. 문제는 우식이 없는 cervical abrasion의 경우인데, 많은 임상가들이 이 경우 상아질에 대한 삭제를 하지 않고 복합레진을 직접 수복하는 경우가 많은 것으로 알고 있다. 하지만 이 경우 노출된 상아질은 불소, 타액의 단백질 등의 외적인 요소에 의하여 오염이 되어 있는 경우가 많고, 또 sclerosis도 진행되어 있는 경우가 많아서 상아질 접착이 제대로 이루어지지 않는 경우가 대부분이다. 따라서 이 경우도 노출된 상아질을 약간 제거하여, 복합레진의 접착에 유리한 상아질을 노출시킨 후 수복을 하는 것이 타당하다고 생각한다(**그림 2-3-12~14**).

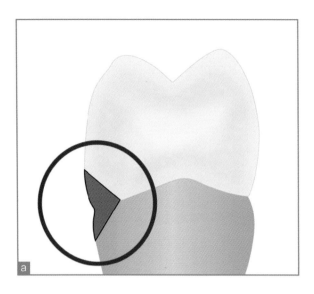

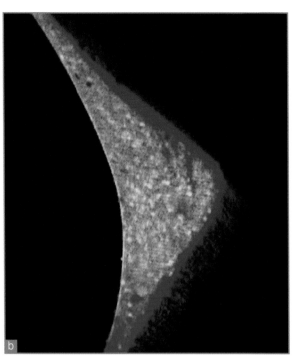

그림 2-3-12
5급 와동에서 와동을 삭제한 후 상아질 접착제를 도포하면(a) 상아세관 내로의 상아질 접착제의 침투가 효과적으로 이루어진다(b).

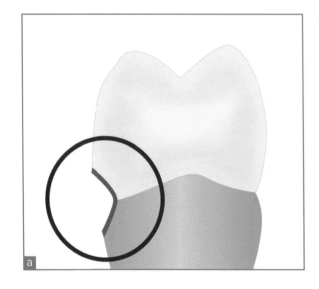

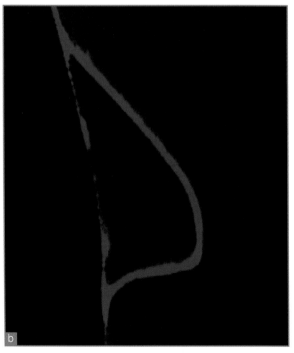

그림 2-3-13
반면에 5급 와동에서 와동을 삭제하지 않고 그대로 상아질 접착제를 도포한 경우(a)에는 상아질 접착제가 효과적으로 침투하지 못한다(b).

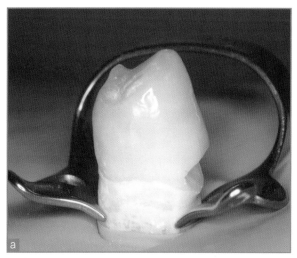
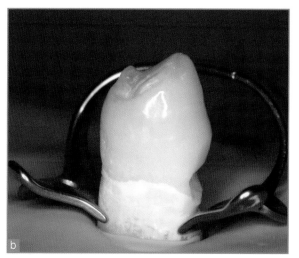

그림 2-3-14
5급 와동에서 와동 삭제 전(a)과 후(b). a에 비하여 bevel이 부여되어 있고 노출된 상아질이 약간 삭제되어 있는 것을 볼 수 있다.

4. 유용한 기구와 재료 (그림 2-3-15, 16)

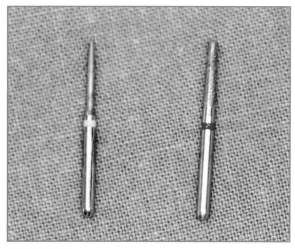

그림 2-3-15
Bevel 등을 부여할 경우 사용하는 diamond bur. 중등도나 낮은 거칠기를 갖는 diamond bur를 사용하여 치질이 지나치게 삭제되는 것을 막을 수 있다.

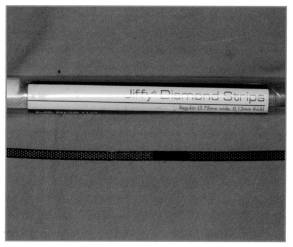

그림 2-3-16
인접면 등의 삭제에 사용되는 diamond strip의 한 종류.

Q 5급 와동에서 꼭 치아 삭제를 하여야 하나요?

지금은 누구나 비교적 손쉽게 하는 복합레진을 이용한 5급 와동 수복이 80년대 말까지만 하더라도 치과의사들에게 매우 어려운 치료였다는 사실을 아시나요? 통상 치료 후 6개월 만에 20~30%, 1년 후 30~40%의 수복물 탈락이 생겼다고 합니다. 다른 와동과는 달리 5급 와동은 교합변연의 일부를 제외하고는 거의 대부분 상아질로 이루어져 있습니다. 따라서 상아질 접착제가 본격적으로 도입되기 시작한 90년대 초 이전에는 정말로 어려운 치료였습니다. 이렇게 상아질 접착제가 중요한 역할을 하기 때문에 상아질 접착제의 효과를 극대화시키는 것이 중요합니다. 특히 abfraction 등에 의하여 생긴 5급 와동을 수복하는 경우에 와동 삭제 없이 바로 상아질 접착제를 처리하는 경우가 있는데, 노출된 상아질은 마치 노출된 창상(exposed wound)처럼 여러 가지 물질에 오염이 되어 있고, 또 많은 경우 석회화(sclerosis)가 진행된 경우가 많기 때문에 와동 삭제 없이 바로 상아질 접착제를 도포하여서는 상아질 접착제의 효과를 100% 발휘하기가 어렵습니다. 그렇다고 아말감이나 금 수복물의 경우처럼 와동 삭제를 하라는 이야기가 아닙니다. 법랑질 부위는 bevel을 주고 치아의 외형에 따라 노출된 상아질을 약간 제거(수십~수백 um 정도)하는 정도로 충분하다고 생각합니다. 그렇게 하면 상아질 접착에 더 유리한 상아질 표면이 노출될 확률이 높아집니다.

Q 얇게 남은 법랑질을 꼭 남겨두어야 하나요?

복합레진의 장점이 치질 삭제를 최소로 하는 것이기 때문에 되도록 치질 삭제량은 줄이는 것이 좋습니다. 하지만 지나치게 얇게 남은 법랑질의 경우 제거하지 않고 복합레진을 수복할 경우 얇은 법랑질을 통과해 보이는 복합레진의 색이 자연스럽지 않게 나타나는 경우가 많이 있습니다. 또한 복합레진의 중합수축의 stress로 인하여 작은 균열 등이 발생하기도 합니다. 그러니 이런 경우에는 차라리 과감히 삭제하고, 순측의 bevel을 좀 더 넓게 주어서 심미적인 문제와 유지력을 향상시키도록 하는 것이 좋을 것 같습니다.

Q 복합레진의 탈락을 방지하기 위하여 와동에 retention groove, undercut 등을 주어야 하나요?

특히 5급 와동에서 탈락의 우려 때문에 위와 같은 방법을 시도하는 경우가 많은 것 같습니다. 복합레진 수복의 가장 큰 장점은 치질 삭제량을 최소화하면서 유지력을 얻을 수 있다는 것입니다. 위와 같이 유지력 증가를 위해 추가적으로 와동을 삭제한다면 와동의 유지력은 다소 향상될 수 있겠지만 복합레진 수복의 장점을 더 이상 이야기할 수는 없겠군요. 유지형태를 부여하지 않고도 bevel 부여, 적절한 와동 형성, 적절한 상아질 접착제의 처리를 통하여 5년 정도 성공적으로 사용할 수 있다면 이것이 오히려 바람직하다고 생각합니다.

또한, 아직 접착제가 완전하지 않은 현실에서는 일정한 시간이 경과한 후에 재치료하는 것을 생각해야 하고, 이러한 경우 가장 치질 손상을 적게 할 수 있는 방법을 선택하는 것이 더 바람직하다고 생각합니다.

Hybrid layer가 시간이 지나면서 서서히 파괴되기 때문에 접착제의 상아질에 대한 접착 능력은 시간이 지나감에 따라 감소하며, 복합레진 수복물의 탈락 현상이 나타날 수 있습니다. 이 경우에도 최소한의 치질 삭제만으로 복합레진을 다시 충전할 수 있으며, 이것이 복합레진의 가장 큰 장점입니다.

그런데 만약 유지형태를 부여하였을 경우에는 이미 치아와 복합레진 사이에 문제가 발생했는데도 복합레진은 치아에 계속 유지될 수 있습니다. 결국 복합레진을 제거해 보았을 때 이미 이차우식은 많이 진행되어 있겠지요. 마치 오래된 아말감이나 금인레이를 제거했을 경우와 비슷한 현상이 발생하겠지요? 결국 와동 삭제는 더 커질 것이고, 복합레진의 장점은 이미 사라졌다고 할 수 있습니다.

만약 5급 와동의 크기가 매우 크고, 법랑질에서의 접착이 제한적인 상황이라면 부가적인 유지력을 부여하기 위하여 undercut 등을 부여할 수도 있을 것입니다.

Ⅳ. 치수의 보호

전통적인 개념에서 치수를 보호하기 위하여 사용되었던 이장재와 기저재는 금속 수복물에 해당하는 것이었으며, 복합레진 수복물에서는 이를 다른 각도에서 생각하여야 한다.

1. 전통적 의미의 이장재(liner)와 기저재(base)

이장재(liner)와 기저재(base)는 전통적으로
① 수복물의 미세누출을 방지하고
② 열전도율이 높은 수복재료에 대해 치수로 가해질 수 있는 열자극을 차단하며
③ 화학적 자극으로부터 치수를 보호하고
④ 높은 생체친화성을 바탕으로 경조직 재생을 유도하기 위하여 사용되어 왔다.

이러한 전통적 의미의 이장재 외 기저재는, 특히 금속 수복물에 있어서 중요한 역할을 하여 코팔바니쉬, 수산화칼슘, 글라스아이노머시멘트, 산화아연유지놀시멘트(ZOE), 산화아연시멘트, 폴리카르복실레이트시멘트 등이 다양하게 사용되었다.

2. 복합레진 사용 시의 이장재와 기저재

복합레진을 사용할 경우에는 전통적으로 상용되어 왔던 이장재와 기저재 중 코팔바니쉬, 산화아연유지놀시멘트 등은 복합레진의 접착과 중합을 방해할 수 있기 때문에 사용해서는 안 된다.
① 미세누출방지, 열전도차단 등의 문제는 복합레진과 접착제의 사용으로 충분하며,
② 화학적인 자극으로부터 치수를 보호하기 위하여 심미성까지 갖춘 글라스아이노머시멘트가 가장 바람직한 기저재라고 할 수 있다. 치수와 근접한 깊은 와동에 산부식재를 도포할 경우 산부식재의 농도와 적용시간에 매우 주의를 기울이지 않으면 남아 있는 치질로부터 과도한 mineral loss가 발생하고, 상아세관이 지나치게 넓어지며, 치수압 등의 영향으로 상아질 접착제가 성공적으로 접착을 하기 어려운 조건이 될 수 있다. 따라서, 이러한 부위를 글라스아이노머시멘트를 이용하여 부분적으로 밀봉을 하고,
③ 금속 수복물에서와는 달리, 복합레진은 중합의 과정에서 수축을 하며, 이 때 치

아에 대해 좋지 않은 응력이 발생한다. 특히 C-factor가 높거나 크기가 큰 와동에서 이러한 stress를 줄여주기 위해서는 복합레진 자체의 양을 줄여주는 것이 필요한데, 이러한 용도로 글라스아이노머시멘트가 가장 적절하다고 할 수 있다.

④ Pulp capping 등을 통하여 경조직 재생을 하기 위해서는 칼슘하이드록사이드, MTA 등이 적절한 역할을 할 수 있다. 단, 칼슘하이드록사이드는 결국 녹아서 없어지기 때문에 도포하는 영역을 최소로 줄이고, 그 위를 글라스아이노머시멘트로 덮어준 후 복합레진으로 충전하는 것이 중요하다.

⑤ 최근 pulp capping과 base의 역할을 같이 수행할 수 있는 Biodentine이라는 제품도 출시되었다.

표 2-4-1. 금속 수복물과 복합레진에서의 이장재와 기저재의 사용

치아와 치수보호	금속 수복물	복합레진
치수 노출 시	칼슘하이드록사이드, MTA	칼슘하이드록사이드, MTA
화학적인 반응물로부터 보호	코팔바니쉬, 글라스아이노머시멘트, 산화아연유지놀시멘트(ZOE), 폴리카르복실레이트시멘트	접착제와 글라스아이노머-시멘트
미세누출 방지	코팔바니쉬	접착제
열전도 차단	글라스아이노머시멘트, 산화아연유지놀시멘트(ZOE), 폴리카르복실레이트시멘트	필요없음(복합레진 자체로 충분)
중합수축응력 감소	필요없음	글라스아이노머시멘트

3. 임상 술식

Pulp capping 시

① 노출된 치수를 소독된 wet cotton을 이용해 수 분 동안 압박을 가하여 꼭 눌러

준 후 지혈이 되었는지 확인한다. 성공적인 pulp capping을 위하여 지혈의 과정은 매우 중요하다. Dry cotton을 사용할 경우, 뗄 때 응고된 혈액이 cotton과 같이 떨어져 다시 피가 날 수 있으므로 주의한다(**그림 2-4-1**).

② 지혈이 된 것이 확인되면, 칼슘하이드록사이드 또는 MTA를 제조사의 지시대로 도포한다. 좀 더 강화된 물성을 위하여 광중합용의 칼슘하이드록사이드를 사용할 수도 있다. 이 때 노출된 치수에 국한하여 도포하도록 주의하자(**그림 2-4-2**).

③ 마른 cotton을 이용하여 와동 내를 건조시킨다. air syringe를 이용하여 치아를 장시간 과도하게 건조시키는 것은 좋지 않다.

④ 글라스아이노머시멘트 도포 전 conditioner를 와동 내에 수 초간 짧게 적용하는 것을 추천하는 제품과 그렇지 않은 제품이 있으니 이를 참고하기 바란다. 칼슘하이드록사이드 위를 글라스아이노머로 충전한다. 이 때, 그 위에 복합레진을 바로 충전할 수도 있고, 전체 와동을 글라스아이노머시멘트로 채워서 예후를 충분히 관찰하고, 복합레진으로 충전할 수도 있다(**그림 2-4-3**).

※ MTA의 경우, 충전 후 wet cotton을 충전 부위에 덮어 준 다음 임시 충전을 해준다. 수 일 경과 후 MTA가 완전 경화된 것이 확인되면 글라스아이노머로 base를 형성한 후 복합레진으로 충전한다.

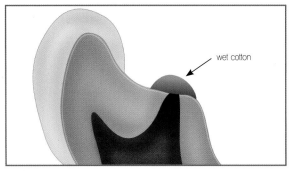

wet cotton

그림 2-4-1

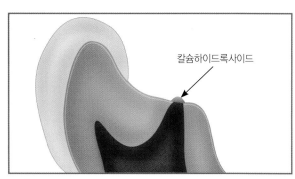

칼슘하이드록사이드

그림 2-4-2

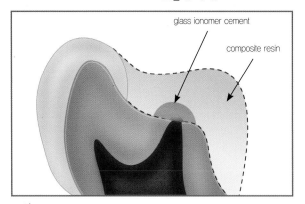

glass ionomer cement

composite resin

그림 2-4-3

4. 유용한 재료 및 기구

① 칼슘하이드록사이드

- 화학경화형

  Dycal (Dentsply)

  Calcimol (Voco)

  Life (Kerr)

② MTA

Proroot MTA (Dentsply)

MTA Angelus (Angelus)

Endocem Zr (Maruchi)

Prograde MTA (Ossco)

③ 광중합형 Caleium silicate

TheraCal LC (Bisco)

글라스아이노머

1. Fuji Lining LC (GC) (**그림 2-4-4**)

   특징: base 용 광중합형 글라스아이노머. Paste와 paste를 mixing하기 때문에 비교적 쉽게 mix 할 수 있고, 방사선 불투과성을 가져서 이차우식 등이 있을 경우 진단이 편하고, 불소를 방출한다

   글라스아이노머 충전 전, dentin conditioner의 적용을 추천한다(20초).

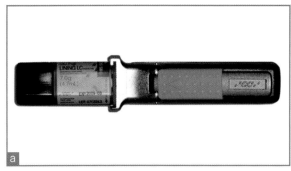 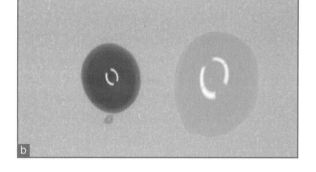

그림 2-4-4 Fuji Lining LC (GC).

2. Vitrebond (3M ESPE 한국쓰리엠) (**그림 2-4-5**)

   광중합형 글라스아이노머로서 처음 개발되었으며 가장 오랫동안 사용되어 왔다. Powder와 liquid를 혼화하여 사용하며, glass ionomer 충전 전 특별한 산처치는 추천하고 있지 않다. 방사선 불투과성을 가져서 이차우식 등이 있을 경우 진단이 편하고, 불소를 방출한다

3. Centrix tip (Koco) (**그림 2-4-6**)

글라스아이노머의 점도 때문에 와동 내에 넣기 어렵다고 하는 분들이 의외로 많다. 다음 그림과 같은 centrix tip을 사용하면 편리하게 와동에 위치시킬 수가 있다.

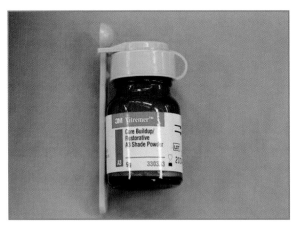

그림 2-4-5 Vitrebond

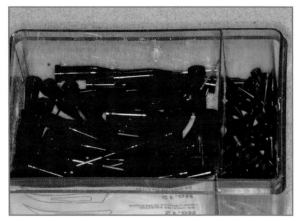

그림 2-4-6 Centrix tip

Q 치수가 노출되었을 때 칼슘하이드록사이드를 사용하지 않고 상아질 접착제를 직접 이용하는 것은 괜찮은가요?

학자들 간에 이 문제처럼 극명하게 다른 의견을 내 놓고 있는 경우는 많지 않은 것 같습니다. 하지만 상아질 접착제를 치수복조 등에 사용하는 것이 좋지 않다는 의견이 힘을 얻고 있는 것 같습니다.
Costa 등(2000)은 이 문제에 대해 다음과 같이 정리하였습니다.

- 생체친화력에 관련한 연구에서 레진과 그 부속 성분은 치수세포에 대해 cytotoxic 하게 작용한다.
- 동물실험연구에서 상아질 접착제를 사용해 치수복조를 시행하였을 경우 성공적인 결과를 보고하고는 있지만, 동물실험의 결과를 사람에게 바로 적용할 수는 없다.
- 사람을 대상으로 한 연구의 임상적, 방사선적 소견상 상아질 접착제에 의하여 dentin bridge가 생긴다는 증거는 아직 나타나지 않고 있다.

따라서 좀 더 biocompatible 하고 항균적인 성질을 갖는 접착제 등이 개발될 때까지 임상가의 입장에서는 칼슘하이드록사이드를 이용하는 치수복조술을 원칙으로 하는 것이 좋겠습니다.

Q 칼슘하이드록사이드보다 더 좋은 pulp capping (치수복조) 재료는 없나요?

그 동안의 pulp capping을 통한 연구에서 알아낸 사실은 치수복조용 재료가 다음의 세 가지 특징을 가지고 있으면 성공률이 높다는 사실입니다.

첫째, 재료의 생체친화성이 높을수록 성공률이 높다.
둘째, 밀봉효과가 클수록 성공률이 높다.
셋째, 알카리성을 나타내는 재료가 경조직형성 유도에 더 유리하다.

이와 같은 재료의 특성을 고려하여 보았을 때 앞으로 치수복조용 재료로서 각광을 받을 수 있는 가능성이 있는 것이 MTA입니다. MTA는 이미 근관치료학 영역에서 치근천공, 근첨형성유도술 등에서 성공적으로 적용되고 있으며, 생체적합성과 밀봉성, 알칼리성이 매우 높은 재료로 평가를 받고 있습니다. MTA를 이용한 치수복조술은 단기간의 평가에서도 많은 좋은 결과들이 보고되고 있습니다. 칼슘하이드록사이드의 경우 시간이 지나면 흡수되는 경향이 있지만, MTA의 경우는 일단 경화가 되면 흡수되는 양이 매우 미미하기 때문에, 이러한 점이 칼슘하이드록사이드보다 높게 평가받고 있습니다.

하지만 치수복조의 성공률은 장기적으로 평가해야 합니다. 치수복조 후 1~2년동안 별 불편함 없이 지내다가 후에 문제가 생기는 경우도 많이 발생합니다. 칼슘하이드록사이드의 경우에는 장기적인 관찰을 통한 결과가 많이 발표된 반면에, MTA의 경우에는 아직 이러한 결과들은 많지 않습니다.

MTA를 이용한 치수복조술의 미래에 대해 기대를 가지고 지켜볼 만하다고 생각됩니다.

MTA를 이용하여 치수복조를 시행할 경우에는 MTA를 증류수와 섞어 치수 노출 부위를 포함하여 1 mm 정도의 두께로 충전합니다. 그 위를 wet cotton으로 덮고 임시충전제로 충전합니다. 다음 내원 시 임시충전물을 제거하고, 완전히 경화한 MTA의 일부를 제거하여 충전물을 위한 공간을 확보하고, 복합레진 아말감 등의 충전물을 이용하여 충전을 하면 됩니다.

Q **글라스아이노머를 와동 내에 넣는 것이 쉽지 않아요, 편하게 사용할 수 있는 방법은 없을까요?**

[유용한 재료 및 기구] 편에서 소개드린 centrix tip을 사용하시면 편합니다. 현재 국산도 품질에 있어서 문제가 없으며, 단가도 외국산에 비하여 매우 저렴한 편입니다.

Q **MTA로 치료 후 이가 변색되는 경우가 많다고 들었습니다, 어떻게 해야 되나요?**

변색된 치아는 다시 와동을 형성해서, 변색된 부분을 spoon excarvator 등으로 제거한 후 다시 충전하면 됩니다. 우식이 생긴 것이 아니기 때문에 보통 쉽게 제거가 됩니다. 국산 제품 중 Endocem Zr(Maruchi), Retro-, Ortho MTA(ossco) 등은 이러한 변색의 문제점을 개선한 제품입니다.

V. 상아질 접착제

1990년대 초반만 해도 복합레진을 이용하여 5급 와동을 수복하는 것은 치과의사들에게 있어서 매우 어려운 일 중의 하나였다. 유명한 외국 연구기관의 보고에 의하면 6개월만 경과해도 10~40%의 탈락이 발생했을 정도였다고 한다. 우리가 잘 아는 것처럼 5급 와동은 거의 대부분 상아질로 구성되어 있는데, 아직 상아질 접착제가 본격적으로 개발되기 이전인 이 시기에는 정말로 힘든 치료였을 것이다. 하지만 1990년대 초반에 상아질 접착제에 대한 기본 개념이 확립되면서 복합레진을 이용한 5급 와동의 수복은 이제는 가장 일반적인 치료의 하나로 바뀌었다. 상아질 접착제의 개발은 이렇게 치의학 영역에 있어서 매우 혁명적인 사건이었다.

치의학 영역에 있어서 접착에 대한 연구는 전 세계적으로 가장 활발하게 진행되고 있는 연구분야 중의 하나이다. 하지만 새로운 개념과 이에 기반한 여러 제품들이 쏟아져 나오고 있기 때문에 기본적인 개념을 잘 이해하고 있지 않으면 매우 혼돈스럽게 느껴질 수도 있을 것이다. 이번 글에서 상아질 접착제에 대한 기본 배경지식에 대해 설명하여 개원의들이 임상에 효과적으로 적용하는 데 도움을 주고자 한다.

1. 상아질 접착제의 발전과정

1980년대 말에 처음 개발되어 나오기 시작한 상아질 접착제는 다음과 같이 구성되어 있었다.

1. Etchant
2. Conditioner
3. Primer
4. Adhesive

Etchant는 전통적으로 사용되었던 30~40%의 인산으로 법랑질 부위의 산 부식을 위하여 사용되었다.

Conditioner는 상아질에 적용하였던 산(acid)으로, 법랑질에 적용하는 etchant에 비하여 매우 약한 산을 사용하였다. 상아질에 conditioner를 적용하게 되면 와동삭제 후 상아질을 덮고 있는 smear layer가 제거되면서 상아세관이 노출이 되고, 건전한 상아질의 일부가 탈회되어 교원섬유(collagen fiber)가 노출이 된다(**그림 2-5-1a**).

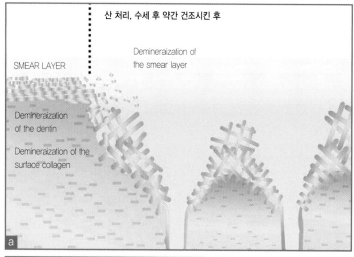

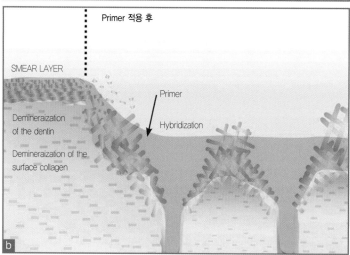

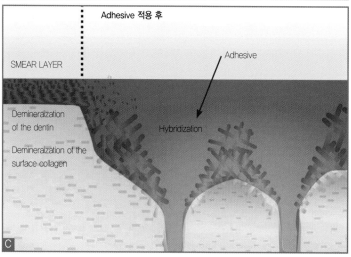

그림 2-5-1
a. 상아질에 대한 산 처리 전·후의 상아질 상태에 대한 모식도.
b. Primer 도포 후의 상태.
c. Adhesive 도포 후의 상태.

Primer는 conditioner 처리를 통하여 노출된 상아세관과 collagen fiber 층으로 스며들어가는 monomer이다(**그림 2-5-1b**). 상아세관이 흐르는 습한 상아질 층에 적용해야 하기 때문에 친수성 기를 포함하고 있었으며, 점도가 매우 낮아서 상아세관과 collagen 층을 효과적으로 침투해 들어가 소위 hybrid layer를 형성하게 한다. Primer 위에 도포하게 되는 adhesive를 위하여 소수성을 가진 기도 포함하고 있어서 친수성기와 소수성 기를 다 포함한 양면성(amphiphilic)을 가졌다.

Adhesive는 전통적으로 법랑질 부위에 사용되었던 monomer로, 복합레진과의 접착을 위하여 소수성을 나타냈으며 primer에 비해서는 점도가 높다(**그림 2-5-1c**).

이와 같은 형태의 상아질 접착제는 매우 성공적이었으며, 그 전까지 어려웠던 5급 와동을 비롯한 많은 치료들이 매우 성공적으로 치료할 수 있게 되었다. 지금도 이 당시에 확립된 기본적인 개념이 그대로 유지되고 있다고 할 수 있으며, 그 후 진행된 연구들은 복잡한 4단계를 어떻게 하면 좀 더 단순화시킬 수 있는가 하는 것으로 요약할 수 있다.

그 후 이와 같은 복잡한 4단계의 술식을 단순화하는데, etch & rinse system과 self etch system, 크게 2가지 방향으로 연구가 진행이 되었다.

2. Etch & rinse system (Total etch system)

(1) Etch & rinse system이란?

Etch & rinse system에서 etchant와 conditioner의 기능을 단순화하여 법랑질과 상아질을 한 번에 산 처리하는 것을 total etching이라고 한다. 이렇게 한 후, 물로 씻어내고, primer와 adhesive를 바르게 되는데, 이렇게 치아표면을 산 처리한 후 씻어 내기 때문에 etch & rinse system이라고 부른다. Etch & rinse system 중 primer와 adhesive가 각각 따로 있는 system을 3-step etch & rinse system, 하나로 되어 있는 것을 2-step etch & rinse system이라고 한다(**그림 2-5-2, 표 2-5-1**).

(2) Etch & rinse system에서 올바른 산 처리 방법

원래 상아질 접착제가 처음 개발되었을 때 강산을 통해서는 법랑질, 약산을 통해서는 상아질을 각각 산 처리하였다고 설명하였다. 이러한 것을 etch & rinse system에서 하나의 산으로 법랑질과 상아질 동시에 처리하려면 어떻게 해야 할까? 방법은 두 가지일 것이다. 하나는 강산을 이용하면서 법랑질에 대한 효과는 유지하고 상아질에 대한 적용시간을 줄여주어서 상아질에 대한 영향을 줄여주는

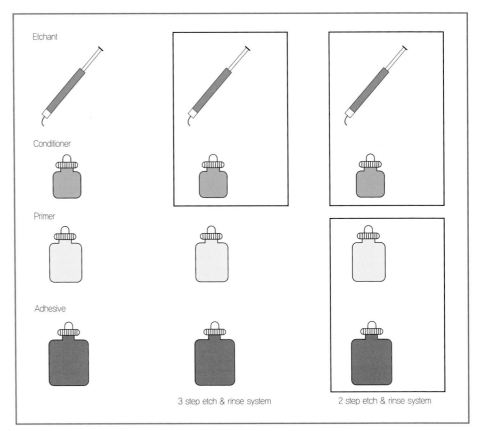

그림 2-5-2
전통적인 의미의 상아질 접착제와 3-step, 2 step etch & rinse system의 비교.

방법, 다른 하나는 약산을 이용하여 상아질에 대한 효과는 유지하면서 법랑질 부위에 대해서는 agitation(문질러주기) 등의 과정을 통하여 산부식 효과를 증진시키는 방법이 있을 수 있다.

국내에서 30~40%의 인산과 10~20%의 인산이 많이 사용되고 있는데, 편의상 30~40%의 산을 강산, 10~15%의 산을 약산으로 이해해 주기 바란다. 치과의사는 우선 자신이 사용하고 있는 system의 산의 농도부터 정확히 알고 있어야 한다(**표 2-5-1**).

만약 30~40% 농도의 인산을 사용하는 system을 갖추고 있다면, 상아질에 대한 산의 적용시간을 15초가 넘지 않게 하는 것이 안전하다. 저자의 경우는 30~40%의 산을 이용하는 total etch system을 사용할 경우 다음과 같이 한다. 법랑질 부위에 산을 먼저 위치시키고, 옆에서 assist가 시간을 count하기 시작하며 20~30초가 지난 후 상아질에 산을 위치시킨다. 그 후 정확히 10초 후에 법랑질과 상아질을 같이 세척한다. 이렇게 하면 법랑질은 30~40초, 상아질은 10

표 2-5-1. 국내에 시판 중인 etch & rinse system.

제품명	System	제조사	판매사
Adper Single Bond2[1]	2-step(E/W)	3M ESPE	한국3M
Adper Scotchbond –MultipurposePlus	3-step(W)	3M ESPE	한국3M
Allbond 3[1]	2-step(E)	Bisco	Bisco Asia
Allbond 2[1]	3-step(A)	Bisco	Bisco Asia
One-Step	2-step(A)	Bisco	Bisco Asia
One-step Plus	2-step(A)	Bisco	Bisco Asia
One coat Bond	2-step(W)	Coltene	신흥, 신원
Prime & Bond NT[1]	2-step(A)	Dentsply	한국 Dentsply
XP Bond[1]	2-step(B)	Dentsply	한국 Dentsply
Syntac	4-step(E) I	Ivoclar Vivadent	오스템
Excite	2-step(E)	Ivoclar Vivadent	오스템
ExciteDSC[2]	2-step(E)	Ivoclar Vivadent	오스템
OPtibond FL	3-step(E)	Kerr	신흥
Optibond S	2-step(E)	Kerr	신흥
Super-bond D Liner	3-step	Sun Medical	조광덴탈
Charmbond	2-step(A)	덴키스트	덴키스트
BC Plus	2-step(E)	베리콤	베리콤

1 : self-cure activator 사용가능
2 : 화학중합, 이원중합가능
W: 물을 용매로 하는 제품
A: Aceton을 용매로 하는 제품
E: Ethanol을 용매로 하는 제품,
B: Butanol.

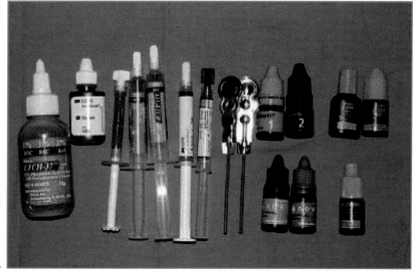

그림 2-5-3
상아질 접착 system에서 사용되는 다양한 산.

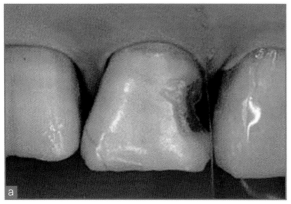 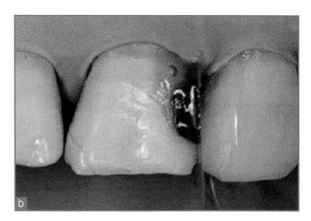

그림 2-5-4
a. 법랑질의 산부식   b. 상아질의 산부식

The Nanoleakage problem

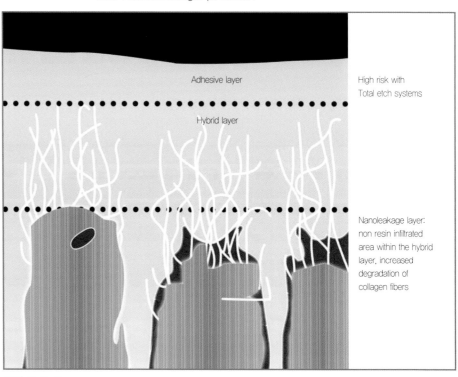

그림 2-5-5
산부식에 의하여 탈화된 상아질 층에 primer가 충분히 침투하지 못하는 경우, hybrid layer 내에서 nanoleakage가 발생하게 되는데, 복합레진 수복 후의 여러 complication의 원인이 될 수 있고 수복물의 수명을 단축시킬 수 있다.

표 2-5-2. 국내 시판 중인 etchant(산 부식제)의 종류 및 산의 농도.

제품명	System	제조사	판매사
All-Etch	10% 인산	Bisco	Bisco Asia
Etchant 15	15% 인산	Coltene	신원치재
Charm Etch	10% 인산	덴키스트	덴키스트
Gluma Etch 20	20% 인산	Kultzer	오스템
Uni-Etch	32% 인산	Bisco	Bisco Asia
Etch 37	37% 인산	Bisco	Bisco Asia
Ultraetch	35% 인산	Ultradent	
Scotchbond Etchant	35% 인산	3MESPE	한국 3M
Total Etch	37%	IvoclarVivadent	오스템
Gel Etchant	37.5%	Kerr	신흥
Tooth Conditioner Gel	34%	Dentsply	한국 Dentsply
Charm Etch	32%, 35%, 37% 인산	덴키스트	덴키스트
V Etch	35% 인산	베리콤	베리콤
Denfil Etch	32%, 37% 인산	베리콤	베리콤

초 동안 etching하게 된다(**그림 2-5-4**). 상아질에 대한 산 부식 시간이 길어지게 되는 경우 과도한 산 부식을 하게 되는데, 이렇게 되면 primer가 부식된 부위에 충분히 흘러 들어가지 못하는 현상이 발생하고, 술 후 hypersensitivity와 nanoleakage의 주요 원인이 된다(**그림 2-5-5**).

만약 10~20%의 산을 사용하는 경우는 대개 15초 정도 법랑질과 상아질에 위치시키게 되는데, 이때 법랑질을 agitation해 주어 법랑질에 대한 접착력이 떨어지지 않도록 해야 한다.

(3) Etch & rinse system에서 올바른 primer와 adhesive의 사용 방법

Etch & rinse system에서는 산 부식을 먼저하고 primer와 adhesive를 도포하기 때문에 산 부식된 부위까지 primer가 잘 들어가는 것이 중요하다. 산 부식 후 상 아질 표면이 적절히 젖어 있어야 노출된 collagen fiber의 수축을 막아서 primer 의 효과적인 침투를 도와 준다는 소위 wet bonding 기법이 이러한 역할을 하 는 것이라고 할 수 있다. 너무 건조해서도 안 되고, 과도하게 물기에 젖어 있어 도 실패할 확률이 높으며, 오직 적당히 물기가 있어야 접착이 성공한다는 이론 인데, 이 '적절히' 라는 단어를 과학적으로 설명하기가 쉽지 않다. 그래서 이를 표현하기 위하여, 비유를 들어서, "물이 막 빠져서 젖어 있는 해변의 모래, 마 른 시멘트 바닥에 물을 한 번 뿌려서 젖어 있는 상태" 등으로 표현하기도 하는 데, 적절한 표현이라는 생각을 한다. 필자의 경우는 2학년 학부학생들에게 wet bonding에 대한 실습을 처음시킬 때, 다음과 같은 방법으로 그 감을 익히게 하 고 있다. 먼저 발치된 치아에 5급 와동을 파고, 산 부식 후 물로 세척을 시키고, 3~4번을 힘껏 털게 한 후 치아의 표면을 관찰하게 하고 있다.

(4) 3-step etch & rinse system과 2-step etch & rinse system의 비교

과정은 더 복잡하지만, 3-step의 etch & rinse system이 더 사용하기 쉬운 system이라고 할 수 있다. 특히 2-step etch & rinse system에서는 primer와 adhesive 기능이 같이 있는 관계로(self primed adhesive), wet bonding에 대해 서도 더 민감해졌으며, 접착제가 너무 얇게 도포되는 경향이 있어서 경우에 따 라서는 광중합을 시켜도 oxygen inhibition의 영향으로 중합이 잘 안 되는 일도 생긴다. 따라서 wet bonding에 대해서도 더욱 주의를 기울여야겠고, 접착제가 너무 얇게 발라지지 않도록 여러 번 도포하고, 과도하게 air로 불어주지 않도록 주의해야 하며 되도록 brush를 이용하는 것이 바람직하다. 접착제 내에 filler를 첨가하여 접착제의 물성을 증가시키면서 접착제가 너무 얇아지는 것을 막는 일 부 2-step etch & rinse 제품도 있다(표 2-5-1 참고).

3. Self etch system

Etchant, conditioner, primer의 기능을 하나로 하고 adhesive agent를 바르는 것을 2-step self etch system, 4가지의 모든 기능을 하나의 모은 것을 1-step self etch system이라고 한다. 산 부식과 priming의 기능이 같이 일어나기 때문에 wet bonding이 필요 없으며, 상아질이 산 부식된 양만큼 primer가 들어가기 때문에 nanoleakage 현상도 적게 일어나고, 술 후 민감증과 같은 부작용도 etch & rinse system보다 적다.

Self etch system 도포 후 충분한 시간(20~30초)을 기다리는 것이 중요하며, 그 후에는 압축공기를 이용하여 충분히 건조시켜 주어야 한다. Self etching primer의 기본 용매가 물이기 때문에 2-step self etch system에서는 primer 도포 후 반드시 건조를 잘 시키고 adhesive를 도포해야 한다. 법랑질에 대한 산 부식 효과는 etch & rinse system에 비하여 떨어지는 것으로 생각되기 때문에 저자의 경우, 아직까지는 법랑질 부위를 따로 30~40% 인산으로 산 부식 후, 상아질 부위만 self etch system으로 처리한다.

표 2-5-3 국내에서 사용 가능한 self etch system.

제품명	System	제조사	판매사
Adper EasyBond	1-step	3M ESPE	한국 3M
Adper Prompt L-PoP	1-step	3M ESPE	한국 3M
Adper SE Plus Self Etch Adhesive	2-step	3M ESPE	한국 3M
All Bond SE	1-step	Bisco	Bisco Asia
Ace All Bond SE	1-step	Bisco	Bisco Asia
Xeno V	1-step	Dentsply	한국 Dentsply
Contax[1]	2-step	DMG	신성
Unifil Bond	2-step	GC	GC Korea
G-Bond	1-step	GC	GC Korea
G-aenial	1-step	GC	GC Korea
G-Premio Bond	1-step	GC	GC Korea
AdheSE	2-step	IvoclarVivadent	오스템
AdheSE one Vivapen	1-step	IvoclarVivadent	오스템
Optibond All-in-one	1-step	Kerr	신흥
Clearfil SE Bond	2-step	Kuraray	신흥, 엘리트덴탈
Clearfil Liner Bond F	2-step	Kuraray	엘리트덴탈
One-up Bond F plus	1-step	Tokuyama	미동양행
Mac-Bond II	2-step	Tokuyama	미동양행

1: self-cure activator 사용 가능

1-step self etching primer system에 대해서는 실험실 상의 연구에서 법랑질에 대한 접착능력이 다소 떨어지고, 화학중합, 또는 이원중합형 복합레진과의 접착에 문제가 있으며, 친수성의 성질이 너무 높아서 상아세관액을 완전히 차단이 되지 않을 수 있다는 점 등 아직까지 몇 가지 문제점이 지적되고 있다. 하지만 전세계적으로 그 사용빈도가 지속적으로 증가하고 있다고 하며, 특히 유치나 교합압을 직접 받지 않는 작은 와동에 있어서는 효과적으로 사용할 수 있을 것으로 기대된다. 향후 몇 년에 걸쳐서 많은 발전이 있을 것으로 기대된다.

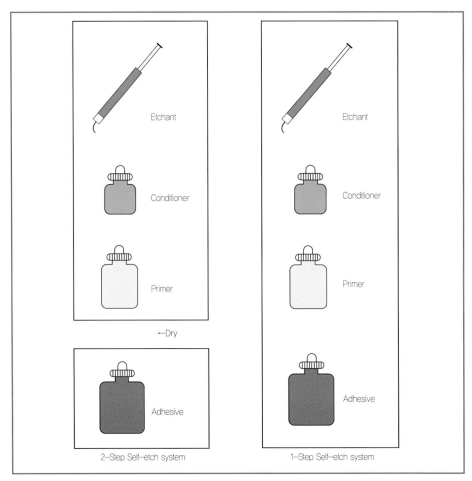

그림 2-5-6
self etching system의 종류.

4. Universal Bonding system

구성성분을 보면 근본적으로는 MDP를 기본으로 하고 있는 1-step self etching system과 유사한 점이 많다. MDP라는 성분은 self etch system에서 가장 큰 성공을 거둔 일본 Kuraray 사의 상품에 주로 사용하던 monomer였는데 (SE Bond), 특허기간이 만료되어 이제 모든 회사에서 이를 이용하게 되었다. Universal이라고 하는 이유는 인산을 같이 사용하여 etch & rinse system으로 사용할 수 있고, self etch system으로도 사용할 수 있고, 간접수복물에도 편하게 사용할 수 있다는 의미에서 그렇게 붙였다고 하는데, 다분히 상업적인 이유에서라고 할 수 있다. 결국 성능이 향상된 것은 아니고, 활용도가 다소 넓어진 제품이라고 할 수 있다. 기존의 접착제에 익숙하고 잘 사용하고 있다면, 굳이 따로 구입할 이유는 없다고 본다. 접착제가 얇게 발라지는 경향이 있고, 시멘트와의 compatibility가 향상되어서 직접수복보다는 간접수복에서 약간의 장점이 더 있다고 볼 수 있다. 일부 universal bonding system은 silane까지 포함하고 있어서 glass ceramic을 이용한 간접수복에서 따로 silane을 도포할 필요가 없다고 주장하고 있다. 하지만 이렇게 할 경우 접착의 강도가 떨어지는 것으로 보고되고 있어서 아직까지는 전통적인 방법대로 silane을 이용하는 것이 바람직하다(⟨7장. 글라스세라믹을 이용한 간접수복, 8장. 간접수복을 위한 cementation⟩ 참고).

현재 출시되고 있는 universal bonding system은 다음과 같다.

제품명	제조사	판매사
All Bond Universal	Bisco	비스코 아시아
Single Bond Universal	3M ESPE	한국 3M
Tetric N Bond Universal	Ivoclar Vivadent	오스템
OptiBond Versa	Kerr	신흥
Universal Primer*	Bisco	비스코 아시아

*Dual-cure type의 adhesive

5. Self-cure Activator란?

일반적으로 합착(cementation) 시, 접착제를 바른 후, 반드시 광조사하고, resin cement를 이용하여 cementation을 하고 다시 광조사 해 주어야 한다. 그런데 self-cure activator를 etch & rinse system 또는 self etch system의 접착제와 섞어서 사용하게 되면, 접착제는 소위 이원중합의 특징을 갖게 되어, 접착제를 따로 중합시킬 필요 없이, resin cement와 같이 중합시키면 된다. 현재 국내에서 self-cure activator는 Dentsply와 DMG 그리고 Bisco에서 공급되고 있어서, 필요한 경우 Dentsply 제품군(Prime & Bond NT, XP Bond, Xeno V)과 DMG 제품(Contax), 그리고 Bisco 제품(Allbond 2. Allbond 3)에 각 회사의 self-cure activator를 사용하면 된다. 하지만 타 회사 제품에 사용하는 것은 추천되고 있지 않다.

합착과 관계된 자세한 내용은 〈6장. 복합레진을 이용한 간접수복〉, 〈7장. 글라스 세라믹을 이용한 수복〉, 〈8장. 간접수복을 위한 cementation〉을 참고하기 바란다.

Q self etch system과 etch & rinse system 중 어떤 것이 더 좋은가요?

Etch & rinse system은 산 부식의 과정과 priming, bonding의 과정이 나뉘어져 있습니다. 따라서 산의 농도, 적용시간과 적용방법 등에 따라서 상아질에서의 탈회의 정도가 다르기 때문에, 이것이 후에 도포하게 되는 primer의 상아질 침투 능력과 잘 조화를 이루어야 합니다. 또한 산 부식의 과정에서 교원섬유가 노출되기 때문에 이것의 수축을 막기 위하여 wet bonding 기법을 적절히 구사해야 하는 등 임상적으로 주의를 기울여야 할 요소가 여러 가지 있습니다. 이에 반하여 self etching system은 산 부식과 동시에 primer가 작용하기 때문에 둘 사이의 부조화를 걱정할 필요 없이 적용시간만 정확히 지키는 것 이외에는 특별히 신경 쓸 것이 없습니다. 그래서 etch & rinse system 보다 술 후 민감증이라는 부작용이 나타나는 경향이 매우 적습니다. 그래서 어떤 사람들은 이와 같은 이유로 self etching primer system을 옹호하기도 합니다. 물론 옳은 이야기지만, self etching system은 etch & rinse system에 비하여 법랑질에 대한 산 부식 능력이 떨어짐을 명심해야 합니다. 또한 1-step self etching system의 경우 접착제가 일정 부분 친수성을 나타내고 있어서 장기적으로 수분에 의한 영향을 더 많이 받을 수 있습니다. 따라서 장기적으로 접착의 관점에서 본다면 상아질제 대로 한 etch & rinse system은 가장 안정적이고 우수한 결과를 보이고 있다는 것도 역시 명심해야 합니다. 어떤 system을 택할 지는 개인의 진료 style을 고려하여 결정하는 것이 좋을 것 같습니다. Total etching 법과 wet bonding 법에 익숙하다면 이를 계속 유지하는 것이 좋을 것입니다. 반면에 total etching 법과 wet bonding 시 술 후 민감증과 같은 문제가 자주 발생한다면 2-step self etching 법을 사용할 것을 추천합니다. 단, 법랑질 부분은 30~40% 인산을 이용하여 추가적으로 산 부식을 하는 것이 바람직합니다.

Q Etch & Rinse system을 사용하고 복합레진을 수복하고 나서 환자가 자꾸 시리다고 합니다, 이유가 뭘까요? 그리고 예방법은?

Etch & rinse system을 부적절하게 사용할 경우 술 후 민감증이 발생할 수 있습니다. 가장 흔하게 범하는 실수에 다음의 것들이 있습니다.

첫째, 상아질에 산 부식을 너무 오랫동안 할 경우

– 사용하는 산 부식제의 산의 농도에 따라 그 적용시간을 달리 합니다(표 2-5-2 참조), 30~40%의 인산을 사용할 경우에는 상아질은 15초가 넘지 않게(10초 정도가 안전합니다) 하는 것이 중요합니다. 반면에 법랑질은 30~60초 정도 충분히 산 부식시킵니다. 저는 산 부식을 시킬 경우 옆에서 꼭 시간을 불러 줘서 시간을 지키려고 노력합니다. 예를 들면 법랑질 부위에 먼저 산을 위치시키고, 20초 경과한 후에 상아질에 산을 위치시킨 후 10초 후에 같이 수세하게 되면 법랑질은 30초, 상아질은 10초 산 부식시킨 것이 됩니다.

둘째, 산 부식제를 치아에 적용하는 과정에서 인접 치아의 원치 않는 부위로 흘러 들어 갈 수 있습니다. 산 부식제의 점도는 그 내에 포함된 실리카 등의 함량에 따라 대개 결정되는데 개인에 따라 선호도가 다르겠지만, 흐름성이 너무 높은 것은 이런 이유에서 적절하지 않다고 생각됩니다. 법랑질과 상아질의 원하는 부위에 적절히 위치시킬 수 있고, 인접 부위로 흐르지 않고 자기 위치에 오래 머물 수 있는 점도를 선택하는 것이 중요하다고 생각합니다.

셋째, wet bonding이 적절히 되어야 합니다.

– 적절히 wet bonding시키는 방법은 매우 다양합니다. 저는 다음과 같이 합니다. Cotton을 핀셋으로 뜯어 물을 묻히고 꼭 눌러서 여분의 수분을 짜 버린 후, 이 wet cotton을 와동 벽에 가볍게 두드립니다. 그 후 primer(3-step etch & rinse system의 경우) 또는 primed adhesive(2-step etch & rinse system의 경우)를 도포합니다. Primer 도포 후에는 10~20초 정도 기다린 후 그 표면을 완전히 건조시킨 후 접착제를 도포해야 합니다.

Etch & rinse system 중 알코올을 용매로 하는 것들이 이러한 wet bonding 술식에 비교적 덜 technique sensitive하게 반응한다고 하며 성공률도 일반적으로 높게 보고 되고 있습니다(예: 표 2-5-1 에타놀, 부타놀을 용매로 하는 제품 참고).

넷째, 접착제가 너무 얇게 발라지지 않아야 합니다.

- 특히 2-step의 etch & rinse system이나 1-step self etching system의 경우 adhesive system이 얇아지기 쉽습니다. 따라서 접착제를 바른 후 압축공기보다는 brush를 이용하도록 하며, 접착제에 filler가 포함된 system을 사용하는 것이 너무 얇아지지 않아 유리합니다. 접착제가 너무 얇게 발라지면 광중합을 시켜도 중합이 잘 되지

않습니다. 이 경우 그 위에 복합레진을 도포하고 광중합을 시키면, 상아질과의 사이에 접착이 잘 이루어지지 않아서 민감증 등이 발생할 수 있습니다. 3-step의 etch & rinse system의 접착제는 2-step에 비하여 두껍게 발라지기 때문에 이런 문제가 적게 발생합니다.

2-step의 self etching system을 사용하면 이런 실수는 많이 줄일 수 있습니다.

Q 접착제를 바르고 복합레진을 충전하기 전 반드시 광중합을 해야 하나요?

전체 와동이 법랑질로만 이루어진 경우라면 접착제를 복합레진과 함께 중합하여도 큰 문제는 없다고 합니다. 그러나 상아질이 노출된 경우라면 반드시 접착제를 먼저 광중합시킨 후 복합레진을 충전하여야 합니다. 그렇지 않은 경우 상아질과의 사이에 적절한 접착이 이루어지지 않을 가능성이 높습니다.

Q Etch & rinse system, self etching system 모두 wet bonding이 필요한가요?

Etch & rinse system 중 특히 acetone을 용매로 사용한 제품들은 wet bonding을 잘해야 합니다. 반면에 water를 용매로 하는 제품들은 특별히 wet bonding에 민감하지 않으며, 도포하여 준 후에는 완전히 건조시켜서 표면의 물을 잘 없애 주어야 그 위에 충전되는 복합레진과 접착이 잘 이루어집니다. Alcohol을 용매로 하는 제품들은 비교적 wet bonding 술식에 그리 민감하지 않다고 합니다. 그래서 etch & rinse system 중에는 비교적 낮은 술 후 민감성과 높은 성공률을 보고하고 있습니다(표 2-5-1 참고).

Self etching system은 모두 water base system으로 생각할 수 있습니다. 그렇기 때문에 건조된 와동에 직접 도포하여도 무방합니다. 그리고 복합레진을 충전하기 전에 반드시 그 표면을 건조시켜서 표면의 수분을 증발시켜야 합니다.

위에서 언급한 알코올이나 아세톤보다는 물의 증발이 어렵기 때문에 더 철저히 건조시키는 것이 좋습니다. 성공적으로 건조되면 표면에 반짝반짝한 hydrophobic resin layer가 남게 되는데, 이러면 접착에 적절한 표면이 형성된 것입니다.

FAQ

Q Self etching primer 제품은 법랑질을 따로 산 부식시키지 않아도 되나요?

30~40% 인산을 이용하는 경우에 비하여 self etching primer만을 이용하는 경우가 법랑질에 접착 능력이 떨어지는 것이 사실입니다. 추가적인 산 부식이 필요 없다고 주장하는 self etching 제품의 설명서에도 'Preparation이 되지 않은 법랑질은 부가적인 산 부식이 필요합니다' 라는 제한 조건이 나와 있습니다. 특히 교합압을 직접 받는 구치부 수복 등에는 반드시 추가적인 산 부식이 필요하다고 생각됩니다. 와동 변연의 bevel 등이 잘 부여된 5급 와동 등에는 선택적으로 산 부식 없이 가능할 수 있지만, 변연 변색은 산 부식을 한 경우에 비하여 많이 보고되고 있습니다. 그러니 법랑질에 대한 산 부식을 추가적으로 하는 것이 바람직합니다.

Q 1-step self etching system (All in one system)은 안심하고 사용할 수 있나요?

아직까지 1-step self etching system은 법랑질이나 상아질 접착에 있어서 미흡한 점이 있는 것이 사실입니다. 즉, 법랑질에 대한 접착능력이 다소 떨어지고, 화학중합, 또는 이원중합형 복합레진과의 접착에 문제가 있으며, 친수성의 성질이 너무 높아서 상아세관액을 완전히 차단이 되지 않을 수 있다는 점 등의 문제점이 지적되고 있습니다. 하지만 유치 영역의 치료에서는 compomer restoration을 이용한 수복에서 그 사용 빈도가 높아지고 있으며, 앞으로 수년 내에 안심하고 사용할 수 있는 제품이 나올 수 있을 것이라 생각됩니다.

Q 요즘 나오고 있는 universal bonding system이 뭔가요?

최근 출시되고 있는 universal bonding system(예: All-bond Universal, Single bond Universal, Tetric n- bond Universal)들은 이름은 바뀌었지만 구성성분을 보면 근본적으로는 MDP를 기본으로 하고 있는 1-step self etching system과 유사한 점이 많습니다. MDP라는 성분은 self etch system에서 가장 큰 성공을 거둔 일본 Kuraray사의 상품에 주로 사용하던 monomer였는데(SE Bond), 특허기간이 만료되어 이제

모든 회사에서 이를 이용하게 되었습니다. Universal이라고 하는 이유는 인산을 같이 사용하여 etch & rinse system으로 사용할 수 있고, self etch system으로도 사용할 수 있고, 간접수복물에도 편하게 사용할 수 있다는 의미에서 그렇게 붙였다고 하는데, 다분히 상업적인 이유에서 라고 할 수 있습니다. 결국 성능이 향상된 것은 아니고, 활용도가 다소 넓어진 제품이라고 할 수 있습니다. 기존의 접착제에 익숙하고 잘 사용하고 있다면, 굳이 따로 구입할 이유는 없다고 봅니다. 다만 접착제가 얇게 발라지는 경향이 있고, 시멘트와의 compatibility가 향상되어서 직접수복보다는 간접수복에서 약간의 장점이 더 있다고 볼 수 있습니다. 이 경우 silane을 이미 포함하고 있어서 간접수복 시 별도의 silane 처리가 필요치 않다고 주장하는 제품들도 있지만, 이것에 반대되는 연구 결과들도 많이 발표되고 있어서 아직까지는 별도의 silane을 처리하는 것이 좋겠습니다(〈7장. 글라스세라믹을 이용한 간접수복, 8장. 간접수복을 위한 cementation〉 참고).

VI. 복합레진의 중합수축과 base의 사용

1. 복합레진의 중합수축이란?

복합레진이 중합되기 전보다 중합 후에 약 1~5% 정도의 부피의 감소가 일어나는 현상이다. 복합레진 내의 monomer의 종류, 무기질의 함량 등에 의하여 그 정도가 많이 달라진다. 또한 중합수축의 양에 있어서 비슷한 정도라고 해도 그 재료가 갖는 탄성도 등에 의한 영향으로 중합수축의 stress가 차이가 날 수 있다. 예를 들면, 그림 2-6-1, 2는 각각 중합수축의 양과 중합수축의 stress를 측정한 것이다. 여기서 Surefil이라는 재료를 예를 들면, 중합수축의 양은 매우 작지만, 중합수축의 stress 는 매우 높게 발생하는 것을 볼 수 있다. 이것은 Surefil의 탄성계수가 다른 재료에 비해 높은 편이어서 중합수축의 양은 작지만 중합수축의 stress는 크게 나타나는 예이다.

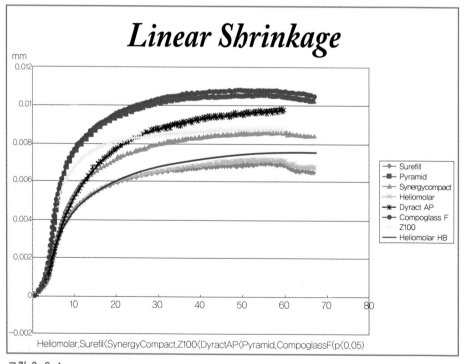

그림 2-6-1
시간의 경과(가로)에 따른 중합수축의 양.
(출처 : 이순영, 박성호 : 교두변위와 선수축량의 연관성분석: 대한치과보존학회지 2005;30(6)442-449)

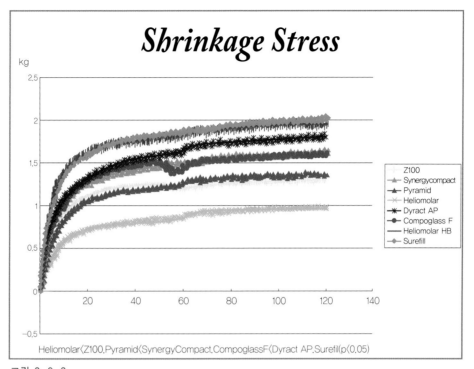

그림 2-6-2
시간의 경과에 따른 중합수축의 힘.
(출처 : 박성호 등 : 광중합형 구치부 수복재료의 중합수축량과 중합수축력: 대한치과보존학회지 2003;28(4)348-353)

2. 중합수축에 의하여 치아의 와동에서는 어떤 일이 발생하는가?

복합레진의 중합수축 현상 때문에 접착제 없이 와동 내에 복합레진을 바로 충전한다면 치아와 복합레진 사이에 간극(gap)이 발생하여 바로 문제가 발생할 수 있다. 이러한 현상을 막기 위하여 우리는 산 부식을 하고 상아질 접착제를 도포하는 것이다. 즉, 접착의 과정을 통하여 치아에 도포되는 접착제가 복합레진의 중합수축에 대해 저항하여 간극이 발생하는 것을 막아주는 것이다. 하지만 문제는 복합레진 중합수축의 stress는 와동변연 및 내부에 남아 있다는 것이다. 이 stress가 치아에서 감당할 정도이면 별 문제가 없지만, 그렇지 않은 경우이면 임상적인 문제가 발생하는 것이다. 접착제가 중합수축의 stress에 저항하지 못할 경우에는 복합레진과 와동에서 간극이 발생하게 된다. 이러한 현상은 특히 변연보다는 와동 내부에서 많이 발생한다. 구치부 복합레진 수복 후 저작에 대한 민감성을 보이는 환자가 가끔 있는데, 이러한 영향이라고 볼 수 있다(그림 2-6-3). 또 다른 문제가 교두변위(cuspal deflection) 현상이다. 즉, 중합수축의 힘에 의하여 협측교두와 설측교두간의 거리가 좁혀지는 현상으로 2급 와동에서 발생할 수 있다(그림 2-6-4). 이러한 현상은 복합레진을 나누어 충전할수록, 사용하는 복합레진의 양이 적을수록 적게 나타난다(그림 2-6-5).

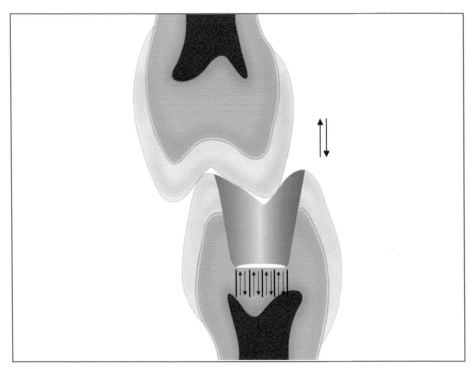

그림 2-6-3
구치부 복합레진 수복 후 교합에 민감한 현상이 가끔 발생한다. 이는 대개 중합수축의 stress에 의하여 와동 내부의 일부에서 defect 등이 생기면서 발생한다.

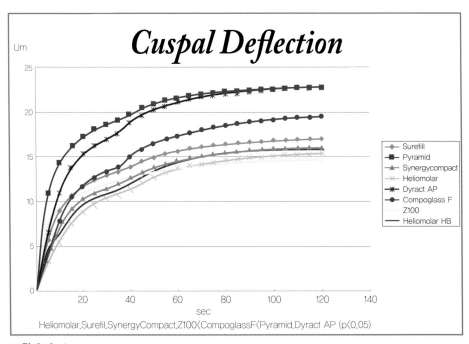

그림 2-6-4
시간의 경과에 따른 교두변위의 양. 인접면이 없는 2급 와동에서 복합레진을 중합시키면, 협측교두와 설측교두의 교두가 복합레진의 중합수축의 힘에 의하여 서로 가까워지는 현상이다.
(출처 : 이순영, 박성호 : 교두변위와 선수축량의 연관성분석: 대한치과보존학회지 2005;30(6)442-449)

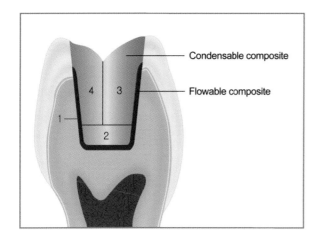

그림 2-6-5
복합레진을 위와 같이 되도록 나누어 충전할수록, 와동 내에서 중합수축
의 힘이 적게 발생하며 교두 변위 현상도 더 적게 일어난다.

3. Configuration (C) factor란?

와동 내에서 접착되지 않은 면의 면적에 대한 접착된 면의 면적을 말한다. 예를 들면 정육면체 모양과 같은 1급 와동을 형성하여, 여기에 접착을 통하여 복합레진 수복을 하였다고 가정할 때, 접착이 된 면적은 접착이 되지 않은 면(교합면)의 5배가 되어 C-factor는 5가 된다(**그림 2-6-6**). C-factor가 높은 경우는 접착의 면에서는 유리하겠지만, 그만큼 중합수축의 stress를 많이 받을 수 있다는 면에서는 불리한 요소가 된다. 이렇게 본다면 1급 와동, 3급 와동 등은 C-factor가 일반적으로 높고, 4급 와동의 C-factor는 낮다. 2급과 5급은 그 중간 정도로 볼 수 있다.

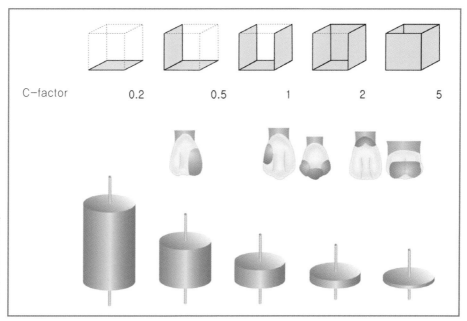

그림 2-6-6
C-factor는 접착되지 않은 free surface의 면적에 대한 접착된 면의 면적의 비율로서 나타낸다. 맨 위의 그림에서 접착된 면을 진한 면으로 나타내었다. 일반적으로 4급 와동의 C-factor가 제일 낮고, 깊은 1급 와동의 C-factor가 가장 높다.

4. 복합레진에 있어서의 기저재(base)의 사용

와동의 크기가 크고 C-factor도 높은 상태라면 중합수축의 stress가 높게 나타나서 불리한 요소로 작용할 것이다. 이러한 경우라면, 기저재를 사용하여 복합레진의 양을 줄여 준다면 복합레진 중합수축의 stress를 감소시켜 주는데 효과적일 것이다. 복합레진 수복 시 가장 많이 사용하지만 기저재는 광중합글라스아이노머이다. 하지만 기저재를 사용하게 되면 단점도 나타나게 되는데, 접착의 관점에서 본다면 접착되는 면적이 감소하여 전체적인 와동의 유지력이 줄어들 것이다. 글라스아이노머는 치질과의 접착강도가 복합레진에 비하여 훨씬 약하고, 복합레진과 글라스아이노머 와의 접착강도도 높지가 않기 때문이다

5. Selective bonding과 total bonding

와동 전체를 접착에 이용하는 것을 total bonding 기법이라고 한다. 즉, 와동 전체를 접착의 수단으로 사용하는 것이다(**그림 4-2-1~7, 4-3-1~8 참고**). 이에 비하여 글라스아이노머 등을 기저재를 사용하고, 와동에서 기저재 이외의 부위 만을 접착의 수단으로 사용하는 기법을 selective bonding 기법이라고 한다(**그림 4-2-8~17, 4-3-9~13 참고**). Total bonding 기법은 접착에는 유리하지만 과도한 stress를 주기 쉽고, selective bonding 기법은 복합레진의 양을 줄여줘서 중합수축의 stress는 적게 발생시키지만, 접착의 면에서는 불리한 점이 있다. 따라서 total bonding 기법은 와동의 크기가 크지 않은 경우, 상아질이 많은 부분을 차지하고 있어서 접착을 극대화할 필요가 있는 경우에 주로 사용하며, selective bonding 기법은 와동의 크기가 크고 깊고 경우에 시행하는 것이 유리할 것이다.

Q 복합레진을 꼭 나누어서 충전해야 되나요? 나누어 충전하면 그 사이에 접착제를 발라야 하나요?

크기가 크고 깊은 와동이라면 나누어 충전하는 것이 바른 방법이며, 깊이는 2 mm 정도로 나누는 것이 적절합니다. 이렇게 점층법으로 충전하는 동안에 복합레진 간에 접착제를 바를 필요는 없습니다

Q 구치부에 복합레진 충전 후 시린 증상이 발생하면 어떻게 해야 하나요?

내부 와동에서 문제가 생긴 경우가 대부분이므로, 일단 복합레진을 제거한 후, 임시충전재 또는 글라스아이노머 등으로 충전한 후 예후를 관찰합니다. 대부분의 경우 증상이 호전되며, 이것이 확인되면 다시 복합레진 충전을 합니다.

Q 중합수축의 양이나 힘이 큰 재료를 쓰기 때문에 임상적인 문제가 자꾸 생기는 것인가요?

복합레진의 중합수축의 양이나 힘이 중요한 성질이기는 하지만, 복합레진의 여러 특징 중의 하나일 뿐입니다. 물론 중합수축도 적게 하면도 조작성 물성까지 뛰어나면 가장 좋겠지만 그렇지 않은 경우도 많이 있습니다. 비록 중합수축은 크게 나타나지만 적절한 점층법을 구사하고, 기저재 등을 사용하면 임상적으로 문제가 되는 경우는 드뭅니다. 물론 중합수축이 전혀 되지 않는 물질이 나온다면 이러한 작업들이 모두 필요 없이 간편하게 충전할 수 있을 것입니다. 앞으로 머지 않은 장래에 이러한 물질이 개발되기를 기대합니다

VII. 복합레진의 선택

1. 복합레진의 선택

현재 국내에서 사용되고 있는 복합레진을 크게 분류해 보면 일반 충전용 복합레진, flowable composite, flowable bulkfill composite, non-flowable bulkfill composite으로 구분할 수 있다.

이 중 일반 충전용 복합레진은 재료에 따라 법랑질용, 상아질용, 치아절연용, 미백치아용 등으로 분류할 수 있으며, 거의 대부분이 microhybrid type 또는 nanofill type의 복합레진이다(**표 2-2-1 참조**). 전·구치부에 모두 사용할 수 있으며, 2 mm마다 적층 충전을 하는 것을 원칙으로 하고 있다. 가장 많이 사용되면서, 활용도도 높은 대표적인 복합레진이라고 할 수 있다. 심미적인 면과 연관된 사항은 [**2.2 색의 선택**]을 참고하기 바란다.

전치부 및 구치부에서 활용되는 다양한 방법에 대해서는 이 책의 해당부분을 참고하기 바란다.

Flowable composite는 흐름성이 좋고 편하게 사용할 수 있는 복합레진으로 충전부위가 크지 않은 와동이나 이장(lining)의 용도로 많이 사용하고 있다. 하지만 일반 충전용 복합레진에 비하여 중합수축량과 힘이 모두 크기 때문에 큰 와동에 많은 양을 사용하는 것은 바람직하지 않다(**그림 2-7-1, 2 참고**). 구치부 및 간접수복에서 민감성을 줄이고 접착성을 향상시키기 위하여 사용되는 방법과 관련하여서는 〈**4장. 복합레진을 이용한 구치부 직접수복**〉편과 〈**9장. 직, 간접수복 후 발생하는 민감성의 원인과 예방**〉을 참고하기 바란다.

Flowable bulkfill composite는 4~5 mm까지 적층 충전이 가능하다고 하는 flowable resin 형태의 복합레진이다. 회사마다 중합의 효율을 높이는 특수한 방법을 이용하여 깊이까지 중합이 가능하다. 전통적인 flowable resin보다 중합수축의 양이나 stress를 줄였지만 일반 복합레진에 비하여는 여전히 높은 편이다(**그림 2-7-3~6 참고**). 또한 전반적인 물성이 일반 복합레진에 비하여 떨어져 구강에 노출되는 부분은 반드시 일반 충전용 복합레진으로 덮어주어야 한다. 충전과 관련된 자세한 사항은 〈**4장. 복합레진을 이용한 구치부 직접수복**〉편을 참고하기 바란다.

국내에서 시판 중인 flowable bulkfill composite은 아래와 같다

상품명	제조사	판매사
SDR	Dentsply Caulk, Milford, DE, USA	덴츠플라이코리아
Venus Bulk Fil	Heraeus Kulzer, Dormagen, Germany	신흥
Filtek BulkFil Flowable Restorative	3M ESPE, St. Paul, MN, USA	한국 3M

Non-flowable bulkfill composite는 4~5 mm 정도까지 충전이 가능하다고 하지만, 일반적으로 flowable bulkfill composite보다는 중합 면에서는 덜 효율적인 것 같다. 하지만 여러 가지 물성이 flowable bulkfill composite보다 높아서 일반 충전용 복합레진처럼 직접 와동에 충전할 수 있다(**그림 2-7-3~6 참고**). 중합효율을 높이기 위하여 일반 충전용 복합레진보다는 좀더 투명하고, 보다 큰 filler를 사용하는 경향이 있어서 표면도 조금 더 거칠게 나타나서 전치부보다는 구치부에 더 적합하다고 할 수 있다. 국내에 시판 중인 non-flowable bulkfill composite는 아래 표와 같다. 이 중 SonicFil은 bulkfill의 형태로 충전하는 것을 제조회사에서 추천하고는 있지만 중합의 깊이가 깊은 것은 아니다(**그림 2-7-5**).

상품명	제조사	판매사
Tetric N-ceram Bulkfill	Ivoclar Vivadent, Schaan, Liechtenstein	오스템
SonicFill	Kerr, West Collins, Orange, CA, USA	신흥
Filtek Bulkfill Posterior Restorative	3M ESPE	한국 3M

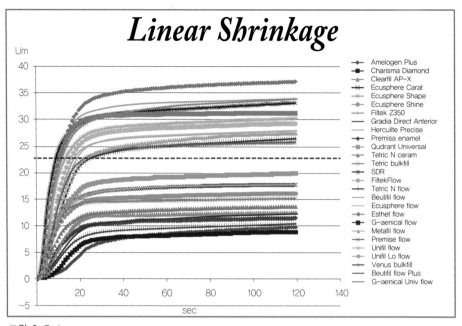

그림 2-7-1
Flowable type의 복합레진의 중합수축량(빨간 점선 위쪽)은 일반적인 복합레진의 중합수축량(빨간 점선 아래쪽)에 비하여 훨씬 높다.

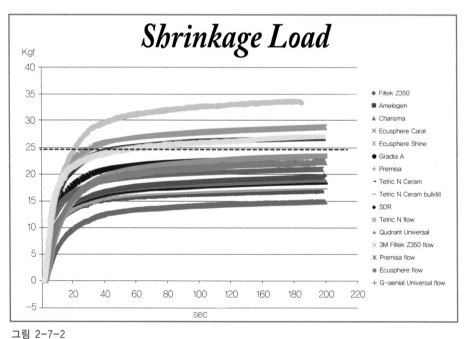

그림 2-7-2
Flowable type의 복합레진의 중합수축력(빨간 점선 위쪽)은 일반적인 복합레진의 중합수축력(빨간 점선 아래쪽)에 비하여 훨씬 높다.

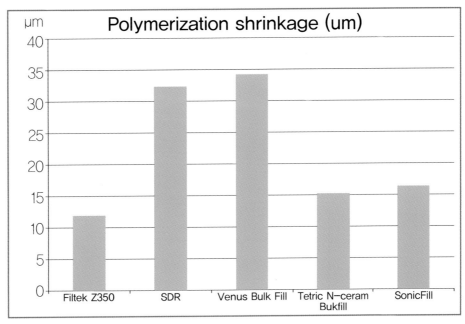

그림 2-7-3
Flowable bulkfill type의 복합레진인 SDR이나 Venus Bulk Fill의 중합수축량이 non flowable bulkfill type (Tetric N-Ceram bulkfill, Sonic Fill)이나 일반복합레진(Filtek Z350)보다 높은 편이다.

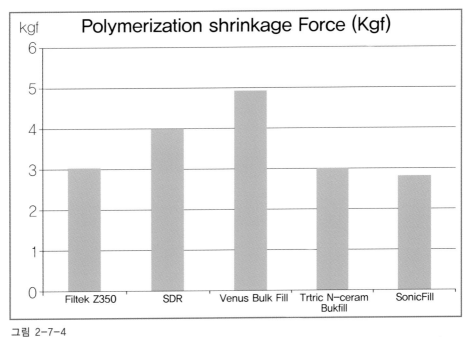

그림 2-7-4
Flowable Bulkfill type의 복합레진인 SDR이나 Venus Bulk Fill의 중합수축력이 non flowable bulkfill type (Tetric N-Ceram bulkfill, Sonic Fill)이나 일반복합레진(Filtek Z350)보다 높은 편이다.

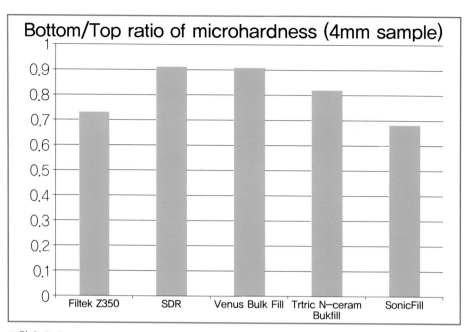

그림 2-7-5
Flowable bulkfill composite 인 SDR과 Venus Bulk Fill은 4 mm 시편에서 아랫면의 미세경도가 윗면의 90%가 넘는
다(80% 이상이 되면 bulkfill이 가능한 두께라고 간주된다). 이에 비하여 non-flowable bulkfill type 중 Tetric N-ceram
Bulkfill은 80%를 넘지만, Sonic Fill은 이에 미치지 못하고 있다.

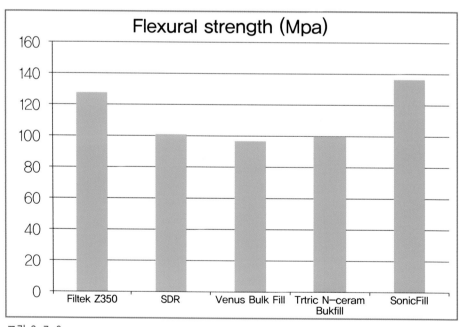

그림 2-7-6
Flowable bulkfill type의 복합레진인 SDR이나 Venus Bulk Fill의 굴곡강도는 non-flowable bulkfill type (Tetric
N-Ceram bulkfill, Sonic Fill)이나 일반 복합레진(Filtek Z350) 보다 낮다.

Q Bulkfill이 가능한 복합레진이 일반 복합레진에 비하여 뚜렷한 장점이 무엇이 있나요?

기존의 복합레진이 2 mm 마다 나누어 중합해야 했던데 반하여, 4 mm 정도까지 한꺼번에 중합시킬 수 있으니 분명히 편리한 점은 있습니다. 기계적 물성, 심미성, 마모 후 활택도 등을 종합적으로 평가하면 일반 복합레진과 비교해서 특별한 장점은 없다고 할 수 있습니다.

Q Flowable bulkfill과 non-flowable bulkfill 어느 것이 더 좋은가요?

각자의 장·단점이 있습니다. 4 mm 정도까지 깊이 중합시키는 능력은 flowable type이 더 우수합니다. 하지만 구강에 노출되는 부분을 일반 복합레진으로 cover를 해주어야 하기 때문에 non-flowable bulkfill에 비하여 번거로운 점이 있다고 할 수 있습니다. 임상 상황에 따라서 맞추어 사용하면 각자의 장점을 더 살릴 수 있을 것 같군요. 예를 들면 근관치료한 치아가 1급 와동을 나타낸다면, flowable type의 복합레진을 이용하면 짧은 시간에 충전을 할 수 있을 것입니다. 그에 반하여 일반적인 2급 와동을 bulkfill type으로 하려면 non-flowable type이 더 편리할 것입니다.

VIII. 광조사기의 선택

1. 광개시제와 광조사기의 개발

표면도색을 하는 공학 분야에서 이미 자외선을 이용하여 광중합을 시키는 기법은 오래 전부터 사용되었다. 이러한 영향으로 치의학 분야에 처음 도입된 광조사기도 자외선을 이용한 중합기였다. 하지만 자외선 광조사기를 이용하여 복합레진을 중합 시킬 경우 제대로 중합시킬 수 있는 깊이가 수백 nm~1 mm 정도에 불과해서 임상 적으로 사용하기에 매우 불편하였다. 또한 자외선은 인체에 좋지 않은 영향을 줄 수 있다는 사실이 밝혀지면서 자외선을 이용한 광조사기는 곧 자취를 감추게 되었다.

1971년 camphorquinone이 광개시제로 특허 출원이 되면서(Nemcek), 그 때부 터 상품화된 대부분의 복합레진들이 이를 사용하게 되었다. Camphorquinone은 400~500 nm의 비교적 넓은 영역의 빛을 흡수하면서, 465~475 nm 영역에서 최대 흡수 peak를 나타낸다. 이 영역이 가시광선 중 주로 파란 빛을 내는 영역이기 때문에 광조사기에서 나오는 빛이 파란색을 나타내는 것이다. Camphorquinone 자체는 매 우 노란색을 나타내고 있어서 복합레진에 혼합하였을 경우 복합레진에 노란 빛을 부 여하게 되고, 광조사 후, 이 색이 부분적으로 없어지면서 복합레진은 중합 전, 후 다 른 색을 나타내게 되는 것이다. 복합레진에 따라 camphorquinone의 함유 정도, 반 응하지 않고 남는 camphorquinone의 양이 다르기 때문에, 중합 전, 후 색이 변하는

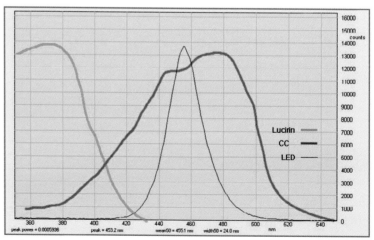

그림 2-8-1
Camphor quinone, Lucirin의 흡수 spectrum과 LED의 주요 발광 spectrum을 비교하였다.

정도도 상이하다. 복합레진 중 미백된 치아를 위해 개발된 복합레진 등은 특히 흰색이 필요하며, 이 경우 camphorquinone의 양을 많이 줄여주던지, 노란색을 나타내지 않는 새로운 광개시제(예; Lucirin TPO)를 사용하는 경우가 많다. Lucirin의 경우 370~380 nm 사이에서 최대 흡수 peak를 나타내며, 300~420 nm 영역의 빛을 흡수한다(**그림 2-8-1**). 많은 LED형 광조사기의 경우 빛의 발광파장이 매우 좁아 Lucirin 등이 함유된 복합레진(아주 흰색을 나타내든지, 미백치아용 복합레진에 특히 많다)을 잘 중합시키지 못하는 경우가 많으니 주의를 요한다.

2. 광조사기의 종류

광조사기에는 할로겐 광조사기, LED (Lght Emitting Diode) 광조사기, 플라즈마 아크(Plasma ARC) 광조사기, 레이저 광조사기 등이 있다. 이중 현재 가장 많이 사용되고 있는 형태가 할로겐 광조사기와 LED 광조사기이다.

3. 할로겐 광조사기

광조사기 중 가장 오랫동안 사용되어 왔으며, 가장 보편적으로 사용되어 온 형태이다.

필터가 있어서 할로겐 램프에서 나오는 빛의 파장 중 500 nm 이상의 부분을 차단하기 때문에 500 nm 이하의 비교적 넓은 영역의 빛이 발광된다(**그림 2-8-2**). 초기에 나온 형태는 마치 지팡이와 같은 모습을 하고 있고, 램프가 커다란 본체 안에 위치하고 휘어지는 광섬유를 이용하여 빛을 전달하는 방법을 가진 것들이었다. 그런데, 긴 광섬유를 통과하면서 빛의 강도가 많이 감소하여, 이를 보상하기 위하여 150 W

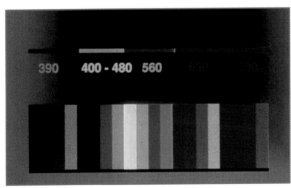

그림 2-8-2
Camphorquinone을 광개시시키기 위하여 할로겐 광조사기에서는 500 nm 이하의 빛을 걸러내어 light guidede를 통과시키며, 광조사기를 통하여 나오는 빛의 색이 푸른색을 띤다.

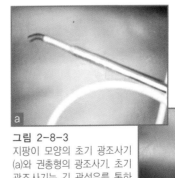

그림 2-8-3
지팡이 모양의 초기 광조사기 (a)와 권총형의 광조사기. 초기 광조사기는 긴 광섬유를 통하여 빛이 전달되었기 때문에 빛의 손실이 많았고 고장도 잦았다. 권총형의 광조사기에서는 광원이 손잡이 부분에 바로 있어서 빛의 손실이 적다(b).

내외의 강력한 할로겐 램프가 필요하였다. 또한 긴 광섬유는 부분적인 파손도 잦았으며, 이것이 빛의 효율을 떨어뜨리는 원인이 되었다.

그 후, 1980년대 말 경 권총과 같은 형태의 제품이 나오기 시작하여 오늘날까지 지속되고 있다. 이전의 지팡이형 광조사기와 비교하여 짧고 단단한 10 cm 정도의 light guide을 통과하여 빛이 나오기 때문에 이전의 지팡이 형태의 제품에 비하여 빛의 손실이 매우 적어 35~100 W 정도의 할로겐 램프로도 충분히 성능을 발휘하였다. 안전상의 문제 때문에 220 V 이상의 광원을 직접 손잡이 부분에 연결하는 것이 금지되어 있어서 따로 본체를 가지고 있게 되었다(**그림 2-8-3**).

초기에 나온 것들은 대개 500 mW/cm^2 내외의 낮은 단일 power density를 나타내는 것이 대부분이었지만, 지금 나오는 제품들은 하나의 기기에서 낮은 power

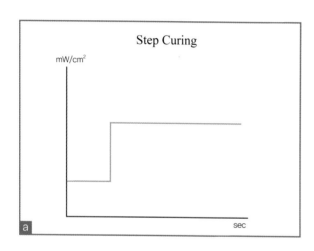

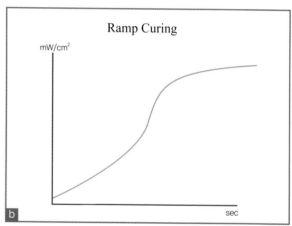

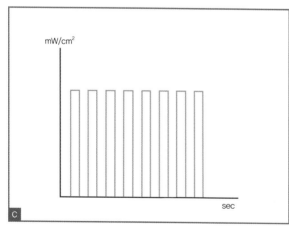

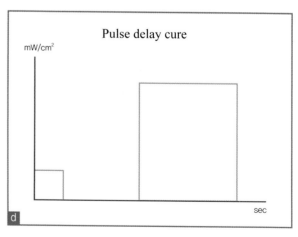

그림 2-8-4
(a) step curing. 중합수축의 속도를 조절하기 위한 방법의 종류.
(b) ramp cuirng
(c) pulse curing 또는 intermittent curing
(d) pulse delay cure

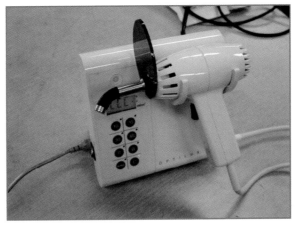

그림 2-8-5
중합수축의 mode를 조절할 수 있는 광조사기의 한 예. R은 ramp curing, B
는 burst curing(처음부터 높은 power density로 빛이 조사되는 mode). C는
cnventional mode로 빛이 중간 정도의 세기로 조사되는 mode를 의미한다.

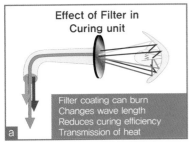
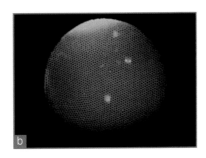
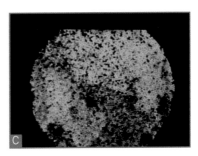

그림 2-8-6
(a) 할로겐 전구로부터 높은 열을 받는 filter는 오래 사용하게 되면 표면이 타서 filtering 작용에 이상이 오게 된다.
(b) 정상적인 filter
(c) Filter가 탄 모습.

density 뿐만이 아니라, 1000 mW/cm² 내외의 높은 power density의 복수의 power density를 나타내는 제품이 대부분이다. 낮은 power density는 일반적인 직접법 중합에 적절하고, 높은 power density는 indirect tooth colored restoration 에서 수복물을 통과하여 복합레진시멘트 등을 중합시키는 경우에 특히 유용하다. 또한 광조사기의 tip으로부터의 거리가 먼 와동을 수복하는 경우, 예를 들면, 2급 와동의 치은벽 등에 복합레진을 위치시키고 광조사시키는 경우에 유용하다. 한편, 처음부터 일정한 power density가 나오는 형태 뿐만이 아니라, ramp curing, step curing, intermittent curing, pulse curing 등 여러 가지 중합 mode를 선택할 수 있게 하여 복합레진의 중합수축의 stress를 감소시키도록 노력하고 있다(**그림 2-8-4, 5**).

4. LED 광조사기

할로겐 광조사기가 위에서 언급한 바와 같이 많은 장점이 있음에도 불구하고 몇 가지 문제를 가지고 있다. 첫째, 할로겐으로부터 나오는 넓은 파장 빛 중 500 nm 이상의 것이나 자외선 영역의 빛을 차단하는 filter가 필요한 데, 오래 사용하게 되면 이 filter가 열에 그을려 제 기능을 못하게 된다(**그림 2-8-6**). 또한 내부에서 발생하는 많은 열을 식혀주기 위하여 따로 fan이 필요하고 전체 에너지 중 단지 4% 이하만이 광조사를 위하여 쓰여질 뿐이어서 에너지 효율면이 매우 떨어지는 편이다. 이에 비하여 LED 광조사기는 약 30% 정도의 에너지 효율을 나타내서 훨씬 효율적이며, 배터리를 이용하여 사용하는 것이 가능해졌다. 또한 비교적 450~470 nm의 좁은 영역의 빛만을 선택적으로 발광시키기 때문에 따로 filter가 없다.

2000년도 초반에 판매하기 시작한 LED형 광조사기는 150~350 mW/cm^{2}의 낮은 power density를 나타내는 것이 대부분이었다. 그래서 이 당시 판매되는 LED 광조사기는 발생되는 열도 매우 적어서 'cold light'로도 불려졌다. 하지만 그 후 LED 광조사기의 power density는 계속 올라가서 현재는 power density 면에서 할로겐 램프와 차이가 없을 정도이다. 열도 초기 LED보다는 많이 발생되는 편이라서 fan을 장착하고 있는 LED도 시판되고 있는데, 장기적인 내구성 면에서 더 유리할 것으로 사료된다. 할로겐 광조사기와 같이 하나의 광조사기 내에 여러 개의 power density와 중합 mode를 선택할 수 있도록 된 제품이 대부분이다.

할로겐과는 달리 LED형 광조사기에 사용되는 램프는 좁은 영역의 빛만을 선택적으로 발광하고 있어서 대부분 450~470 nm의 파장에서 한정되어 있다. 이러한 점은 광개시제로서 camphorquinone을 이용하는 복합레진의 중합의 효율을 높이고, 광조사기의 에너지 효율을 높이는데 매우 효과적이지만, 370~380 nm에서 최대 흡

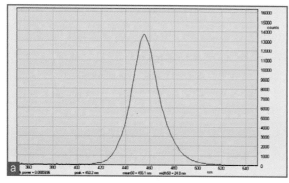 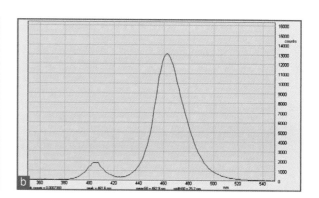

그림 2-8-7
(a) 전통적인 LED. 2개의 LED 파장을 비교해 본다.
(b) 2개의 광원을 통하여 낮은 파장의 빛도 발광하는 LED

수 파장을 나타내는 Lucirin TPO 등을 광개시제로 사용하는 복합레진의 경우 중합을 시킬 수 없는 문제가 있다. 따라서 이러한 문제를 해결하기 위하여 일부 광조사기의 경우에는 2개의 서로 다른 빛을 발광하는 LED 램프를 장착하여 이러한 문제를 해결하고 있다(**그림 2-8-7**).

5. 국내에 시판 중인 할로겐 및 LED 광조사기와 그 선택

표 2-8-1에 국내에서 시판 중인 할로겐 및 LED 광조사기를 정리하였다. Light output에서는 Power density (mW/cm^{2}가 400~600(저), 600~800(중), 800 이상(고)로 분류하였다. 주로 크기가 크거나 깊지 않은 작은 와동의 수복을 주로 한다면 light output이 저 또는 중등도를 선택해도 무방하다. 하지만 indirect tooth colored restoration도 많이 하는 경우에는 이원 중합레진 시멘트를 효과적으로 중합시키기

표 2-8-1 국내에 시판 중인 할로겐 및 LED 광조사기

제품명	회사	Light type	Light output	방출파장(nm)	중합수축조절 mode	배터리type	냉각fan
Elipar Freelight 2	3MESPE	LED	고	460~480	O	리튬	×
Elipar 2500	3MESPE	할로겐	중	400~500	×	×	O
VIP jr	Bisco	할로겐	중	400~500	O	×	O
Smartlite PS	Dentsply DeTrey	LED	중	460~480	×	NiMH	×
Spectrum 800	Dentsply Caulk	할로겐	중	400~500	O	×	O
QHL 75	Dentsply Caulk	할로겐	저	400~500	×	×	O
G light LED	GC	LED	고	400~420, 460~480	×	리튬	×
Demi	Kerr	LED	고	460~480	△	리튬	O
L.E.Demetron II	Kerr	LED	고	460~480	△	NiMH	O
Optilus 501	Kerr	할로겐	고	400~500	O	×	O
Demetron LC	Kerr	할로겐	중	400~500	×	×	O
Bluephase	Vivadentivoclar	LED	고	460~480	O	리튬	O
Skylight(충전형)	디메텍	LED	고	460~480	O	리튬	×
Skylight(충전형)	디메텍	LED	고	460~480	O	×	×
Ecolight(충전형)	디메텍	LED	고	460~480	O	리튬	×
Ecolight(재전형)	디메텍	LED	고	460~481	O	×	×

light output는 power density(mW/cm^2)가 400~600(저), 600~800(중), 800 이상(고)으로 분류하였다.
NiMH(Nickel metal hydride)

위하여 고등도를 선택하는 것이 바람직할 것 같다. 밧데리는 LED 광조사기에서 중요한 요소인데, 리튬 밧데리를 사용하는 것이 nickel metal hydride (Ni-MH)보다 유리하다. 그 이유는 작고 가벼우며, 충전이 빠르고, 완전 방전없이 중간에도 충전하여 사용할 수 있기 때문이다. 고출력의 할로겐 또는 LED 광조사기의 경우 중합수축의 속도를 조절할 수 있는 mode를 포함하고 있는 것이 좋으며, 상당한 열이 발생하기 때문에 장기적인 제품의 내구성 면에서 fan을 가지고 있는 제품을 선택하는 것이 유리하다.

LED 제품 중 GC 사의 제품이 2가지 파장의 빛(400~420 nm, 460~480 nm)을 발광시킬 수 있으며, 나머지 제품들은 1가지 파장의 빛만을 발광시킬 수 있다.

가격 면에서는 LED 제품이 할로겐 제품보다 비싼 편이고, 리튬 밧데리를 사용하며, 중합수축 조절 mode를 가지고 있고, 고출력일수록 가격이 비싼 편이다.

6. 많이 사용되지 않는 광조사기

1) 플라즈마아크 광조사기

기체(주로 xenon)에 전기장을 가하면, 여기 상태가 되면서 많은 에너지가 발생하는데, 이를 이용하여 lamp를 발광시키는 원리를 이용한 것으로 1998년도 처음 도입된 후 몇 가지 제품이 시장에 소개되었다(**그림 2-8-8**). Power density는 1300~2000 mW/cm^{2}로 매우 높았는데, 이 기기가 처음 도입되었을 때 3~5초 내

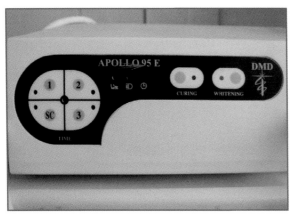

그림 2-8-8
플라즈마아크 광조사기

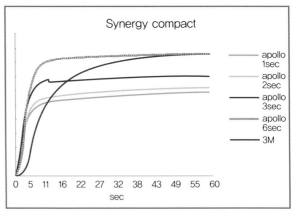

그림 2-8-9
Synergy compact라는 복합레진을 플라즈마아크 광조사기(Apollo 95E)로 1, 2, 3, 6초 동안, 그리고 중등도의 할로겐 광조사기(3 M)로 60초 광중합 시키면서 복합레진에서 중합수축이 일어나는 정도를 시간 별로 관찰한 것이다. 세로축은 중합수축 되는 양을 기록한 것이고, 가로축은 시간을 나타냈었다. 그래프의 기울기를 보면 플라즈마아크 광조사기를 사용했을 경우 할로겐 광조사기보다 처음 10초간 중합이 더 빨리 일어나는 것을 알 수 있다. 빠른 중합은 와동의 변연에 불리하게 작용할 가능성이 있다.

에 복합레진을 중합시킨다고 많은 광고하였지만, 곧 이것이 옳지 않다는 것이 증명 되었다. 그 후 지속적인 연구를 통하여 2 mm 와동의 경우 일반적으로 10초 이상 의 광조사 시간이 필요한 것으로 판단되었다. 초기 model은 460 nm에서만 최대 흡 수 peak를 나타내도록 되어 있었지만, 그 후 filter를 추가하여 420 nm에서도 흡수 peak가 나타나도록 하였다. 기본적으로 복합레진의 중합의 속도가 빨라져서 와동에 가해지는 중합수축의 stress가 높아지게 되어 크기가 큰 와동에서 사용하는 것은 그 리 바람직하지는 않다고 생각된다(**그림 2-8-9**). 소아의 치료에서 그리 크기가 깊지 않은 와동이나 pit & fissure sealing에 빠른 치료를 요하거나, composite resin, glass ceramic, ceramic 등의 간접수복에 사용할 경우, 높은 power density 덕분으로 이원 중합레진시멘트를 중합시키는데 필요한 시간을 줄일 수 있을 것으로 판단된다. 하지 만 일반적인 직접법 수복의 경우 가격(일반적인 복합레진 광조사기보다 4~5배 비싸 다)에 비하여 그 효용은 그리 크지 않은 것으로 판단된다.

2) 레이저 광조사기

광조사기 용도로 argon laser가 사용되는데, 514.5, 488, 467 nm 영역에서 단일 파장의 빛을 발광하여, 이 중 400~500 nm 영역에서 발광하는 파장의 빛이 복합레 진을 중합시킨다. 단일 파장의 빛이 나와서 연구용으로는 적절하지만 치과 임상적으 로 적용되는 예는 드물며, 국내에서 시판 중인 제품은 없다.

7. 광조사기에 의한 복합레진의 중합

1) 복합레진 중합의 정도를 측정하는 방법

가장 일반적인 방법은 FTIR (forier Transform)을 이용하여 반응하지 않고 남아 있는 이중결합의 반응 전, 후 상대적인 비율을 측정하여 계산하는 중합률(degree of Conversion) 측정법이다. 가장 정확한 방법이기는 하지만 장비와 측정법 등이 다소 복잡하여, 대신 표면의 미세경도를 측정하기도 한다. 즉, 동일한 복합레진에서 중합 이 완전히 이루어진 표면에 대한 상대적으로 중합이 덜 이루어진 표면의 미세경도의 비율이 비교적 중합률과 많이 일치한다고 한다(Rueggeberg 등, 1994).

2) 중합 깊이에 영향을 주는 요소
(1) 색조와 투명도

복합레진의 색이 진하고, opaque 할수록 중합 깊이는 낮아진다(Kawaguchi 등, 1994).

(2) 빛의 세기와 광조사 시간

빛의 세기와 중합의 깊이, 광조사 시간과 중합의 깊이 사이에는 대수적인 관계에 있다고 한다(Rueggeberg 등, 1994). 예를 들면 빛의 강도를 2배로 늘이고, 광조사 시간을 2배로 늘인다고 해서 중합의 깊이가 2배로 늘어나지는 않는다는 것이다.

(3) 광조사 후의 복합레진 중합(post irradiation polymerization)

광조사가 끝난 후에도 복합레진은 약 24시간 정도는 지속적으로 중합을 한다. 그래서 광중합 직후와 24시간 후 복합레진의 미세경도를 비교해 보면 경도가 많이 증가하는 것을 알 수 있다. 그런데 재미있는 사실은 비록 미세경도는 많이 증가하지만, 중합률의 증가는 많이 일어나지 않다는 것이다. 즉, 광조사 후의 복합레진의 중합은 주로 free radical 간의 반응으로 이루어지는 것이며, 추가적인 이중결합과의 반응은 많지 않을 것으로 추측하고 있다(Burtscher, 1993).

(4) Total Energy Concept

빛의 세기에 조사시간을 곱한 값이 16,000 mW/cm^{2}이 되어야 복합레진을 적절히 중합시킬 수 있다는 이론이다. 예를 들면 400 mW/cm^{2}의 power density를 갖는 광조사기를 사용할 경우에는 40초를 광조사시켜 주어야 한다는 이론이다. 그러면 만약 1,600 mW/cm^{2}의 power density를 갖는 광조사기를 사용한다면 10초 중합을 하면 될까? 이 이론은 광조사기의 광도가 높지 않은 초기 model에서는 어느 정도 잘 맞는다고 생각되지만, "빛의 세기와 광조사 시간"에서 언급한 바와 같이 빛의 세기가 2배로 된다고 해서 중합시간이 반으로 줄지는 않았다. 광조사기의 power density가 아무리 높아져도 복합레진이 충분히 반응하는데는 10초 이상의 시간이 필요한 것으로 보고되고 있다.

8. 광조사기의 유지 관리

① Light guide의 tip에 복합레진, 접착제 등의 이물질이 붙어 있으면 중합의 효율을 떨어 뜨린다. 바로 떼려고 하다간 light guide를 손상시킬 수 있다. 아세톤이나 알코올에 침적 후 제거하면 쉽게 제거할 수 있다.

② Timer가 정확히 잘 작동하는지 검사한다

③ Power density를 주기적으로 검사한다.

9. Power density (Radiant exitance, Radiant emittance) 의 측정

현재 손쉽게 광조사기의 조도를 측정하는데 사용하고 있는 기기들은 엄밀히 이야기하면 정확히 power density를 나타낸다고 할 수는 없다. 어느 광조사기의 Power density를 정확히 측정하려면 광조사기의 tip에서 나오는 전체의 빛의 강도를 tip에서 빛을 내는 실제 면적(유효면적이라 칭한다)으로 나누어 주어야 한다. 그런데 시중에 시판되는 조도 측정기의 대부분은 측정되는 조도의 값을 자신이 가지고 있는 sensor의 넓이로 임의로 나누어 버린다. 따라서 만약 광조사기의 유효면적이 sensor의 측정장치의 면적보다 더 크면 그 값이 크게 나오고, 반대로 유효면적이 sensor의 값보다 작으면 측정값이 작게 나온다. Light guide power density를 정확히 측정하려면 **그림 2-8-10**과 같은 적분구(integration sphere) 분광기를 사용하는 것이 적절하며, 여기서 나타나는 빛의 강도를 유효면적으로 직접 나누어 주어야 바른 power density를 얻을 수 있다.

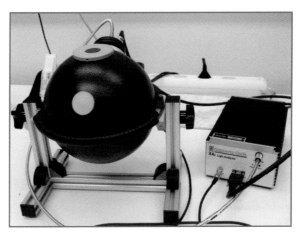

그림 2-8-10
적분구(integration sphere) 분광기.

10. 올바른 용어

이번 장을 설명하면서 치의학 영역에서 많이 사용되는 power density, energy density 등과 같은 용어를 사용하여 설명하였지만, 과학적인 견지에서 이와 같은 용어는 올바른 용어가 아니고 다음과 같이 고쳐 부르는 것이 바람직하다.

- Power density $-\rangle$ Radiant exitance, Radiant emittance
  ; 단위 : mW/cm^2
  의미 : 단위 면적에서 방출되는 빛의 세기(power).

- Energy density $-\rangle$ Radiant exposure
  ; 단위 : J/cm^2
  의미 : 단위 면적에서 방출된 빛 에너지.
  예를 들면, power density에 광조사 시간을 곱한 수치.

- 위의 두가지 용어는 광조사기에서 발생한 빛에 대한 term이고, 빛을 받는 부분에 대해서는 Irradiance라는 용어를 사용하여야 한다.

  단위 : mW/cm^2
  의미 : 단위 면적에 가해진 빛의 세기(power).

Q   어떤 광조사기를 사야 하나요?

광조사기는 자신의 진료 style에 맞는 것을 사용하는 것이 바람직합니다.
복합레진의 사용을 간단한 와동에 국한시키거나, 레진 시멘트 등을 이용한 간접수복을 하지 않는 분들에게는 굳이 고도의 power density를 나타내는 광조사기를 사용할 필요가 없이 비교적 값이 싼, 저도 또는 중도의 power density를 나타내는 광조사기를 사용하셔도 충분합니다. 그렇지 않은 경우는 고도의 광조사기를 구입하시는 것이 바람직합니다. 광조사기의 활용빈도가 높은 편이라면, 처음에 약간의 구입비용이 더 들어도 LED 광조사기가 장기적인 관점에서 유지비용을 더 절약할 수 있다고 생각되며, 사용빈도가 특히 높은 경우 되도록 리튬 배터리와 fan을 가지고 있거나 특별한 열처리 장치가 내장되어 있는지 문의 후 구입하시는 것이 바람직합니다. 표 2-8-1을 참고해 주세요.

Q   깊은 와동을 복합레진으로 충전할 경우, 어느 정도 깊이를 나누어 충전해야 하나요?

정확히 말한다면 복합레진의 종류, 색조, 투명도와 사용하는 광조사기의 종류에 따라 다르다고 말할 수 있습니다. 과학적으로 한 번에 충전할 수 있는 깊이는 아래면의 미세경도가 윗면의 미세경도의 80% 이상일 경우" 라고 생각되어 지고 있습니다 (Watts 등, 1984). 자신이 사용하고 있는 복합레진 및 광조사기를 이용하여 이를 대략적으로 검사하는 간단한 방법이 있습니다. 먼저 치아에 얇고 긴 불투명한 대롱을 1 cm 정도 자르고, 사용하는 복합레진으로 대롱을 채운 후 대롱이 한쪽에서 광중합을 시킵니다. 그리고 대롱을 벗겨 낸 후 복합레진 중에서 중합이 되지 않은 부분을 제거하고 중합이 되서 굳은 부위까지의 깊이를 측정합니다. 이 깊이의 반 정도가 대략 80%의 미세 경도에 가깝다고 합니다. 실제로 ISO 4049:2000에서 이 방법과 비슷한 방법을 이용하여 중합 깊이를 측정하고 있습니다.

FAQ

Q 광조사기의 광도를 측정하는 기기마다 측정값이 다르게 나타납니다.

'9. Power density의 측정'을 참고해 주세요.

Q 얼마나 오래 광조사를 해야 하나요?

광조사기의 종류, 복합레진의 shade, translucency, 종류에 따라 상이합니다.
일반적으로 광조사기의 power density가 낮을수록, 복합레진이 불투명하고 짙은 색조일수록 더 오랜 시간 동안 광조사를 해야 합니다. 사용하는 낮은 power density를 나타내는 광조사기를 사용하는 경우 개략적으로 접착제 20~30초, 복합레진 30~40초를 광조사시키도록 하며, 높은 power density의 광조사기를 사용하는 경우 접착제 10~20초, 복합레진 20~30초, indirect tooth colored restoration은 면당 1분의 시간이 필요합니다. 회사의 안내서에 설명되어 있는 내용은 이상적인 조건에서 나타낸 기준이기 때문에 통상 이것보다 중합시키는데 더 많은 시간을 할애하는 것이 좋습니다.

Reference

Nemcek DE Jr (1971) Photopolymerizable composition. Patent No. GB1408265

Rueggeberg FA, Caughman WF, Curtis JW, Jr. (1994) Effect of light intensity and exposure duration on cure of resin composite Oper Dent 19:26-32

Kawaguchi M, Fukushima T, Miyazaki K (1994) The relationship between cure depth and transmission coefficient of visible light activated resin composite J Dent Res 73:516-521

IX. 마무리 및 연마(Finishing & Polishing)

마무리 및 연마 작업은 복합레진 충전물의 교합을 조절하고, 충전물이 인접 치아 조직과 자연스럽게 이환되도록 정리하고, 복합레진의 표면을 매끈하고 광택 있게 연마하여 치태 등의 침착을 막고, 기능적, 심미적으로 우수해지도록 처리하는 술식을 말한다.

1) 재료 및 기구

(1) Flexible disk

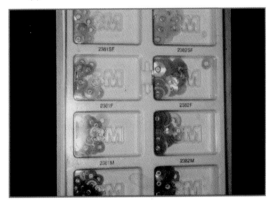

평평하거나 볼록한 면을 다듬을 경우 사용한다. 제품에 따라 3~4종류의 거칠기를 가지고 있으며 순차적으로 사용한다(**그림 2-9-1**).

그림 2-9-1

(2) Carbide bur

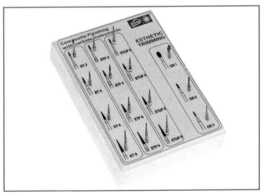

주로 볼록한 면을 다듬을 경우 사용한다.
연마용으로는 12~40개의 날을 갖는 것을 주로 사용한다(**그림 2-9-2**).

그림 2-9-2

(3) Diamond bur

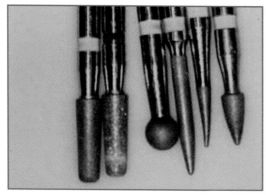

그림 2-9-3

주로 볼록한 면을 다듬을 경우 사용한다.
마무리 및 연마용으로는 표면의 fine (40 um 내외)와 super fine (8 um 내외)의 bur를 이용한다(**그림 2-9-3**).

(4) Silicone bur, cup, disk

그림 2-9-4

제품에 따라 2~4개의 표면 거칠기를 가지고 있어서 순차적으로 사용하게 되어 있다. 다양한 형태로 제작이 가능하여 disk는 볼록하거나 평평한 표면, cup은 볼록한 면, point는 오목한 면의 연마에 적절하다. 구치부에 효과적으로 사용할 수 있다(**그림 2-9-4**).

(5) Diamond file

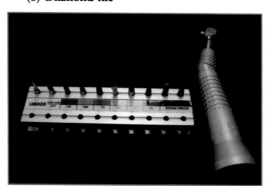

그림 2-9-5

납작한 형태로 면의 한 쪽에만 diamond가 입혀져 있으며, 특수한 저속의 handpiece를 사용하여 전·후방 운동을 통하여 복합레진의 표면을 연마한다. 접촉점(Contact point) 아래의 인접면과 치경부 하방의 연마에 적절하다.
Diamond 입자의 거칠기에 따라 40 um 내외(중등도 거칠기), 10~20 um 내외(낮은 거칠기)가 복합레진의 연마에 사용된다(**그림 2-9-5**).

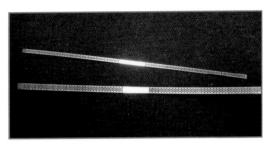

그림 2-9-6

(6) Diamond strip

인접면 부위의 연마를 위하여 사용된다. 접촉점을 조절하고, overhanging margin을 정리한다. 복합레진이 인접면에서 서로 붙은 경우, 그 부위를 얇게 자를 수 있다. 입혀진 diamond의 거칠기에 따라 높은 거칠기(20~30 um), 중등도 거칠기(20 um 내외) 등을 복합레진 연마에 순차적으로 사용한다(**그림 2-9-6**).

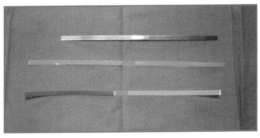

그림 2-9-7

(7) Plastic polishing strip

인접면 부위의 연마를 위하여 사용된다. 접촉점을 조절하고, overhanging margin을 정리한다. 제품에 따라 2~3종류의 거칠기를 가지고 있으며 순차적으로 사용한다(**그림 2-9-7**).

그림 2-9-8

(8) Brush with polishing paste

Aluminum oxide 또는 diamond paste를 이용하여 최종 연마하여 준다. 오목한 부위에서 연마의 마지막 단계이다. 최근 brush에 polishing paste가 coating되어서 따로 polishing paste를 바르지 않고 사용할 수 있는 system이 나와서 편하게 이용할 수 있다(**그림 2-9-8**).

2) 마무리 및 연마 방법

마무리 및 연마를 시행하는 부위(전치부, 구치부, 오목한 부위, 볼록한 부위, 인접면)에 따라서 효과적인 재료를 선택하여 표면이 거친 것부터 고운 것의 차례로 순차적으로 진행하도록 한다. 위에서 언급한 모든 재료를 이용한다는 것은 시간적, 경제적으로 낭비가 아닐 수 없다. 위에서 언급한 정보를 기초로 자신에게 알맞은 방법을 적용하면 무리가 없을 것 같다. 그림 2-9-9는 현재 저자가 일반적으로 사용하고 있는 polishing bur kit를 보여주는 사진이다. 이 kit를 기본으로 하여 필요한 기구를 추가하여 사용한다. 전체적으로 정리된 기구 사용법을 그림 2-9-10과 표 2-9-1에 정리하였다.

3) 유용한 재료 및 기구에 관한 정보

(1) Flexible disk

제품	회사	구성	특징
OptiDisc	Kerr Hawe		
Sof-Lex (XT)	3M ESPE		
Composystem	Komet	Medium, fine, ultrafine	
SuperSnap	Shofu		

(2) Silicone cup, point disk

제품	회사	구성	특징
Astropol	Ivoclar vivadent		
Compomaster	Shofu		
HiLuster & GlossPlus	Kerr Hawe		
Pogo	Dentsply Caulk		
Optrapol	Ivoclar vivadent		

(3) Finishing & Polishing Strip

제품	회사	구성	특징
Hawe Finishing & Polishing Strip	Kerr Hawe	폭 (3.9mm,, 1.9mm) Coarse/Medium, Fine/Extrafine	4가지 거칠기 (strip 하나에 2가지 거칠기)
Sof-Lex Finishing & Polishing Strip	3M ESPE		
Composystem	Komet		

표 2-9-1. 마무리와 연마를 위한 재료 및 기구

표면의 형태, 표면 처리 정도	볼록, 평평한 표면	오목한 표면, groove	인접면
대체적인 형태잡기	Flexible disk (저속, 높은 거칠기) Diamond bur (고속, fine (40 um))	Diamond bur (고속, fine (40 um))	Diamond file (저속, 40 um) Diamond strip (20~30 um)
형태잡기	Flexible disc, Silicone disk, cups (저속, 중등도 거칠기)	Diamond bur (고속, fine (40 um) superfine (8 um)) Silicone point (저속, 중등도 거칠기)	Diamond file (저속, 40 um) Diamond strip (−20 um 내외)
마무리	Flexible disc (낮은 거칠기) Silicone disk, cups (저속, 낮은 거칠기)	Diamond bur (고속, super fine) Silicone point (저속, 낮은 거칠기)	Diamond file (저속, 10~20 um) Plastic strip (중등도거칠기)
연마	Flexible disc (제일 낮은 거칠기)	Brush with polishing paste (저속)	Plastic strip (낮은 거칠기)

그림 2-9-9   저자가 일반적으로 사용하고 있는 polishing bur kit

볼록, 평평한 표면　　오목한 표면　　인접면

대체적 형태잡기

형태잡기

마무리

연마

그림 2-9-10

Q   복합레진을 이용하여 최고의 polishing 효과를 얻고 싶습니다, 어떻게 해야 할까요?

볼록, 평평한 표면 - fine diamond bur(고속) 또는 flexible disk(저속)를 이용하여 충전물을 대충 다듬어서 형태를 냅니다. 그 후, 저속의 flexible disk를 이용하여 순차적으로 연마하여 최종적으로 제일 낮은 거칠기의 flexible disk를 이용하여 마무리를 합니다.

Groove나 오목한 부위 - disk로 연마가 되지 않기 때문에 fine diamond bur(고속)를 이용하여 대충 형태를 다듬고, silicone point를 거친 것부터 순차적으로 이용하도록 하며, 최종적으로는 polishing paste를 이용하는 것이 제일 좋습니다. 또는 polishing past가 coating 된 brush를 이용할 수도 있습니다.

인접면 - 인접면에서 충전 후 overhanging이 심할 경우, 거친 diamond strip이나 diamond file를 이용하여 이를 제거하고, 좀더 고운 입자로 다듬은 후, 최종적으로는 plastic strip을 이용하여 연마합니다. 인접면 접촉(proximal contact)을 헐겁게 하지 않도록 인접면을 지날 때는 연마제가 입혀져 있지 않은 면을 이용하도록 주의 합니다.

Q   저는 복합레진을 제한적으로 사용하고 있습니다, 그래서 마무리와 연마에 많은 시간을 할애하기 보다는 어느 기준 이상의 효과를 얻으면 만족하며, 되도록 간단하면서도 효율적인 방법을 취하고 싶습니다, 어떤 방법이 있을까요?

기구를 되도록 교환하지 않고 한 번에 할 수 있으면 제일 편하겠군요. 우선 fine diamond bur(고속)를 이용하여 대충 형태를 다듬습니다. 그 후 silicone bur를 이용하는데, 현재 국내에 소개된 제품 중에서 Pogo system (Dentsply Caulk)이나 Optrapol (Vivadent Ivoclar)를 이용하면 거칠기 순서로 재료를 사용해야 하는 번거로움 없이 하나의 재료로 평균 이상의 연마 효과를 얻을 수 있습니다.

FAQ

Q 복합레진, ceramic 등을 polishing 한 경우 변연을 잘 찾지 못하는 경우가 있습니다. 어떻게 해야 할까요?

복합레진이나 레진 시멘트를 사용하여 접착한 indirect tooth colored restoration의 경우, 마무리 및 연마 과정에서 그 변연을 정확하게 알기 어려운 경우가 발생하며, 물기가 있는 환경에서 polishing하는 경우 특히 심한데, 이런 경우에는 물기가 없는 건조한 환경에서 변연 부위를 먼저 마무리하는 것이 좋습니다. 건조한 환경에서 마무리를 할 경우 치아와 수복물간의 차이를 비교적 쉽게 알 수 있습니다. 단, 열이 발생하지 않게 되도록 저속으로 마무리를 진행하는 것이 좋겠습니다. 이렇게 일단 변연 부위가 정리되고 나면 물을 뿌려 주면서 남아 있는 부위의 마무리와 연마를 진행합니다. 마무리 및 연마가 정확하지 못하면 후에 변연 변색이 발생할 가능성이 높습니다.

복합레진을 이용한 전치부 직접수복

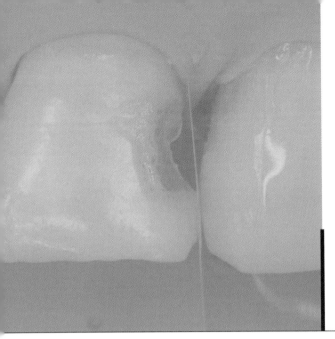

Chapter **3**

복합레진을 이용한 전치부 직접수복

I. 3급 와동의 수복

1. 필수지식

1) 색의 선택

    비교적 간단한 3급 와동의 경우는 몇 가지 shade의 복합레진을 직접 법랑질에 위치시키고 광조사하여 shade를 선택하는 방법을 이용하여 좋은 효과를 얻을 수 있다. 광조사 후 굳은 복합레진은 떼어내면 된다(**그림 3-1-1**). 와동이 순, 설로 완전히 개통

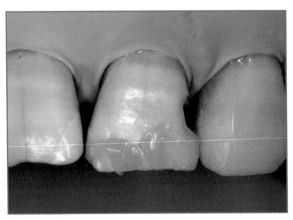

그림 3-1-1

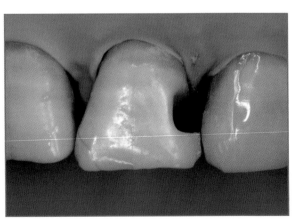

그림 3-1-2

된 경우는 관찰되는 색조보다 약간 색이 더 어둡고 빛을 더 잘 차단하는 상아질용 복합레진을 추가적으로 준비한다(〈2장. **Ⅱ. 복합레진에 있어서의 색의 선택**〉 참고).

2) 와동 삭제와 bevel

와동의 우식 부위와 soft dentin을 다 제거하고, 모든 법랑질을 포함하여 bevel을 형성한다(**그림 3-1-2**). Bevel은 접착력을 증가시킬 뿐만 아니라, 복합레진의 심미성을 증진시키기 때문에, 최소 1 mm 정도를 확보하고 심미적인 필요에 따라 그 넓이를 증가시키는 것이 좋다(〈2장. **Ⅲ. 와동의 삭제**〉 편 참고).

3) 법랑질 산 부식

30~40% 산을 사용하는 경우 먼저 법랑질 부위에 위치시킨다. 30초 이상 산 부식시키도록 한다(**그림 3-1-3**). Self etching primer를 사용할 경우도 법랑질 만은 30~40% 산을 이용하여 먼저 산 부식을 하는 것이 바람직하다(〈2장. **Ⅴ. 상아질 접착제**〉 참고).

4) 상아질 산 부식

30~40%의 산을 사용하는 경우, 상아질 부위에 대한 산 부식 시간은 10초 정도가 안전하다고 생각된다. 법랑질 부위에 산을 위치시키고, 20초 후에 상아질 부위에 산을 위치시킨 후 10초 후에 함께 물로 수세하면 법랑질 부위는 30초 산 부식시킨 것이 되고, 상아질 부위는 10초 산 부식시킨 것이 된다. 적용시간이 부적절할 경우 술후 민감증의 원인이 될 수 있으니 적용시간을 엄격히 지키도록 노력해야 한다(**그림 3-1-4**).

Self etching primer를 사용하는 경우, 충분한 시간을 할애하여 self etching primer를 와동 내에 위치시키는 것이 중요하다. 일반적으로는 20~30초의 시간이 필요한 경우

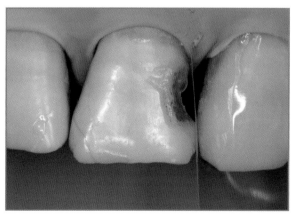

그림 3-1-3

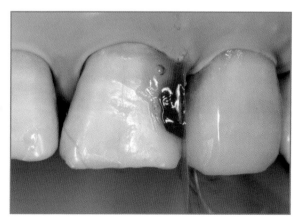

그림 3-1-4

가 대부분이다. 치아 우식 부위를 제거한 후 나타나는 상아질의 표면은 대개 sclerotic 한 경우가 많은데, 이 경우 self etching primer를 와동 내에 그냥 위치시키는 것보다는 문질러 주는 것이 보다 효과적이다(〈2장. Ⅴ. 상아질접착제〉 참고).

5) 상아질 wetting

적절한 wetting이 중요하다. 산 부식제를 수세한 후 치아를 완전히 건조시키지 않고 air를 살짝 부는 방법이 추천되고는 있지만, 법랑질 산 부식 정도를 확인하기가 어렵고, 와동 내에 부분적으로 물기가 많이 남아 있는 경우가 생길 수 있어서, 일단 먼저 완전히 건조시켜 법랑질의 부식 상태를 확인한 후 젖은 면구를 이용하여 와동을 가볍게 두드려 주는 방법이 현실적이다(**그림 3-1-5**). Self etch system을 사용할 경우에는 상아질 wetting의 과정은 필요 없다.

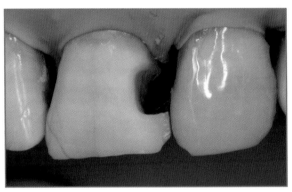

그림 3-1-5

6) Wet bonding 후 광조사

접착제 도포 후, air syringe를 이용하여 건조시키는 것보다는 건조된 brush를 이용하여 여러 번 문질러 주는 편이 더 좋다. 광조사 시간은 10~20초 정도 충분히 해주도록 한다(**그림 3-1-6**).

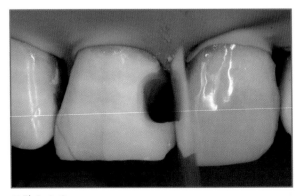

그림 3-1-6

7) 복합레진 충전(dentin 및 enamel 또는 body)

와동이 순–설 부위로 완전히 개통되어 있지 않은 경우는 법랑질용 또는 상아질용 복합레진 하나로도 충분하다. 하지만 와동이 순, 설로 완전히 개통된 경우는 관찰되는 색조보다 약간 색이 더 어둡고 빛을 더 잘 차단하는 상아질용 복합레진을 설측에 위치시킨 후, 순측에 치아 색과 비슷한 복합레진을 위치시키는 것이 좋다(**〈2장. Ⅱ. 복합레진에 있어서의 색의 선택〉 참고**).

점층법을 이용하여 설측에서 순측으로 진행하며, 광조사 시간은 광조사기의 광도, 복합레진의 색에 따라 달라질 수 있다. 많은 광조사기 제조회사들이 짧은 광조사 시간을 홍보하고 있지만 실제로 연구를 하여 보면 부적절한 경우가 많으며, 30~40초 정도 충분한 시간을 할애하는 것이 보다 안정적인 결과를 얻을 수 있다(**그림 3-1-7, 8**).

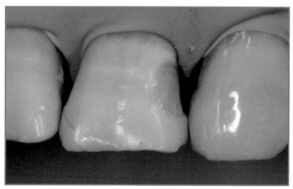
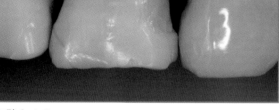

그림 3-1-7

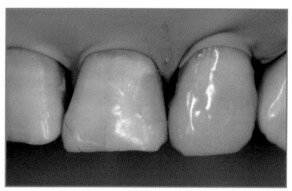

그림 3-1-8

8) 마무리 및 연마

보통 bur의 표면에 노란 색이나 흰색 띠가 둘러져 있는 표면 조도 40 um 이하의 high speed bur와 Soflex 등의 disk, proximal strip 등을 이용한다(**그림 3-1-9**). (**〈2장. Ⅳ. 마무리 및 연마〉 참조**)

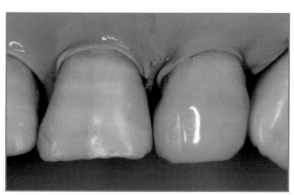

그림 3-1-9

2. 임상증례

증례 1: 복합레진은 치은에 좋지 않은 영향을 미칠까?

환자의 주소(chief complaint): #22의 치아 우식을 치료하고 싶다.

현증: cold(+), probing(정상범주 probing 시 출혈), 치은 연하 약 1 mm 하부까지 우식 진행.

치료계획: gingicord를 이용하여 치은을 내린 후 복합레진 수복(필요 시 electro surgery).

치료의 진행: ① 환자는 치은 연하 약 1 mm까지 진행되는 치아 우식을 나타내고 있다. Probing 시 pocket의 깊이는 정상범주였지만, 치태 등의 침착이 있어서 치은염으로 인한 출혈을 보였다(**그림 3-1-10**).

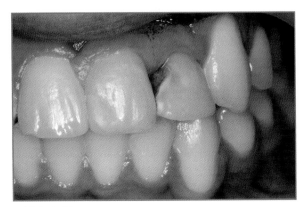

그림 3-1-10

② 우식 부위를 제거하고 복합레진으로 충전하였다. 치은 부위에 gingicord를 깊이 넣었기 때문인지 아직 출혈을 나타내고 있다(**그림 3-1-11**).

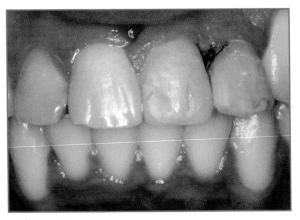

그림 3-1-11

③ 3개월 후 check 하였을 때, 치은 조직은 비교적 건강하였지만, probing 시 약간의 출혈을 나타내었다(**그림 3-1-12**).

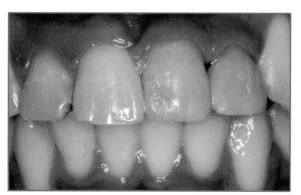

그림 3-1-12

④ 1년 후 검사하였을 때, 치은은 건강한 모습을 유지하였으며, probing 시 출혈도 나타내지 않았다.

> **교훈**: 복합레진이 치은에 좋지 않은 영향을 준다고 생각하는 이가 있다. 물론 polishing이 제대로 되지 않아서 치태가 끼는 경우에는 치은에 좋지 않은 영향을 주지만, 이것은 비단 복합레진만의 문제는 아니다. 조직학적으로 관찰하였을 때, polishing만 제대로 하면 치은 연하의 복합레진은 치은조직에 어떤 악영향도 끼치지 않는다.

증례 2: 복합레진의 색은 치아와 맞는 것 같은데, 환자는 싫어한다?

환자의 주소(chief complaint): 며칠 전 복합레진으로 치료한 #12번 치아의 색이 마음에 들지 않는다.

현증: 복합레진 자체의 색은 큰 문제가 없지만 앞에서 보았을 때 약간 어두운 느낌.

치료계획: 좀 더 밝은 복합레진으로 교체.

치료의 진행: ① 며칠 전 복합레진으로 치료한 환자가 다시 내원하였다. 환자는 색이 마음에 들지 않는다고 하였다. 관찰해 본 결과, 복합레진 자체의 색은 큰 문제가 없는 것 같았지만, 앞에서 관찰했을 경우 약간 어두운 느낌이 드는 것은 사실이었다(**그림 3-1-13**).

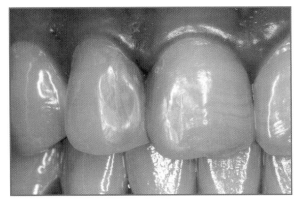

그림 3-1-13

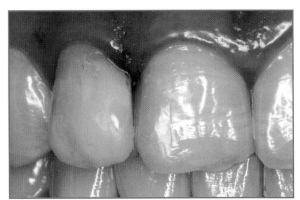

그림 3-1-14

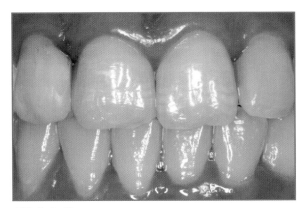

그림 3-1-15

② 결국 기존의 복합레진을 제거하고 한 단계 밝은 복합레진을 이용하여 충전하였
다(**그림 3-1-14**).

③ 치아 자체의 색과 비교하면, 오히려 치료 전(**그림 3-1-13**)이 더 자연스러운 느
낌이 나며, 바꾼 복합레진의 색조는 약간 흰 느낌이 나는 것을 알 수 있다(**그림
3-1-14**). 하지만 앞에서 보았을 때 더 자연스러운 것을 볼 수 있다(**그림 3-1-
15**). 환자는 바뀐 수복물의 색조에 만족을 하였다.

> **교훈**: 복합레진의 색을 선택할 때 우리는 무의식적으로 해당 치아의 색과 가
> 장 비슷한 색조 한 가지를 선택한다. 하지만 자연치를 가만히 들여다 보면 한가
> 지 색으로 되어 있지 않다. 환자들은 어느 특정 부위의 색을 재현했을 때보다는
> 전체적으로 보았을 때 좋은 느낌을 주는 것을 더욱 선호하는 것 같다. 외모에 관
> 심이 많은 환자들은 이러한 것을 눈에 익혀 왔고 자연스럽다고 느끼기 때문에,
> 이것을 제대로 고려하지 않았을 경우 자기의 치아가 이상해 보인다고 불평하는
> 경우가 있다. 이번 증례에서 필자는 이러한 실수를 범하였다.

증례 3: 얇게 남은 법랑질, 어떻게 해야 할까?

환자의 주소(chief complaint): 검게 보이는 중절치를 치료하고 싶다.

현증: #21 치아의 설측부에 발생한 우식에 의하여 치아가 검게 보임.

치료계획: 치아우식 부위를 제거하고 복합레진으로 충전한다. 이 때 심미적인 목적을 위하여 건전한 치아의 순측 부위에도 복합레진을 충전.

치료의 진행: 이가 검게 보인다는 것을 주소로 내원한 환자이다. 순측의 법랑질은 건전한 상태였고 우식은 설측으로만 진행이 되었다(**그림 3-1-16**). 설측의 우식을 제거하자 순측의 법랑질은 너무 얇아져서 투명한 법랑질의 shell만 남게 되었다. 설측 뿐만 아니라 순측으로도 복합레진을 얇게 충전하였다(**그림 3-1-17**). 자세히 보면 복합레진이 살짝 과잉 충전된 상태가 보이지만, 젖어 있는 구강환경에서는 심미적으로 문제가 되지 않았고 환자도 문제로 여기지 않았다.

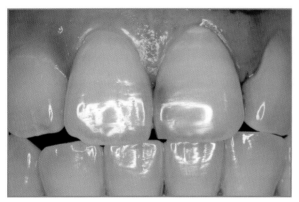

그림 3-1-16

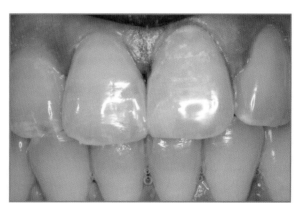

그림 3-1-17

교훈: 복합레진의 가장 큰 장점은 치아삭제를 최소로 하면서 심미적인 수복을 할 수 있다는 것일 것이다. 하지만 위의 증례에서처럼 순측부의 치질이 건전함에도 불구하고, 설측부의 치아우식 때문에 치아가 검게 보이는 경우에는 설측부의 치아우식을 제거하면 순측부의 법랑질이 너무 얇아진다. 설측 부위만 충전할 경우, 얇은 순측의 법랑질을 통해서 접착제를 도포한 것이 비춰 보여서 약간 검게 보여지는 경우가 대부분이다. 그리고 순측의 법랑질에서 crack 등이 더 도드라져 보이는 경우도 발생한다. 이 경우 설측의 와동 뿐만 아니라, 순측의 얇게 남은 법랑질 위쪽으로도 적절한 접착의 술식을 시행한 후 복합레진으로 덮어주는 것이 심미적으로도 그리고 얇게 남은 법랑질을 보호하는 차원에서도 바람직한 것이다.

증례 4: X-ray와 시진 만으로 3급 와동의 우식을 다 감별할 수 있을까?
(Dr. 김예미의 증례)

환자의 주소(chief complaint): 위 앞니의 색깔이 변한 것 같아 충치가 아닌지 검사받고 싶다.

현증: 순측에서 관찰한 #12 치아 부위가 약간 opaque하게 관찰되는 것 외에는 특별한 이상은 발견할 수 없다(**그림 3-1-18 a, b, c**).

설측에서 관찰 시, #11과 #21의 근심, #11의 원심에서 치아의 변색이 관찰됨(**그림 3-1-19**).

X-ray 상으로 #11과 #21의 근심부의 치아 우식은 관찰되지 않음. 원심부는 치아가 약간씩 겹쳐져 있는 관계로 **X-ray**로 관찰이 어려움(**그림 3-1-20**).

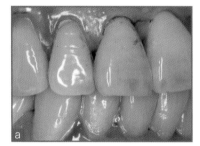
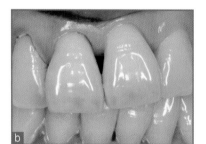
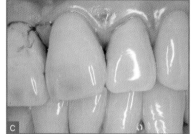

그림 3-1-18 a. 좌측 b. 가운데 c. 우측

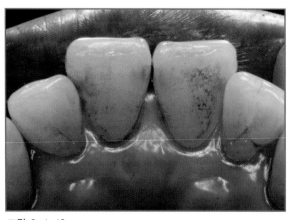

그림 3-1-19

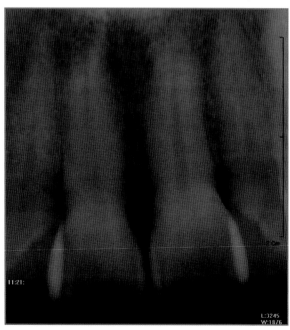

그림 3-1-20

치료계획: 우식의 진행 정도를 더 확실히 알아보기 위하여 Diagnodent를 이용해 보고 치료 여부를 결정하기로 함.

치료의 진행: Diagnodent를 이용하여 인접부를 검사한 결과 좌, 우측 중절치의 원심부는 30 이상이 기록되었고, 중질치 사이는 10 이하의 수치가 기록되었다(**그림 3-1-21**). 11번 치아의 원심부로 와동을 들어가 보니, 실제로 와동이 관찰되어(**그림 3-1-22**) 이를 충전하였고(**그림 3-1-23**), 21번 치아의 치질 내부도 와동이 형성되어 있어(**그림 3-1-24**) 이를 복합레진으로 충전하였다(**그림 3-1-25**).

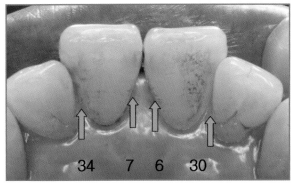

그림 3-1-21

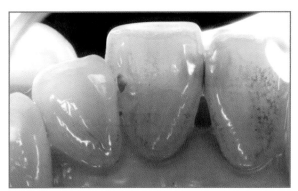

그림 3-1-22

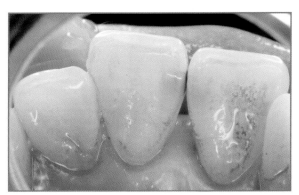

그림 3-1-23

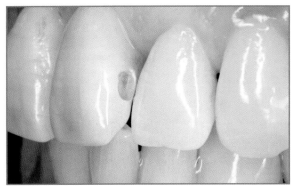

그림 3-1-24

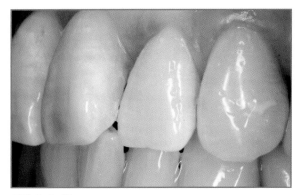

그림 3-1-25

교훈: 법랑질 초기 우식의 특징은 법랑질 표면은 intact하게 보이지만, 그 내면에서 이미 우식이 진행하고 있는 것이다. 그래서 법랑질의 인접면 우식은 그 진행이 법랑질에 국한되었을 경우 시진이나 방사선 사진으로도 알기 어려운 경우가 많다. 이 환자의 경우 #11, #21번 치아 원심부의 우식이 생각보다 깊어 방사선 사진으로 감별이 되었을 수도 있었겠지만, 중절치와 중첩이 되어서 나타나지 않았다. 이러한 경우 Diagnodent가 유용한 진단의 수단이 될 수 있으며 sensitivity(질병이 실제로 있을 때, 질병이 있다고 진단할 수 있는 확률)가 방사선 사진의 2배 정도 된다고 한다(Virajsilp 2006). 2005년 Lussi에 따르면 Diagnodent에서 관측되는 수치가 13 이하면 정상적인 치아, 20 이상이면 치료가 필요한 경우로 보았고, 그 사이는 불소 등을 이용한 집중적인 예방처치와 follow-up이 필요하다고 하였다. 주의할 것은 실제 우식 병소와 Diagnodent tip 사이의 거리가 0.2~0.3 mm 이하로 가까워야 한다는 것이다(Iwami). 따라서 tip을 위치시킬 때, 병소가 있을 가능성이 있는 부위에 되도록 가깝게 위치시켜야 한다.

증례 5: 치아의 우식으로도 systemic disease를 진단할 수 있어요
(Dr. 서덕규의 증례)

환자의 주소(chief complaint): 하악의 전치부가 갑자기 많이 썩었고, 시리며, 입이 매우 마르다(20대의 여성환자).

현증: 하악 전치부의 multiple caries가 관찰되었고(3급 와동) (**그림 3-1-26a~d**) 구강 내는 건조하였다.

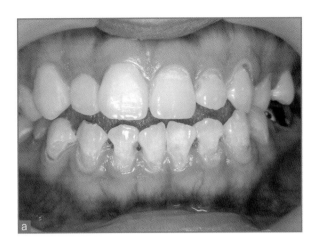
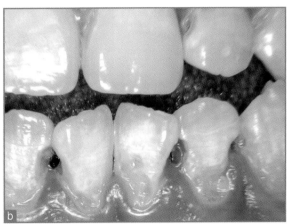
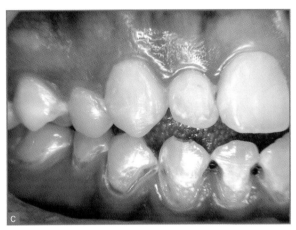
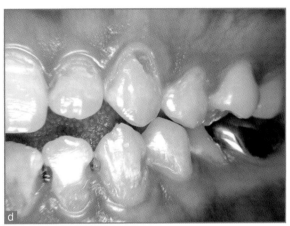

그림 3-1-26

과거 치과병력: 3년 전 치과치료를 받았는데, 그 때는 하악 전치부의 치아우식은 없었다.

치료계획: 하악 전치부의 치아우식 – 복합레진을 이용한 수복

    타액분비량의 감소 문제 – 의학분야의 검사 필요

치료의 진행: 20대의 여성환자에게 3년 만에 하악 전치부에 다발성의 우식이 생기는 것은 경험적으로 매우 드문 일이다. 따라서, 이 환자 치료에 있어서 중요한 요건은 단순히 치아우식을 치료하는 것보다는 그 근본적인 원인, 즉 타액량의 절대 감소에 대한 원인을 분석하는 것이었다. 타액분비량의 검사 결과 자극을 받지 않은 상태에서는 일반 정상 성인 타액 분비량의 약 1/10~15, 자극 시에는 1/10~30으로 매우 낮게 기록되었다. Iron deficiency anemia 증을 제외하곤 모든 medical test에서 정상으로 나와서 복합레진 치료 후(**그림 3-1-27**), 이에 대한 처치를 6개월 받았다(iron deficiency anemia에 의해서도 구강건조증이 올 수

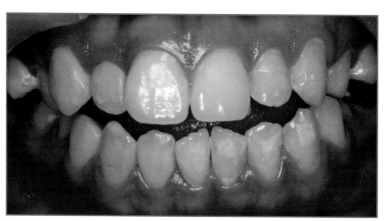

그림 3-1-27

있다). 환자는 구강건조증도 많이 개선되고 치아에 대한 불편함도 없어졌다고 하였으나, 타액 분비량은 특별히 개선되지 않았다. 이에 면역학적인 검사를 추가로 한 결과, 인체의 모든 분비선에서 문제가 생기는 Sjögren syndrome으로 진단받아 이에 대한 치료를 받게 되었다.

교훈: 매우 흥미 있는 증례였기 때문에, 이 환자에 대해 여러 의사들이 모여서 토론할 기회가 있었다. 그 때 치과의사로서 힘들게 이것을 진단한 것을 설명하였는데, 병리학의 교수님이, 환자가 입이 마르다고 하면, Sjögren syndrome을 의심하고 이에 대한 검사를 해야 한다는 말씀을 듣고 무척 부끄러웠다. 사실 그 때까지 Sjögren syndrome하면 신체의 모든 gland를 침범하는 면역학적 질환이기 때문에, 눈도 빨갛고, 입도 너무 말라 있는, 그런 환자만 생각하고 있었는데, 이 환자는 20대로서 겉보기에는 너무나 건강하고 정상적인 모습이었다.

매우 많은 약제 등에 의하여 구강건조증이 유발되기 때문에(〈2장. 1. 진단〉참조) 너무 안이하게 생각한 것이 원인이었다.

처음 일반적인 검사와 함께, 면역학적 검사를 같이 시행하였더라면, 좀더 빨리 진단할 수 있었을 것이다. 환자를 치료할 때, 우식의 진행 속도가 너무 빠른 경우 항상 타액분비량에 대한 검사를 시행하는 것이 바람직하다. 이제는 편리하게 이를 검사할 수 있는 system들이 도입되어 있다(〈2장. 1. 진단〉참조).

II. 4급 와동의 수복

1. 필수지식

1) 색의 선택

관찰되는 색보다는 약간 어두운 색을 상아질용 복합레진의 색조로 선택하고(예를 들면, A1 색조에 가까운 치아는 A2 또는 A3 상아질용 복합레진을 선택), 법랑질용 복합레진은 치아의 색과 가장 비슷한 것을 선택한다. Mock up을 만들어 보거나, custom made shade guide를 이용하면 복합레진 색상의 선택에 도움을 받을 수 있다 (⟨2장. **II. 복합레진에 있어서의 색의 선택**⟩ 참고).

2) 치수의 보호, 와동 삭제와 bevel

4급 와동을 수복해야 하는 경우, 대개 치아 외상에 의한 경우가 많다. 외상에 의하여 4급 와동을 수복해야 하는 환자가 오면, 환자의 동의를 구하여 다음의 순서로 하는 것이 바람직하다.

첫 내원 일에는 방사선 사진촬영, 치수의 생활력 검사, 치아의 동요도 검사 등의 필요한 임상검사를 시행한 후, 노출된 상아질을 글라스아이노머 등을 통하여 보호하고 인상을 채득한다(**그림 3-2-1~3**).

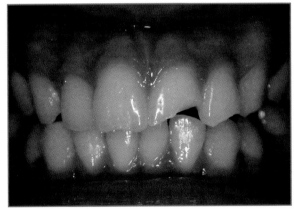

그림 3-2-1

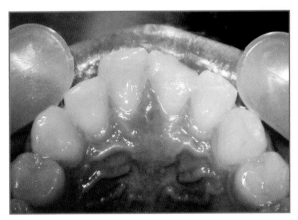

그림 3-2-2

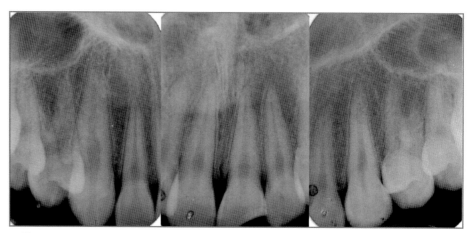

그림 3-2-3

Cast를 만들어 wax carving을 통해 이상적인 형태를 부여한 후 putty type의 인상재를 이용하여 설면의 형태를 재현한 matrix를 만들어 둔다(**그림 3-2-4, 5**).

다음 내원 일에, 해당 치아의 순측에는 법랑질 표면에 3~5 mm 정도의 되도록 긴 bevel을 형성하도록 하며, 설측에는 유지력에 지장이 없으면서도 교합에 방해가 되지 않게 1 mm 정도의 bevel을 형성한다. 이와 같이 순측에 긴 bevel을 형성하는 이유는 유지력을 증가시키는 목적 이외에도 심미성을 증가시키기 위함이다(**〈 2장. III. 와동의 삭제〉 참고**). (그림 3-2-6, 7)

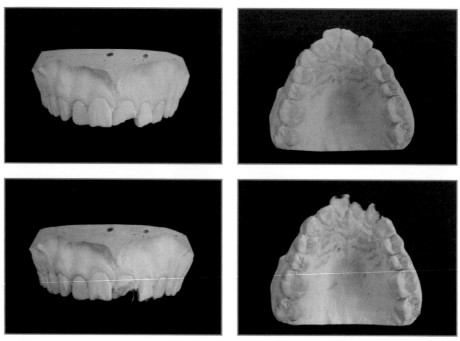

그림 3-2-4

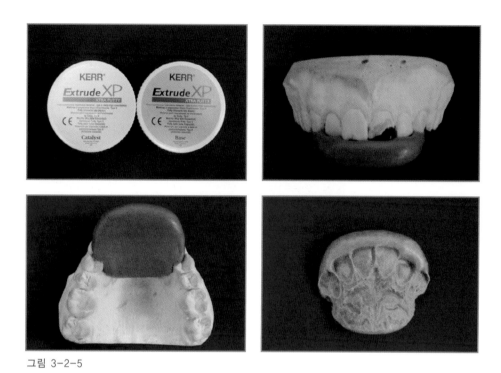

그림 3-2-5

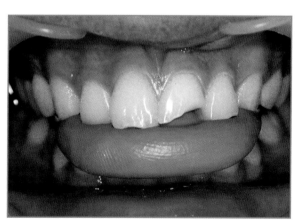

그림 3-2-6

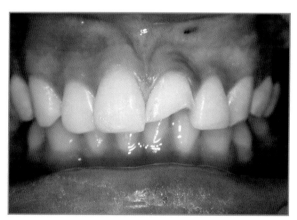

그림 3-2-7

3) 법랑질 및 상아질의 산 부식

30~40% 산을 사용하는 경우 먼저 법랑질 부위에 위치시키고 30초 이상 산 부식
시키도록 한다. 4급 와동에서는 특히 법랑질을 충분히 이용하여 접착을 얻는 것이
중요하다.

4) 법랑질의 산 부식 확인, 상아질의 rewetting 및 접착, 광조사

산을 세척한 후, 전체적으로 완전히 건조시켜, 법랑질 부위가 제대로 산 부식이 되어 있나 확인하는 것이 중요하다. 30초 정도의 시간에도 산 부식이 잘 일어나지 않는 경우도 있으며, 이 경우 추가적인 산 부식을 시행한다. 여분의 물기를 짜낸 wet cotton 등을 이용하여 상아질 부위를 re-wetting시킨 후 접착제를 전체적으로 도포하도록 한다.

상아질에 self etching primer를 사용할 경우에는 상아질을 rewetting 할 필요가 없이 건조한 상태에서 도포하고 20~30초간 충분히 기다린다.

5) 복합레진 충전(dentin 및 enamel 또는 body)

상아질용 복합레진, 법랑질용 복합레진, 절단면용 복합레진을 이용하여 수복하도록 한다

미리 준비해 둔, putty matrix를 치아에 위치시키고, 복합레진을 설측부터 순측으로 충전한다.

제일 설측에는 치아의 색보다 한 두 단계 어두운 상아질용 복합레진으로 충전하고 광중합시킨다.

그 다음 층에서도 상아질용 복합레진을 이용하여 충전한다. 이 경우 mamelon 부위를 재현할 필요가 있을 경우에는 약간 더 희고 opaque한 색조의 상아질용 복합레진의 색조를 선택하도록 하여 이를 재현시키도록 한다.

치질과 복합레진의 경계가 되는 부분은 치아색과 색조가 비슷한 상아질용 복합레진으로 충전한다.

가장 바깥부분은 자연치아의 색조와 가장 비슷한 복합레진을 사용한다(**그림 3-2-8~10**).

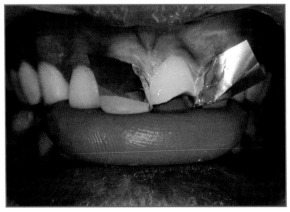

그림 3-2-8

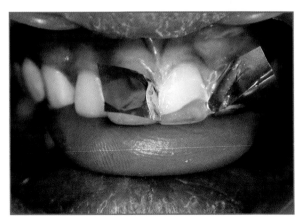

그림 3-2-9

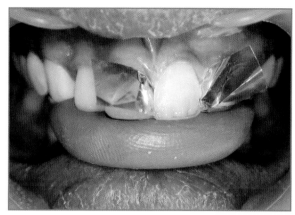

그림 3-2-10

6) 마무리 및 연마

수복 당일 날은 심미적, 기능적으로 환자분이 크게 불편하지 않을 정도로 대체적인 마무리 작업을 하고, 적어도 24시간이 경과하여 복합레진의 완전한 중합이 이루어진 후, 최종적인 마무리 및 연마를 시행하는 것이 바람직하다(**그림 3-2-11, 12**). 구체적인 마무리 방법은 〈**2장. IX. 마무리 및 연마**〉를 참고.

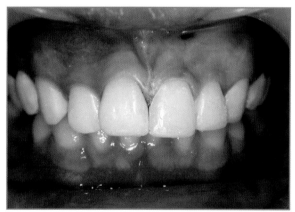

그림 3-2-11

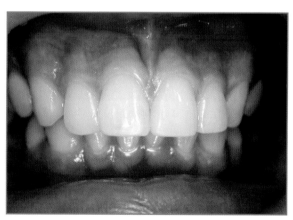

그림 3-2-12

4급 와동에서 와동 삭제부터 복합레진 수복에 대한 요령을 **그림 3-2-13~20**에 정리하였다.

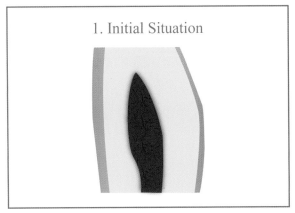

그림 3-2-13
그림과 같이 치아의 파절이 일어났다고 가정한다.

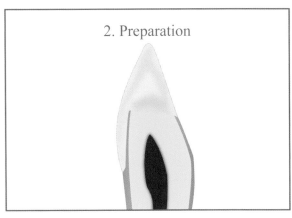

그림 3-2-14
치아의 삭제. 순측은 심미적인 목적과 접착력 강화를 위하여 긴 bevel을
형성하고, 설측은 1 mm 내외의 짧은 bevel을 형성한다.

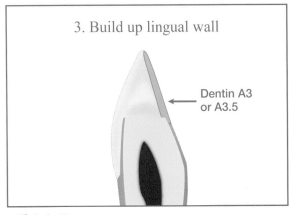

그림 3-2-15
설측부터 복합레진을 충전한다. 이 때 자연치의 색보다 약간 더 노란
(chroma가 높은) 상아질용 복합레진을 선택하는 것이 바람직하다.

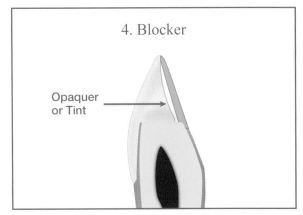

그림 3-2-16
특별한 색을 낼 필요가 있는 경우 tint 등을 이용할 수가 있다. 이 때 tint의
색을 그대로 이용할 경우 너무 색이 짙어지는 경우가 많으므로 주의해야
한다.

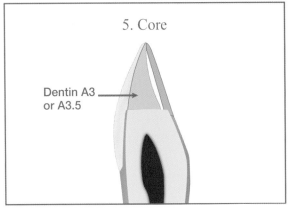

그림 3-2-17
치아의 상아질에 해당하는 부분을 상아질용 복합레진으로 수복하고,
mamelon 등의 색조도 이 때 재현하여 준다.

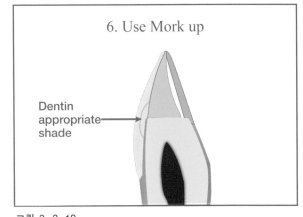

그림 3-2-18
복합레진과 치아의 경계 부위를 masking하기 위하여 치아의 색과 가장
흡사한 상아질용 복합레진으로 그 경계부위를 masking한다. 이렇게 함으
로써 shine through effect를 줄여줘 좀 더 자연스러운 수복물을 만들 수
있다.

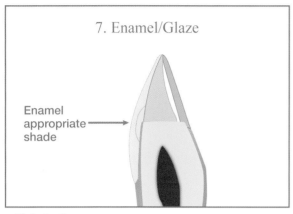

그림 3-2-19
나머지 부위를 치아색에 맞는 법랑질용 복합레진으로 수복한다.

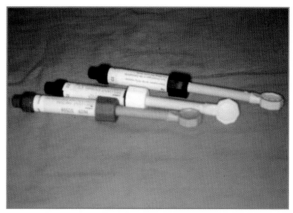

그림 3-2-20

2. 임상증례

증례 1: 4급 와동의 수복에 포세린을 이용한 방법보다 복합레진이 기능적, 심미적
으로 과연 더 좋다고 할 수 있을까?

환자의 주소(chief complaint): 10세 남아로 놀이 중 다쳐서 치아가 부러졌다.

현증: #21 치아의 절단우각(incisal angle)을 포함한 파절로 상아질이 노출됨.
mob(−), per(+), cold (++) (**그림 3-2-21**)

치료계획: 환자의 보호자와 복합레진 또는 포세린을 이용한 라미네이트 등에 대한
상의를 한 후, 환자의 나이, 타진반응에 대한 민감성이 지속되고 있는 점 등을
고려하여, 복합레진으로 치아를 수복하기로 함.

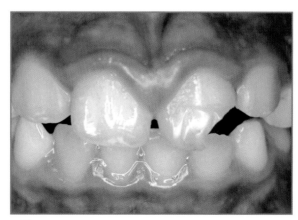

그림 3-2-21

치료의 진행: 치아에 bevel을 형성하고 복합레진을 충전하였다. 치료 당일은 대체적인 마무리 작업을 시행하고, 7일 후 최종 마무리와 연마를 시행하기로 하였다 (**그림 3-2-22**). 하지만 7일 후 환자는 내원하지 않았고, 1년이 지나서야 반대쪽 치아인 #11이 파절되어서 다시 내원하였다. 11번 치아는 치수가 노출되어 근관치료가 필요한 상태였으며, 1년 전 치료한 #21 치아는 그 당시 최종 마무리를 하지 않은 상태였기 때문에 복합레진의 변연 부위에 변색이 되었다(**그림 3-2-23**). 치아의 vitality는 정상이었으며, 타진반응에 대한 민감성도 없어진 상태였다. #11의 근관치료를 우선 시행하고, #21 치아는 polishing을 다시 시행하였다. #11 치아는 환자의 나이를 고려하여, 복합레진을 이용하여 수복하였는데, 치아의 파절 부분이 많아서 거의 crown처럼 수복이 되었다(**그림 3-2-24**). 환자와 환자의 보호자는 전체적인 모습에 비교적 만족하였고, 1년마다 정기적으로 follow-up 하면서 복합레진을 polishing하는 것이 필요하며, 성인이 되어서 포세린 등을 이용한 수복이 필요할 수 있음을 설명하였다.

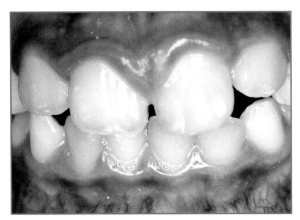

그림 3-2-22

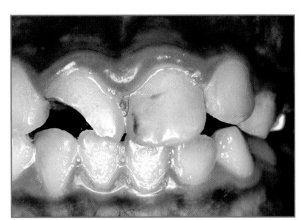

그림 3-2-23

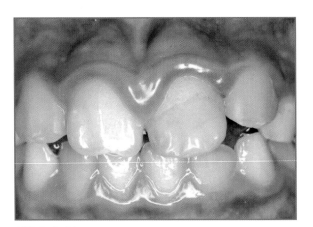

그림 3-2-24

교훈: Trauma에 의한 치아의 손상은 소아, 청소년기에 특히 많이 발생한다. 사고 당시 치아의 vitality를 유지하고 있더라도, 시간이 경과함에 따라 이는 변할 수가 있으며, 특히 동요도, 타진반응에 대한 반응을 나타내는 경우는 치근막 등에 대한 손상이 발생하였을 가능성이 있기 때문에 더욱 주의 깊은 관찰을 요한다. 특히 이 시기에는 포세린 등을 이용한 crown 등의 치료보다는 되도록 치아 삭제를 적게 하면서 치아의 상태를 지속적으로 관찰할 수 있는 복합레진을 이용한 치료가 더 필요하다고 생각된다.

복합레진은 시간이 흘러갈수록 표면에 수분이 흡수되면서, filler 등이 조금씩 떨어져 나와, 포세린 등에 비하면 표면이 조금 거칠어질 수가 있다. 또한 마무리 과정에서 변연처리를 정확히 하지 않았을 경우에는 변연 변색도 발생한다. 하지만 이러한 과정은 정기적인 polishing 과정을 통하여 잘 조절될 수 있다. 이러한 이유 때문에 정기적으로 follow-up하여 polishing 등을 시행하여 주는 것이 중요하다.

증례 2: 복합레진으로 과연 자연스러운 심미성을 부여할 수 있을까?

환자의 주소(chief complaint): 19세 여자환자로 7년 전 trauma로 #21 치아가 파절된 후 별 치료 없이 지내 오다가, 교정치료가 끝난 후, 치료를 위해 내원하였다. 심미적인 문제 외에 특별한 불편함은 없다(**그림 3-2-25, 26**).

현증: # 21의 절단 우각을 표함하고, 상아질 노출이 동반된 치아 파절
per(-), mob(-), cold(+)

치료계획 : 환자가 특히 심미적인 면에 민감한 나이이며, 치료하고자 하는 환자의 주요 목적도 심미적인 문제라는 점에 주목하였다.

#11 치아를 참고할 때, incisal halo가 비교적 발달되어 있어 이를 심미적으로 얼마나 재현하는지에 따라서 전체적인 환자의 만족도가 결정될 것으로 판단되었다. 파절 부위가 그리 크지 않았고, 복합레진으로 incisal halo 부위의 재현이 가능하다고 사료되어, 복합레진을 이용한 치료를 시행하기로 하였다.

Laminate를 시행할 경우 #21 치아와 똑같이 만들어 주기가 쉽지 않아, 오히려 환자의 심미적인 만족도가 떨어질 수 있다고 판단했다.

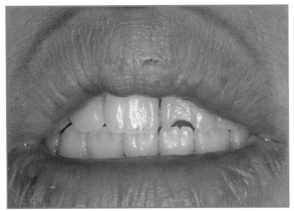

그림 3-2-25

그림 3-2-26

치료의 진행:

1. 와동 삭제

   파절된 주위로 약 2~3 mm 정도의 법랑질을 bevel prepartation하였다(**그림 3-2-27**).

2. 색의 선택

   Mamelon 부위의 색조를 선택하기 위하여, 상아질용 복합레진의 색을 선택하기 위하여 치아에 직접 복합레진을 위치시키고, 광조사 후 인접부위의 색과 비교하였다. Mamelon 부위는 Ceram X duo D2 shade의 복합레진을 이용하기로 하였고 incisal distal angle 부위는 Ceram X duo E1 shade의 복합레진을 이용하기로 하였다(**그림 3-2-28**).

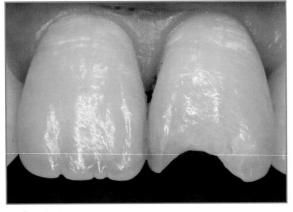
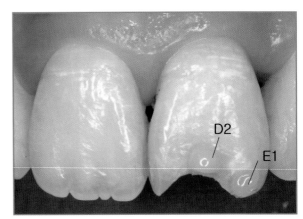

그림 3-2-27

그림 3-2-28

3. 복합레진 축성 〈1〉

　　Mamelon 부위와 incisal distal angle 부위의 복합레진을 충전(**그림 3-2-29**).

4. 복합레진 축성 〈2〉

　　Incisal halo를 재현하기 위하여 11번 부위에 translucent resin을 위치시킨 후 그 색조를 비교. Tetric ceram T shade가 가장 비슷한 translucency를 내는 것으로 판단(**그림 3-2-30**).

5. 복합레진 예비 polishing

　　Tetric Ceram T shade를 이용하여 충전 후 예비 polishing(**그림 3-2-31**).

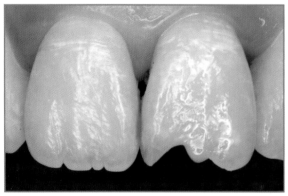

그림 3-2-29

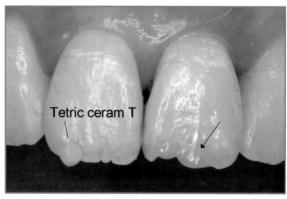

그림 3-2-30

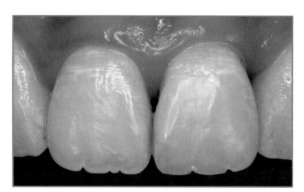

그림 3-2-31

6. 복합레진 finishing & polishing

　　약 일주일 경과 후 final polishing하였다(**그림 3-2-32~34**).

7. 1년 후 check up

　　심미성이 잘 유지되고 있고 환자도 만족하고 있다(**그림 3-2-35**).

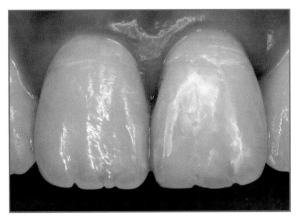

그림 3-2-32

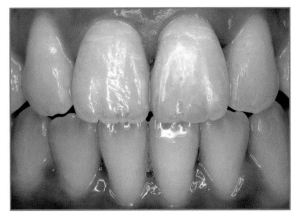

그림 3-2-33

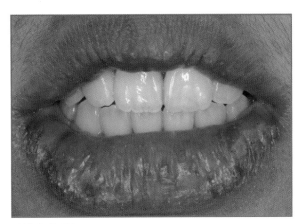

그림 3-2-34

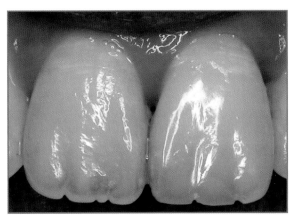

그림 3-2-35

교훈: 위의 증례와 같이 건전한 치아에 인접한 치아를 심미적인 목적으로 치료하는 경우, 되도록 인접치아와 비슷한 모습을 재현해 주는 것이 무엇보다 중요한데, 이러한 목적으로 복합레진은 매우 유용한 수단이다. 무엇보다 중요한 것은 자신이 주로 사용하는 복합레진 제품에 대한 색조 정보를 무엇보다 잘 알고 있는 것이 중요한데, 이를 위해서 다양한 방법을 동원할 수 있다. 〈2장. II. 색의 선택〉 편을 참고해 주기 바란다. 실제로 이 환자의 incisal halo를 재현하기 위한 색조와 투명도를 재현하기 위하여, 투명한 색조를 나타내는 몇 가지 복합레진 제품을 발치한 치아에 직접 충전하여 그 투명도 및 색조 등을 관찰하였다 (**그림 3-2-36**). 발치된 치아의 incisal 3 mm 정도를 삭제하여, 상아질용 복합레진으로 mamelon을 만들고(**그림 3-2-37**), 투명한 복합레진으로 그 위를 충전한 후 그 투명도 등을 관찰하였다. 실제로 각 복합레진마다 투명도가 다르게 관찰되는 것을 알 수 있다(**그림 3-2-38a, b**).

그림 3-2-36

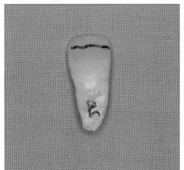

그림 3-2-37

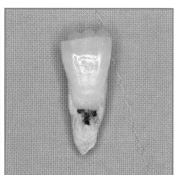

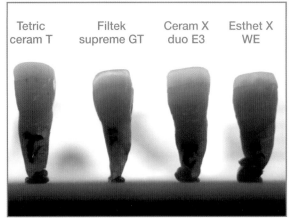

그림 3-2-38

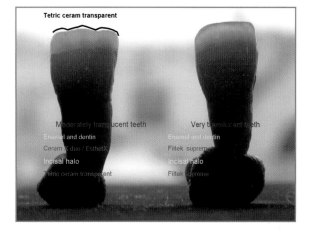

증례 3: 4급 와동 수복 및 치아성형

환자의 주소(chief complaint): 상악우측 중절치의 치관파절을 주소로 하여 내원함

현증: #11 부위의 와동우각(incisal angle)을 포함하는 치아의 파절
per(−), mob(−), ice(++)
#11의 치축이 #21과 달라 #11 원심부 절단 부위가 #21보다 많이 내려와 있는 것을 알 수 있다(**그림 3-2-39**).

치료계획: #11 치아에 대한 복합레진 4급 와동 수복
치축 교정을 위한 enameloplasty

치료의 진행: 통상적인 방법을 이용하여 복합레진 4급 와동 수복을 하였다. 우선 대체적인 마무리 작업을 진행하고 평가한 결과, mamelon, groove 등은 어느 정도 재현되었으나(**그림 3-2-40**), 전체적으로 보면, #11이 #21에 비하여 너무 크

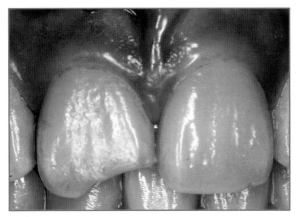

그림 3-2-39

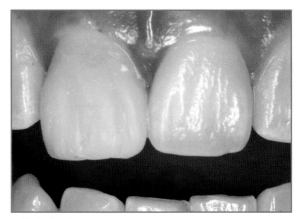

그림 3-2-40

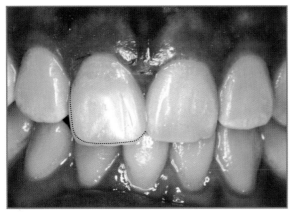

그림 3-2-41

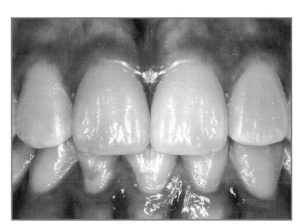

그림 3-2-42

고, 길어 보였으며, 주요한 원인이 #11 치아의 치축이 경사되어 있다는 것을 고려하지 못한 것임을 알게 되었다. 좀 더 심미적으로 보이기 위해서는 절단면의 길이를 줄여 주고, 원심부의 풍융 정도를 줄여주는 것이 필요하다(**그림 3-2-41**). 다음 내원에서 #11 치아의 원심면의 풍융부를 줄여주면서, 최종 마무리 및 연마작업을 하였다(**그림 3-2-42**). 이전보다는 많이 contouring되었지만 #11 치아의 삭제량을 고려하여 이상적인 모습은 만들 수가 없었다.

교훈: 전치부 치아수복을 하여 주고 나서, 최종 마무리 작업을 하기 전에 반드시 환자 앞 30~40 cm 정도의 거리에서 자연스럽게 환자를 관찰해 보아야 한다. 환자 뒤에서 치료를 할 때는 큰 문제가 없이 보였던 치아들이 막상 앞에서 보고 나면 부자연스러워 보이는 경우가 많이 나타난다. 치축의 경사, 입술의 위치, 웃을 때 환자의 습관, 악궁의 상대적 경사도 차이 등에 의하여 이런 문제가 발생하는 경우가 많이 있다. 그래서 복합레진을 이용하여 전치부 수복 시 최종 마무리 전에는 약간 큰 상태로 대체적인 마무리를 하고, 전체적인 모습을 보면서 바람직한 크기와 형태로 마무리하는 것이 바람직하다.

증례 4: Trauma로 pulp가 노출되었을 경우에는 어떻게 해야 할까?

환자의 주소(chief complaint): 32세 남자환자로 친구가 던진 리모콘에 맞아 상악 좌우 중절치의 치아 파절이 일어난 것을 주소로 내원

과거 치과력: 사고 당일 바로 본원 치과응급실에 내원하여 검사한 결과 좌우 중절치에 모두 pinpoint pulp exposure가 일어났던 상태. 즉시 Dycal 도포하고, 광중합형 글라스아이노머시멘트(LCGIC)로 Protection

현증: 상악 좌,우 중절치 모두 Dycal과 LCGIC로 protection된 상태(**그림 3-2-43, 44**).

#11: per(+), mob(−), cold(++)

#21: per(−), mob(−), cold(++)

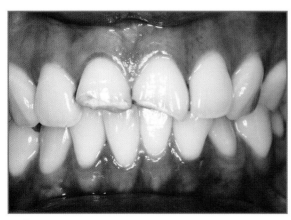

그림 3-2-43

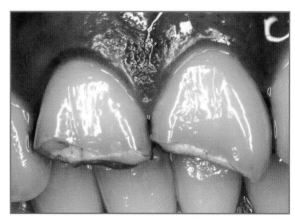

그림 3-2-44

치료계획 : 복합레진을 이용하여 수복하고 치아의 예후를 관찰하기로 함

치료의 진행: 복합레진을 이용하여 치아를 수복한 후, 최종 마무리 및 연마를 함
(**그림 3-2-45**).

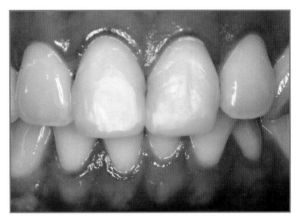

그림 3-2-45

환자는 시린 증상이 사라지고, 정상 범주의 민감성을 나타냈으며, 그 후 2년간
치아의 상태 관찰함. 치아는 두 치아 모두 정상적인 치수생활력을 보존하고 있었
으며, 환자는 자신의 치아 상태에 대하여 심미적, 기능적으로 만족하고 있다(**그
림 3-2-46, 47**).

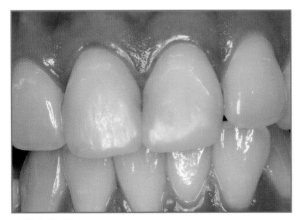

그림 3-2-46

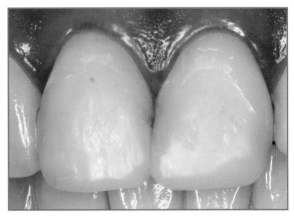

그림 3-2-47

교훈: 치아 우식 때문에 우식의 제거 과정에서 치수가 노출되는 경우와 trauma 로 치수가 노출되는 경우는 달리 생각해야 할 필요가 있다고 본다. 치아 우식에 의하여 우식의 치료 과정에서 치수가 노출되는 경우는 이미 주위에 세균의 오염 이 많이 일어난 경우이지만, trauma로 인해 치수가 노출된 경우는 그 크기가 크 지 않고, capping이 사고 후 조속히 이루어지면, 치수의 생활력을 유지할 수 있는 확률이 더 높다고 볼 수 있다. 이번 증례는 이와 같은 조기 치료가 효율적으로 이 루어졌으며, 복합레진 수복도 환자의 기능과 심미성을 충족시켜주고 있어서 자 칫 근관치료로 이어질 수 있었던 치아를 보존적으로 치료한 증례라고 볼 수 있 다. 현재 환자는 5년이 경과한 상태에서도 불편 없이 사용하고 있다.

증례 5: "예전에 충전했던 복합레진이 빠졌어요"

환자의 주소(chief complaint): 예전에 filling하였던 #11, #21의 복합레진이 집안 에서 청소하다 부딪쳐서 깨졌다. 평소에는 괜찮은데, 칫솔질할 때 시리다. 다시 복합레진으로 치료받기를 원한다(**그림 3-2-48**).

과거치과력: 4~5년 전 복합레진 수복

현증: #11 : 1급 치관파절 per(−), mob(−), cold(+)

　　　#21 : 2급 치관파절 per(−), mob(−), cold (++)

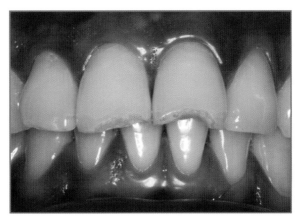

그림 3-2-48

치료계획 : 미백치료 후 복합레진을 이용하여 치료하기로 함

치료의 진행: 상아질이 노출된 #21 부위는 광중합 글라스아이노모 시멘트로 도포하고 home bleaching 방법으로 치아미백을 약 1달에 걸쳐서 진행하였다.

미백치료가 끝난 후 복합레진 수복을 하였는데, 충분히 넓은 bevel을 부여하였으며, translucent resin을 적절히 사용하여, 심미적인 자연스러움을 높였다(**그림 3-2-49~51**).

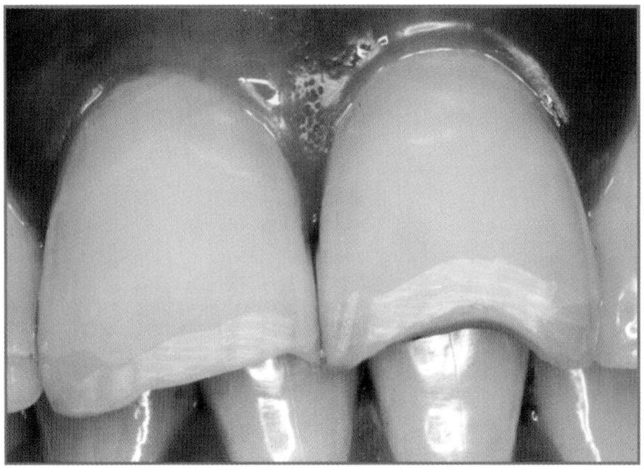

그림 3-2-49

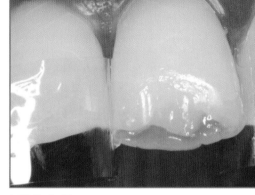

그림 3-2-50

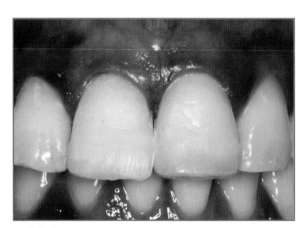

그림 3-2-51

교훈: Cl 4 복합레진 수복을 한 후 "수복물이 다시 빠지거나 깨져서 오면 어떻게 하나?"하는 것이 많은 치과의사들의 고민이다. 아직 우리나라에 장기적인 관찰을 통해, Cl 4 복합레진 수복의 수명이 어느 정도인지 체계적으로 조사한 연구는 아직 없지만, 필자의 경험으로는 많은 경우 4~5년은 문제 없이 사용하는 것 같다. 물론 치료계획을 수립함에 있어서, 포세린 및 복합레진을 이용한 수복의 장단점에 대해서는 충분히 설명해 주어서, 환자의 요구가 무엇인지 정확히 파악해 두는 것도 중요하다.

재미있는 사실은 이러한 경우 수복물이 빠져서 왔을 때, 많은 환자들이 다른 재료로 수복하기보다는 다시 복합레진으로 치료받기를 원하며, 오히려 자신의 치아에 대하여 최소한의 치질 삭제만으로 치료를 해 준 치과의사에게 고마워 한다는 사실이다. 이 환자는 치아미백과 translucent resin을 적절히 사용하여 예전 수복물보다 심미적으로 훨씬 우수해진 모습에 크게 만족하였다. 아마 몇 년후, 설사 다시 깨져서 온다고 해도 환자는 다시 복합레진 수복을 원할 것이다.

증례 6: 5년 이상 follow-up 된 복합레진의 증례, 치은염이 생긴 경우

환자의 주소(chief complaint): 5년 전 앞니 치료한 것이 괜찮은지 검사하러 왔다. 특별히 불편한 것은 없었고, 군 입대 전 검사를 원하여 왔다.

과거 치과력: 5년 전 복합레진을 이용한 4급 와동의 수복

현증 : #11과 #21의 사이가 probing 시 bleeding

    Per(−), mob(−) cold(+) on #11, #21

    Probing depth 3~4 mm

    (그림 3-2-52, 53)

치료계획 : 치은연하소파술, polishing

치료의 진행: 치주낭의 깊이는 정상 수준이었고, 단지 probing 시 다소간의 출혈이 있는 것으로, 약간의 치은염이 발생한 것으로 판단되어 내원 당일 치은연하소파술을 시행함.

7일 후 치은은 정상적인 상태로 돌아왔고, 복합레진을 polishing하여 마무리 함. 군 제대 후 다시 한 번 check하기로 함(**그림 3-2-54, 55**).

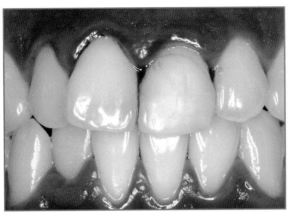

그림 3-2-52 초진사진. 중절치 사이에서 약간의 종창과 출혈 소견이 보임

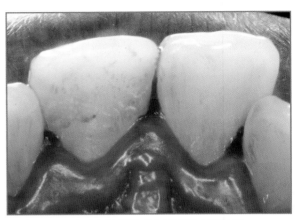

그림 3-2-53 초진사진. 중절치 사이에서 출혈 소견이 보임

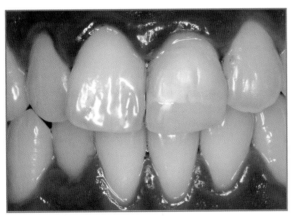

그림 3-2-54 치은연하 소파술 치료 후

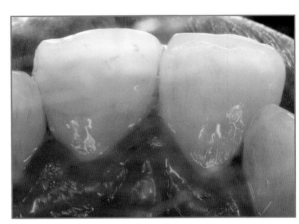

그림 3-2-55 치은연하 소파술 치료 후

교훈: 5년 전의 사진을 찾아 검사하여 보니(**그림 3-2-56**: 5년 전 초진 사진, **그림 3-2-57**: 5년 전 치료 후 사진), #21 undercontour 된 상태로 마무리된 것을 발견하였다. 이러한 요소가 음식물의 cleasing에 다소 영향을 주어서 환자의 치은염 상태에 영향을 주었을 것으로 추측할 수 있었다. 또한 그 당시에도 치은의 부종이 존재했다. 환자는 군 입대를 앞두고 피곤한 상태에서 칫솔질을 게을리하였다고 한다.

환자는 현재의 복합레진 상태에 대해 만족하고 있었고, 치은 상태도 다시 정상으로 돌아와 polishing하는 것으로 마무리를 지을 수 있었다. 하지만 적절한 칫솔질의 중요성을 다시 강조하였다.

5년 전 사진에서 알 수 있듯이 복합레진으로 치료하기에는 다소 큰 것처럼 보이는 경우였는데도 수복물은 잘 유지되었다.

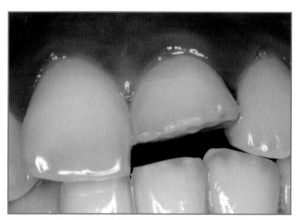

그림 3-2-56 5년 전 초진사진

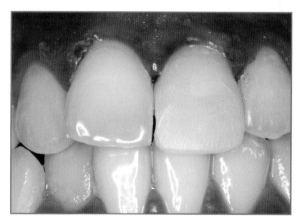

그림 3-2-57 5년 전 치료 후 사진

증례 7: Pin을 사용한 증례

환자의 주소(chief complaint): 충전물이 떨어졌다(**그림 3-2-58**).
치아의 삭제는 최소로 하는 것이 좋지만 선생님이라는 직업 때문에 좀 더 오래 갔으면 좋겠다

과거 치과력: 5년 전 trauma로 #11의 치아가 파절된 이후로 local clinic에서 복합레진을 충전하였으나, 그 동안 3번 탈락되었다.

현증 : #11: 복합레진 수복 탈락 상태

Per(−), mob(−), cold (+)

치료계획: 하악우측 중절치가 rotation되어 있어서, 수복물에 과도한 힘을 가할 수
있다.

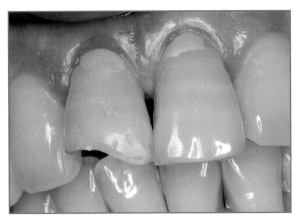

그림 3-2-58 초진사진

60세의 연세에도 불구하고, 발치된 치아도 없고 치아의 상태가 건전하지만, 단
단하고 질긴 음식을 즐겨 한다.

Pin을 이용, 수복물의 유지력을 보강하여 복합레진 수복을 하기로 하였다.

치료의 진행: TMS pin (minim, 0.525 mm diameter)을 치아에 박아 넣은 후 복
합레진을 충전함(**그림 3-2-59, 60**).

환자는 그 후 follow-up에서 탈락 없이 잘 사용하고 있다(**그림 3-2-61**).

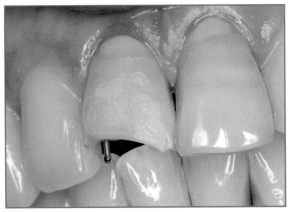

그림 3-2-59 TMS pin 위치모습

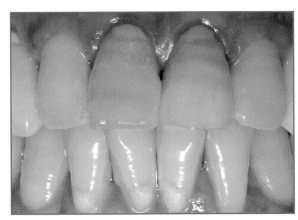

그림 3-2-60 복합레진 충전 후

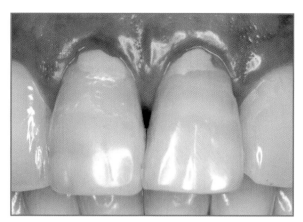

그림 3-2-61 follow-up 사진

교훈: 수복물이 탈락했다면, 그 원인을 잘 알아보고 대처해야 할 것 같다.

이 환자는 60세의 나이에도 불구하고, 건전한 치아 및 치주 상태를 가지고 있었는데, 평소 단단하고 질긴 음식을 즐겨하였다. 그리고 하악 중절치의 rotation 상태가 수복물 부위에 과도한 힘을 주었을 가능성이 있다.

Pin을 이용한 수복은 과거에 비하여 그 빈도가 많이 줄었지만, 이와 같이 특수한 상황에서는 그 사용을 고려해야 할 것이다. Pin TMS system과 같은 self-shearing type(cement 등이 필요 없이 상아질의 점탄성과 나사와의 물리적인 interlocking에 의하여 유지력을 얻는다)이 편한데, 반드시 상아질에 위치시켜야 한다.

III. 5급 와동의 수복

1. 필수지식

지금은 누구나 비교적 손쉽게 하는 복합레진 이용한 5급 와동 수복이 80년대 말까지만 하더라도 치과의사들에게 매우 어려운 치료였다는 사실을 아는가? 통상 치료 후 6개월 만에 20~30%, 1년 후 30~40%의 수복물 탈락이 생겼다고 한다. 다른 와동과는 달리 5급 와동은 교합변연의 일부를 제외하고는 거의 대부분 상아질로 이루어져 있다. 따라서 상아질 접착제가 본격적으로 도입되기 시작한 90년대 초 이전에는 정말로 어려운 치료였다. 이렇게 상아질 접착제가 중요한 역할을 하기 때문에 상아질 접착제의 효과를 극대화시키는 것이 중요하다. 반드시, 이 책의 〈상아질 접착제, 와동의 삭제〉 편을 참고하기 바란다.

1) 색의 선택

몇 가지 shade의 복합레진을 직접 법랑질에 위치시키고 광조사하여 shade를 선택하는 방법을 이용하여 좋은 효과를 얻을 수 있다(**그림 3-3-1**).
A3, 3.5, 4… B3 등의 색조 등이 많이 선택된다.

2) 치수의 보호

치수노출이 우려될 경우는 Ca (OH)$_2$제제 등을 이용하며, 글라스아이노머로 덮어준다. 치수가 노출되어도 상아질 접착제를 이용하여 직접 치수복조를 시도하는 시술이 한때 많이 사용되었지만, 임상적으로 좋은 결과를 나타내지는 못하였다.

3) 와동 삭제와 bevel

와동의 우식 부위와 soft dentin을 다 제거하고, 모든 법랑질을 포함하여 bevel을 형성한다(**그림 3-3-2**).

4) Cord packing

Gingicord를 치은열구에 삽입하여서 치은의 변연을 약간 내려줘 치경부의 변연을 노출시키고, 치은열구액(gingival fluid)으로부터의 오염을 막아준다(**그림 3-3-3**).

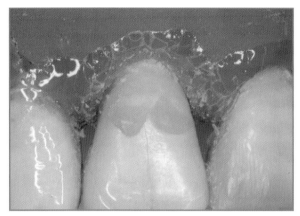

그림 3-3-1

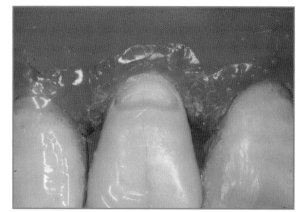

그림 3-3-2

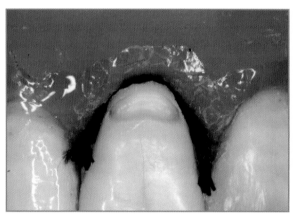

그림 3-3-3

5) 올바른 접착 〈I〉: wet bonding 기법 이용 시

(1) 법랑질과 상아질의 산 부식

30~40% 인산을 사용하는 경우 먼저 법랑질 부위에 위치시키고(**그림 3-3-4**), 약 20초 경과 후 상아질 부위에 산을 위치시키고(**그림 3-3-5**), 30초가 경과하였을 때 전체적으로 수세한다. 이렇게 하면 법랑질은 30초, 상아질은 10초 산 부식을 한 결과가 된다. 상아질에 대한 과도한 산 부식은 후에 여러 가지 complication의 원인이 되므로 산 부식 시간이 10초 내외가 되도록 주의한다.

10~15%의 인산을 사용하는 경우, 대개의 제품들이 점도가 낮아, 법랑질이나 상아질의 특정부위를 산 부식시키기가 어렵다. 그래서 이 경우는 와동에 약 15초간 전체적으로 산을 위치시키고, 법랑질 부위를 문질러 주어서 산의 침투를 높이도록 한다.

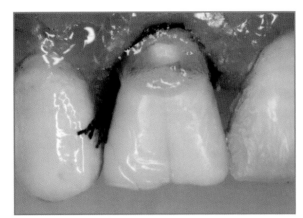
그림 3-3-4

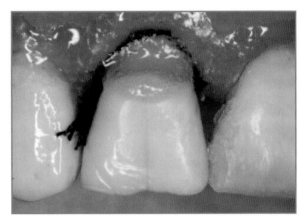
그림 3-3-5

(2) 법랑질의 산 부식 확인, 상아질의 rewetting 및 접착

산부식한 치아를 건조하여, 와동 주위의 법랑질이 제대로 산 부식이 되었는지 확인하여, 필요하면 추가적으로 법랑질의 산 부식을 시행한다. 적절히 산 부식 되었으면, 과도한 수분이 제거된 wet cotton을 이용하여 와동 면을 가볍게 두드려줘서 rewetting시킨다(**그림 3-3-6**). 그 후 primer와 adhesive를 차례로 도포하고 광조사한다(**그림 3-3-7**). Primer와 adhesive가 같이 들어 있는 2 step의 etch & rinse system의 경우는 여러 번 도포하여 너무 얇아지지 않게 주의하여야 한다

6) 올바른 접착 〈II〉: 2-step self-etching primer 이용 시

(1) Etching

대부분의 회사들이 추가적인 산부식이 필요없다고 하고 있지만, 이 경우 수복물 주위의 변연 변색이 많이 관찰되었다. Self-etching primer의 경우 법랑질 부위

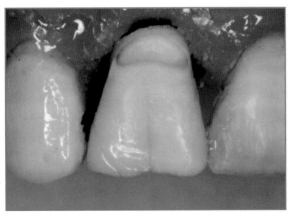

그림 3-3-6

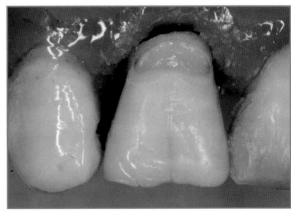
그림 3-3-7

의 접착능력이 아직까지 문제가 되고 있기 때문에 되도록이면 법랑질 부위만 추가적으로 산 부식하는 것이 바람직하겠다.

(2) Priming
제품에 따라 적용시간이 다르지만 대개 20~30초 범주에 해당된다. 적용시간을 철저히 지키도록 노력하여야 하며, 특히 짧은 경우 부적절한 접착에 의한 문제가 발생할 수 있다. Primer의 적용이 끝난 후에는 완전히 건조시킨다. Self-etching primer의 용매는 물이기 때문에 이것을 완전히 없애주어야 소수성인 adhesive가 접착을 할 수 있다. Primer가 이미 산부식된 법랑질 표면에 닿아도 문제가 없다.

(3) Bonding
완전히 건조된 표면에 접착제를 도포하고 광조사한다. 접착제가 너무 얇아지지 않도록 주의한다.

7) 복합레진 충전(dentin 및 enamel, 또는 body) (그림 3-3-8)
와동이 큰 경우는 적층법을 이용하도록 하며, 이 경우 교합면 쪽을 먼저 충전하고, 치은 쪽을 수복하도록 한다. 와동의 크기가 크지 않은 경우는 flowable type의 복합레진을 사용하는 것은 무방하지만, 와동이 큰 경우 flowable resin 만으로 수복하는 것은 옳지 않다. 중합수축량과 stress가 일반 복합레진에 비하여 훨씬 크게 나타나서 탈락, 민감증 등 술 후 문제가 나타날 확률이 높다.

8) 마무리 및 연마(그림 3-3-9)
보통 bur의 표면에 노란색이나 흰색 띠가 둘러져 있는 표면 조도 40 um 이하의 high speed bur와 Soflex 등의 disk를 사용합니다. 납작한 diamond tip이 앞, 뒤로

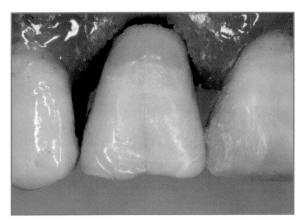
그림 3-3-8

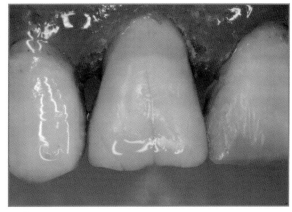
그림 3-3-9

움직이는 저속의 Eva system 등도 치은 변연, 인접면 쪽을 마무리하는 데 도움을 준다(〈2장. Ⅸ. 마무리 및 연마〉 편 참고).

2. 임상 증례

증례 1: 치경부의 다발성 탈회병소(그림 3-3-10~13)

환자의 주소(chief complaint): 입대하기 전에 다발성의 치아 우식을 치료하고 싶다. Diastema도 치료하고 싶다.

현증 : 치경부의 다발성 탈회 병소(**그림 3-3-10**). 청량음료(특히 콜라)를 과량 섭취하는 습관을 가지고 있다.

치료계획: 부적절한 식이 습관으로 인해 위의 병소가 생겼다는 것을 환자에게 인지시키고 식이습관을 조절하면서 복합레진을 이용하여 치료하기로 한다.

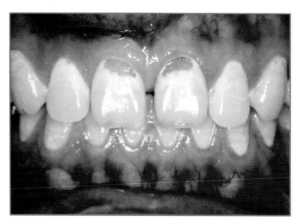

그림 3-3-10

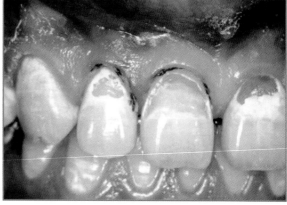

그림 3-3-11

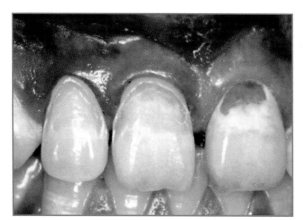

그림 3-3-12

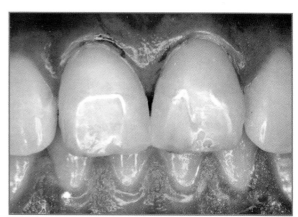

그림 3-3-13

치료의 진행: 치아의 삭제는 환자의 식이 습관이 하루 아침에 고쳐지기 어려운 점을 감안하여 일반적인 경우보다 비교적 넓은 bevel을 형성한다(**그림 3-3-11, 12**). 치경부 탈회병소를 복합레진으로 치료한 후 diastema closure를 시도한다(**그림 3-3-13**). 치료기간 내내 올바른 식이습관의 중요성을 강조하고, 조절하도록 하였다.

교훈: 젊은 환자에게 있어서 치경부 병소가 다발성으로 발생하였다는 것은 일반적으로 흔히 일어나는 일은 아니다. 이 환자에서처럼, 매우 부적절한 식이 습관을 가지고 있거나, 또는 어떤 항암요법이나 쇼그렌증후군과 같은 자가면역성 질환 의하여 타액분비량이 많이 감소한 경우에 이런 현상이 나타날 수 있다. 이 환자의 경우처럼 식이 습관이 문제가 되는 경우는 이를 바꿔주지 않는다면, 치과의사가 아무리 수복을 하여 주어도 지속적으로 문제가 될 것이다.

일반적인 경우보다 넓은 bevel을 형성하여, 좀 더 예방적으로 치료하며, 환자의 recall check-up도 일반적인 경우보다 좀 더 자주 행하여 주어야 할 것이다.

증례 2: 치은연하의 5급 와동 치료(1) (그림 3-3-14~21)

환자의 주소(chief complaint): 이가 패였다는 주소로 치주과를 통하여 내원함
현증: (**그림 3-3-14**) #44: 치은 연하로 확장되는 moderate dental caries를 동반한 cervical abrasion
　Ice(++), per(−), mob(−), probing(333)
치료계획: 치주치료 후 Miniflap을 이용한 복합레진 수복

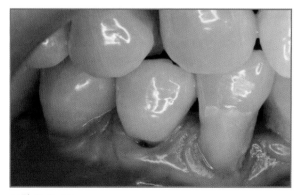

그림 3-3-14

치료의 진행: Miniflap을 위한 절개를 하고(**그림 3-3-15**), flap을 제끼고, clamp 의 협측 부위를 그림과 같이 구부려 변형한 후 rubber dam을 장착하고(**그림 3-3-16**) 복합레진을 수복한다(**그림 3-3-17**).

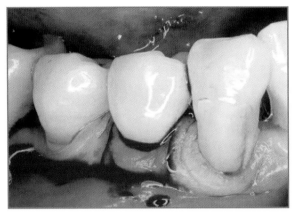

그림 3-3-15

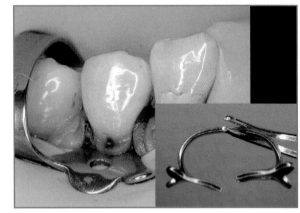

그림 3-3-16

수복 후 flap을 제 위치시키고, 꾹 눌러 주어 지혈을 유도하였지만, 특별한 suture는 시행하지 않는다(**그림 3-3-18**).

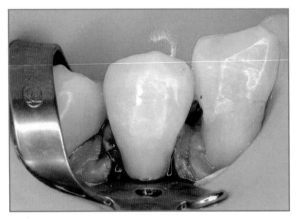

그림 3-3-17

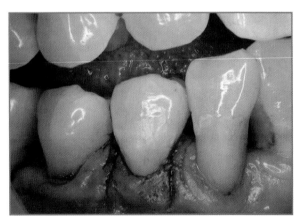

그림 3-3-18

수술 5일째(**그림 3-3-19**), 치은의 치유가 정상적으로 진행되고 있었으며, 수술 3주 후 사진에서, probing 직후 치은 쪽에서는 아직 bleeding 소견이 보이지만, 거의 정상적으로 치은이 회복되고 있다(**그림 3-3-20**).

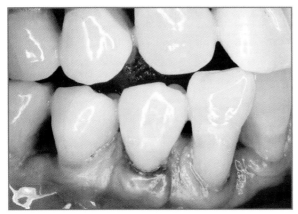

그림 3-3-19

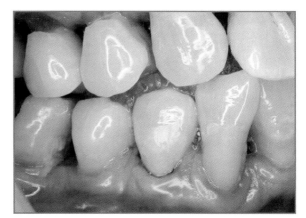

그림 3-3-20

교훈: 치경부 병소의 cervical margin은 대개 gingicord packing 만으로도 그 변연을 노출시킬 수 있지만, gingivectomy나 본 증례와 같은 mini flap이 필요한 경우도 있다. 본 증례에서 gingivectomy 대신 flap을 이용한 이유는 attachec gingival의 양이 충분하지 않았기 때문이었다. 이와 같이 miniflap을 하였을 경우에는 bleeding으로부터의 격리가 중요한 데, 되도록이면 필요한 치주치료를 먼저 해 두는 것이 좋다. 건강한 치은의 경우 비록 flap을 형성한 후, 적절한 압박지혈 정도만으로도 bleeding은 충분히 조절할 수 있지만, 본 증례와 같이 rubber dam을 이용하는 것이 좋다. Clamp는 위의 예처럼 적당히 모양을 변형하거나 212번을 이용하면 된다(**그림 3-3-21, 22**).

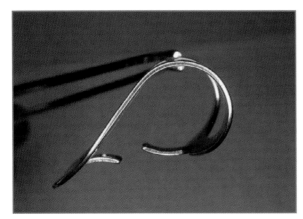

그림 3-3-21

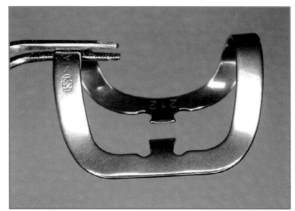

그림 3-3-22

증례 3: 치은 연하의 5급 와동 치료(2) (그림 3-3-22~32) (Dr. 이윤 증례)

환자의 주소(chief complaint): 63세 남자환자로 앞니가 가끔씩 시큰거린다는 주소로 내원

현증: (**그림 3-3-23, 24**) #11, #21, #22: 치은 연하의 dental caries

#11: per(+), mob(+,−), cold(−), EPT(−), pribong(444)

#21: per(−), mob(+,−), cold(+), EPT(+), probing(344)

#22: per(−), mob(+,−), cold(+), EPT(+), probing(333)

전반적인 구강 위생 상태가 좋지 않고 치은에 종창이 있다.

치료계획:

1) #11 근관치료 시작

2) Flap operation 하에 #11,#21, #22 복합레진 수복

3) #11 근관치료 완료

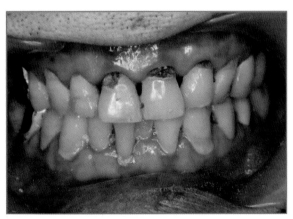

그림 3-3-23

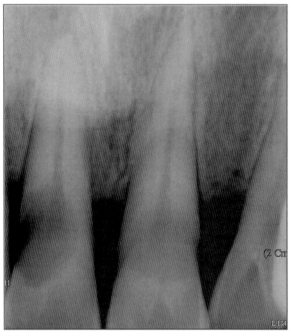

그림 3-3-24

치료의 진행: #11 근관치료를 시작하여 근관 확대까지 시행하고, 일단 임시충전하였다(**그림 3-3-25**). 다음 내원 시 flap 거상 하에 치은하 병소를 확인하고, bleeding 등의 문제 때문에 추가적인 방습의 필요성을 확인한 후(**그림 3-3-26**),

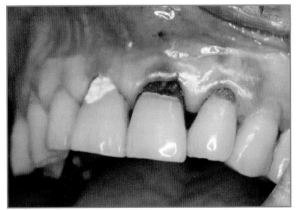

그림 3-3-25

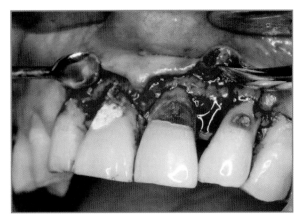

그림 3-3-26

Flap을 인접 치은 조직과 suture하여 고정하고(**그림 3-3-27**), rubber dam을 이용하여 치아를 격리하고, 타액 및 출혈로부터의 contamination을 막기 위하여 Paint-on-dam을 도포한다(**그림 3-3-28**). Paint-on-dam은 vital bleaching 시 bleaching 용액으로부터 치은을 보호하기 위하여 도포하는 재료로 가시광선 조사기로 중합되어 편리하게 치은을 보호할 수 있다.

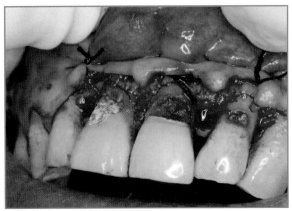

그림 3-3-27

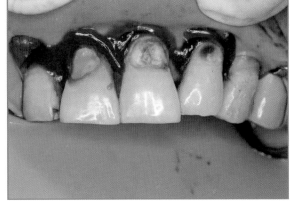

그림 3-3-28

와동삭제 후 복합레진을 충전하고, suture(**그림 3-3-29~31**) 후 periodontal pack을 시행함(**그림 3-3-32**). 2달 후 사진(**그림 3-3-33**). 환자는 특별한 불편함 없이 치료에 만족하였지만, 치료 전과 비교할 때 치은의 퇴축이 일어났다.

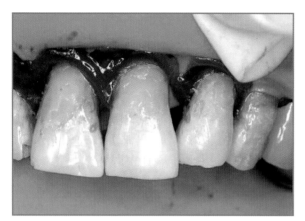

그림 3-3-29

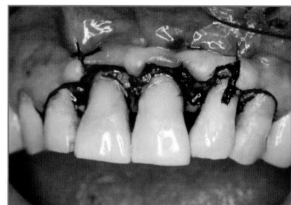

그림 3-3-30

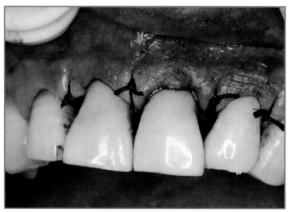

그림 3-3-31

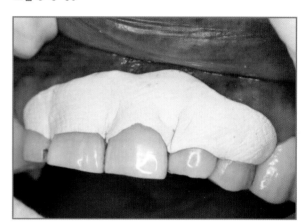

그림 3-3-32

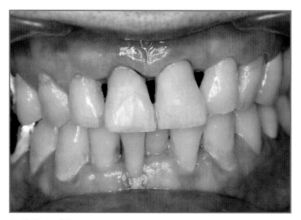

그림 3-3-33

교훈: 증례 2에서와는 달리 치료 후 치은의 퇴축이 비교적 많이 일어났다. 수술 후 치은의 퇴축 정도는 역시 치료 전 치주 상태가 가장 중요한 요소가 될 수 있는데, 이 환자는 치주상태가 좋은 편이 아니었다. 또한 치료할 때도 타액 및 출혈에 의한 오염을 막기 위하여 철저한 방습이 필요했는데, 위의 증례에서 Paint-on-dam 등을 사용하여도 되고, Histoacryl 등을 이용하여도 된다.

치주 상태가 좋지 않은 환자의 5급 와동은 flap을 이용하여 치료할 경우에 환자와의 충분한 상의를 통하여 치은 퇴축 가능성에 대하여 미리 알려주는 것이 중요하다.

증례 4: 5급 와동의 수복과 Gingival cleft(그림 3-3-34~37)

환자의 주소(chief complaint): #43이 시리다.

현증: #43: Per(−), mob(−), cold (++)

Cervical abrasion with gingival cleft(**그림 3-3-33, 35**)

Lateral excursion 시 #43 만 guide 됨

치료계획: 복합레진 수복(5급)과 교합 조정

치료의 진행: Gingicord 삽입 후, 와동을 약간 삭제하고, SE Bond, Charmfil flow, Tetric Ceram A3.5를 이용하여 충전함(**그림 3-3-35, 36**). 치료 후 gingival cleft가 없어짐(**그림 3-3-37**).

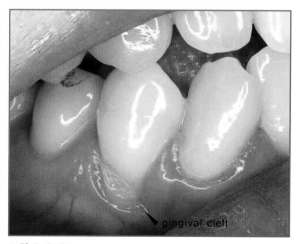

그림 3-3-34

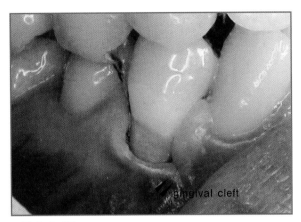

그림 3-3-35

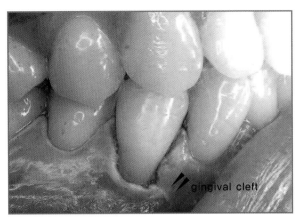

그림 3-3-36

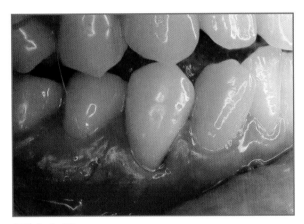

그림 3-3-37

교훈: 비우식성 치경부병소(Non caries cervical lesion, NCCL)의 발생이 교합과 밀접한 관계가 있다고 한다. 또한 gingival cleft의 형성도 교합과 관계가 있다고 한다.

이번 환자의 경우 단지 5급 와동만을 수복하고 교합조정 후 gingival cleft가 사라진 것은 매우 흥미로운 일이며, gingival cleft가 교합과 관계가 있다는 것을 반증하는 하나의 증거라고 할 수 있다.

※ 많은 경우 상아질 접착제의 사용이나, 와동의 삭제와 관련이 있습니다. 이 책의
　와동의 삭제와 상아질 접착제 편을 꼭 참고해 주세요

Q　복합레진을 수복하고 나서 환자가 자꾸 시리다고 합니다, 이
　유가 뭘까요? 그리고 예방법은?

특히 Etch & rinse system을 부적절하게 사용할 경우 술 후 민감증이 발생할 수 있습니다. 가장 흔하게 범하는 실수에 다음의 것들이 있습니다.

첫째, 상아질에 산 부식을 너무 오랫동안 할 경우

사용하는 산 부식제의 산의 농도에 따라 그 적용시간을 달리 합니다. 30~40%의 인산을 사용할 경우에는 상아질은 15초가 넘지 않게(10초 정도가 안전합니다) 하는 것이 중요합니다. 반면에 법랑질은 30~60초 정도 충분히 산 부식시킵니다. 저는 산 부식을 시킬 경우 옆에서 꼭 시간을 불러 줘서 시간을 지키려고 노력합니다. 예를 들면 법랑질 부위에 먼저 산을 위치시키고, 20초 경과한 후에 상아질에 산을 위치시킨 후 10초 후에 같이 수세하게 되면 법랑질은 30초 상아질은 10초 산 부식시킨 것이 됩니다.

둘째, wet bonding이 적절히 되어야 합니다.

적절히 wet bonding 시키는 방법은 매우 다양합니다. 저는 다음과 같이 합니다. Cotton을 핀셋으로 뜯어 물을 묻히고 꾹 눌러서 여분의 수분을 짜 버린 후, 이 wet cotton을 와동 벽에 가볍게 두드립니다. 그 후 primer (3 step etch & rinse system의 경우) 또는 Primed adhesive (2 step etch & rinse system의 경우)를 도포합니다. Primer 도포 후에는 10~20초 정도 기다린 후 그 표면을 완전히 건조시킨 후 접착제를 도포해야 합니다.

셋째, 접착제가 너무 얇게 발라지지 않아야 합니다.

특히 2 step의 etch & rinse system의 경우, adhesive system이 얇아지기 쉽습니다. 따라서 접착제를 바른 후 압축공기보다는 brush를 이용하도록 하며, 접착제에 filler가 포함된 system을 사용하는 것이 너무 얇아지지 않아 유리합니다. 접착제가 너무 얇게 발라지면 광중합을 시켜도 중합이 잘 되지 않습니다. 이 경우 그 위에 복합레진을 도포하고 광중합을 시키면, 상아질과의 사이에 접착이 잘 이루어지지 않아서 민감증 등이 발생할 수 있습니다. 3 step의 etch & rinse system의 접착제는 2 step에 비하여 두껍게 발라지기 때문에 이런 문제가 적게 발생합니다.

2 step의 self etching system을 사용하면 이런 실수는 많이 줄일 수 있습니다.

Q 접착제를 바르고 복합레진을 충전하기 전 반드시 광중합을 해야 하나요?

전체 와동이 법랑질로만 이루어진 경우라면, 접착제를 복합레진과 함께 중합하여도 큰 문제는 없다고 합니다. 그러나 상아질이 노출된 경우라면 반드시 접착제를 먼저 광중합시킨 후 복합레진을 충전하여야 합니다. 그렇지 않은 경우 상아질과의 사이에 적절한 접착이 이루어지지 않을 가능성이 높습니다.

Q Etch & rinse system, self etching system 모두 wet bonding이 필요한가요?

Etch & rinse system 중 특히 acetone을 용매로 사용한 제품들이 wet bonding을 잘 해야 합니다. 반면에 water를 용매로 하는 제품들은 특별히 wet bonding에 민감하지 않으며 도포하여 준 후에는 완전히 건조시켜서 표면의 물을 잘 없애 주어야 그 위에 충전되는 복합레진과 잘 접착을 하게 됩니다.

Self etching system은 모두 water base system으로 생각할 수 있습니다. 그렇기 때문에 건조된 와동에 self etching primer를 직접 도포하여도 무방합니다. 그리고 복합레진을 충전하기 전에 반드시 그 표면을 건조시켜서 표면의 수분을 증발시킨 후 bonding agent를 도포해야 합니다.

Q Self etching primer 제품은 법랑질을 따로 산 부식시키지 않아도 되나요?

30~40% 인산을 이용하는 경우에 비하여 법랑질에 접착 능력이 떨어지는 것이 사실입니다. 추가적인 산 부식이 필요 없다고 주장하는 self etching 제품의 설명서에도

"Preparation이 되지 않은 법랑질은 부가적인 산 부식이 필요합니다"는 제한 조건이 나와 있습니다. 특히 교합압을 직접받는 구치부 수복 등에는 반드시 추가적인 산부식이 필요하다고 생각됩니다. 와동 변연의 bevel 등이 잘 부여된 5급 와동 등에는 선택적으로 산부식 없이 가능할 수 있을 것 같습니다만 아직까지 확실히 말할 수 있는 장기적인 임상 report는 아직 미미한 실정입니다.

Q 1- step self-etching system (All in one system)은 안심하고 사용할 수 있나요?

아직까지 1- step self etching system은 법랑질이나 상아질 접착에 있어서 미흡한 점이 있는 것이 사실입니다. 즉, 법랑질에 대한 접착능력이 다소 떨어지고, 화학중합, 또는 이원중합형 복합레진과의 접착에 문제가 있으며, 친수성의 성질이 너무 높아서 상아세관액을 완전히 차단이 되지 않을 수 있다는 점 등의 문제점이 지적되고 있습니다. 하지만 유치 영역의 치료에서는 compomer restoration을 이용한 수복에서 그 사용빈도가 높아지고 있으며, 앞으로 수년 내에 안심하고 사용할 수 있는 제품이 나올 수 있을 것이라 생각됩니다.

Q 5급 와동 수복한 것이 잘 떨어집니다, 어떻게 해야 하나요?

특히 abfraction 등에 의하여 생긴 5급 와동을 수복하는 경우에 와동 삭제없이 바로 상아질 접착제를 처리하는 경우가 있는데, 노출된 상아질은 마치 노출된 창상(exposed wound)처럼 여러가지 물질에 오염이 되어 있고, 또 많은 경우 석회화(sclerosis)가 진행된 경우가 많기 때문에, 와동 삭제없이 바로 상아질 접착제를 도포하여서는 상아질 접착제의 효과를 100% 발휘하기가 어렵습니다. 그렇다고 아말감의 경우처럼 retention groove 등을 줄 필요는 없다고 생각합니다. 법랑질 부위는 bevel을 주고, 치아의 외형에 따라 노출된 상아질을 약간 제거(수십~수백 um 정도)하는 정도로 충분하다고 생각합니다. 그렇게 하면 상아질 접착에 더 유리한 상아질 표면이 노출될 확률이 높아집니다. 그림 3-3-37~41에 공초점주사전자현미경을 이용한 실험을 통하여 이러한 이유를 잘 설명하고 있습니다.

FAQ

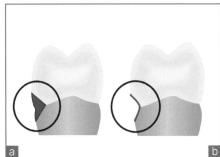
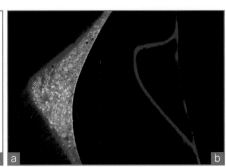

그림 3-3-38
교정적인 이유로 발치를 한 치아 중 치경부에 abrasion
이 있는 치아들을 모아 preparation을 한 경우(왼쪽)와
하지 않은 경우를 공초점주사현미경 (Confocal Laser
Scanning Microscope)으로 관찰하였다.

그림 3-3-39
Preparation을 한 경우는 접착제가 깊이, 잘 침투했지만
(a), 하지 않은 경우는 침투가 잘 이루어지지 않은 것을
볼 수 있다.

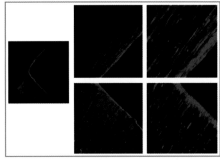
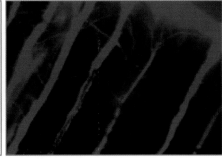

그림 3-3-40
Preparation을 한 경우를 더 자세히 확대하여 본 사진이
다. 상아세관을 타고 잘 침투해 들어간 것을 볼 수 있다.

그림 3-3-41 Preparation을 한 경우를 더 자세히 확대한 사진이다.
상아세관 사이로도 서로 잘 침투해 들어갔다.

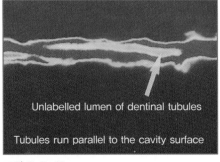

그림 3-3-42
Preparation을 하지 않은 경우는 상아세관도 막혀 있고,
상부의 상아질 층이 Hypermineralization되어 있어서 상
아질 접착제가 제대로 침투를 할 수 없다.

IV. 6급 와동의 수복

1. 필수지식

6급 와동이란 전치의 절단연이나 구치의 교두정에 있는 와동을 의미한다(**그림 3-125**). 복합레진을 이용한 6급 와동의 수복은 가장 보존적인 복합레진 수복 방법을 이용한다고 할 수 있다. 대부분의 경우 와동은 법랑질상에 존재하며, 많은 경우 마취 없이 시술이 가능하다.

1) 색의 선택

Mock-up 등을 이용하여 색을 선택한다(〈**2장. II**〉 참조).

일반적으로는 색의 선택이 어렵지 않지만, incisal edge에서 투명한 색을 나타내는 경우는 이에 적합한 복합레진을 선택해야 한다.

2) 와동의 삭제와 bevel

효과적인 유지를 위하여 bevel을 1 mm 내외로 부여한다.

3) 법랑질의 산 부식 및 접착제의 도포, 광조사

법랑질만 노출된 경우는 산 부식제(30~40% 인산)와 접착제를 사용하며, 상아질도 같이 노출된 경우는 일반적인 상아질 및 법랑질 접착 방법을 따른다. 접착제는 복합레진 충전 전에 반드시 광조사하도록 한다.

4) 복합레진의 충전

일반적인 방법을 사용한다.

5) 마무리 및 연마

일반적인 마무리 및 연마의 술식을 준수한다(〈**2장. VI**〉 참조).

2. 임상증례

증례 1: 1. 6급 와동을 이용한 심미적 개선.
　　　　2. 6급 와동은 얼마나 잘 유지될까?

　환자의 주소: #11, #21 치아의 절단연 부위에 검은 색이 비쳐 보인다는 것을 주소
　로 하여 내원.
　현증: 환자는 상하악 전치부의 절단연 부위에 많은 defect를 가지고 있으며(**그림**
　3-4-1, 2), 특히 #21, #11 부위는 법랑질이 너무 얇게 남아 심미적인 문제를 야
　기했다(**그림 3-4-3**). 특별히 교합적인 문제는 알 수 없었다.

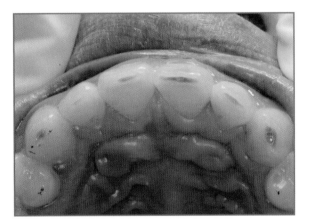

그림 3-4-1

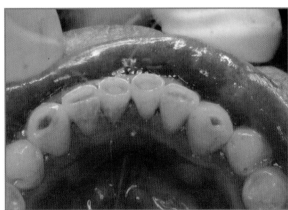

그림 3-4-2

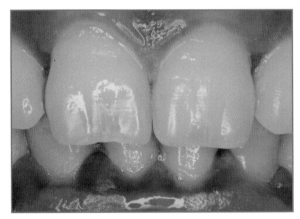

그림 3-4-3

　치료계획: 11, 21의 복합레진 수복.
　13,12, 22,23, 33,32,31, 43,42,41: 복합레진을 이용하여 수복하기로 함.

치료의 진행: 환자의 11, 21 치아의 복합레진 충전을 위하여 bevel을 부여한 모습(**그림 3-4-4**). Etching하면서 치질의 투명한 정도를 check하였고(**그림 3-4-5**), 복합레진을 충전하였다(**그림 3-4-6**). **그림 3-4-3**과 **그림 3-4-6**을 비교하여 보면, 환자의 주소가 해소된 것을 알 수 있다.

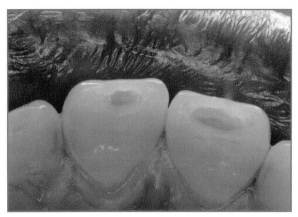
그림 3-4-4

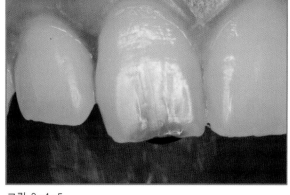
그림 3-4-5

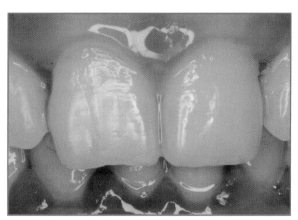
그림 3-4-6

환자는 6년 후 전체적인 구강 검진을 위하여 내원하였다(**그림 3-4-7, 8**). 하악 부위는 전제적으로 잘 유지되고 있었으나(**그림 3-4-7**), 상악 부위는 13번 치아의 복합레진이 마모가 되었으며, 12, 11, 21번 치아에서도 약간의 복합레진의 마모가 관찰된다(**그림 3-4-8**).

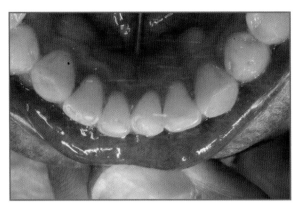

그림 3-4-7

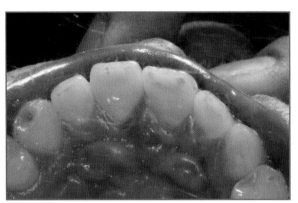

그림 3-4-8

교훈: 복합레진으로 6급 와동을 수복하여 환자의 심미적 만족도를 높여 주면서 치질 삭제량을 최소로 할 수 있었다. 6급 와동 수복을 하면서 또 하나 갖는 의문점이 과연 얼마나 오래 유지될 수 있는가 하는 문제이다. 이것만을 따로 연구한 논문도 찾아보기 힘들어서 이에 대한 구체적인 data는 아직 없다. 13 부위에서 이전에 비하여 마모가 더 넓게 진행된 것처럼 보이는 것은 복합레진 충전을 위하여 부여하였던 bevel 부위의 복합레진이 마모되어 이렇게 보이는 것으로 생각된다. 환자는 불편함을 전혀 느끼지 못하였으므로 부분적인 wear가 생긴 부위에 부분적인 repair가 필요함을 설명하였다.

Incisal 부위의 6급 와동은 일반적으로는 환자들이 잘 알지 못하고, 특별한 complaint도 없다. 이 환자의 경우처럼 심미적인 문제가 생기는 경우에 치료하게 되는 경우가 많은데, 6년 후 recall check-up의 결과 심미적인 문제는 없었고, 부분적으로 일어난 wear 부위는 간단한 reapir 만으로도 가능한 정도로서 환자는 이런 종류의 치료에 매우 만족하였다.

V. 복합레진을 이용한 Diastema Closure

1. 필수지식

치아 사이의 간격(spacing)을 심미적으로 수복하는 방법은 복합레진, 세라믹 라미네이트포세린, PFM 등 여러 가지가 있을 수 있으며, 어느 한가지 방법이 옳다고 주장하는 것은 무리가 있을 것이다. 하지만 복합레진을 이용하여 비교적 쉽고, 치아와 강한 접착을 가지며, 심미적으로 치아 사이의 간격을 수복할 수 있다면 가장 바람직한 치료방법이라는 것에는 어느 치과의사나 동의할 것으로 믿는다. 하지만 많은 치과의사 선생님들께서 실제로 복합레진을 이용한 spacing에 어려움을 느끼시며 다른 치료 방법을 선택하는 이유는 기법(technique) 상의 어려움 때문이라고 생각한다.

복합레진을 이용하여 diastema closure를 하는데 있어서 꼭 이렇게 하여야 한다고 정해진 방법은 없다. 각자가 자기에게 편한 방법을 이용하여 위에서 목표로 한 목적을 이루면 될 것이라고 생각한다.

이번에 소개드리는 방법은 필자가 환자를 진료하고, 수련의들을 지도하면서, 가장 효과적이라고 생각하고 있는 방법을 소개하는 것이다. 이렇게 치료하는 목적을 잘 이해한 후, 이를 참고로 임상가들이 자기에게 더욱 적합한 방법을 응용하여 진료하면 더 좋겠다.

1) 일반적인 치료 순서

(1) 환자가 오면 환자의 요구, 습관, diastema의 원인, 교합 등을 분석하고, 인상을 채득한 후 model을 만든다(**그림 3-5-1, 2**).

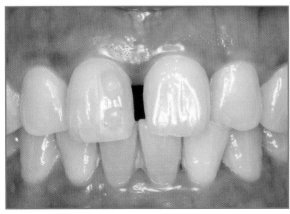

그림 3-5-1

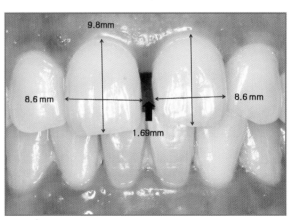

그림 3-5-2

(2) 치아의 길이, 환자의 요구 등을 고려하여 model 상에서 wax caving을 한다(**그림 3-5-3**). 중절치에 있어서 이상적인 넓이:길이의 비는 15:16 (1: 1.07)이라고 한다.

(3) Putty type의 인상재를 이용하여 wax carving을 한 model의 설측에 적합한 matrix를 만든다.

(4) 환자가 오면 model을 보여 주고 치료 후 이루어지는 상태에 대해 설명하고, 이미 만들어진 matrix가 치아에 잘 맞는지 확인한다(**그림 3-5-4**).

(5) 치아를 잘 격리하고 fine diamond bur 등을 이용하여 법랑질 부위를 살짝 삭제한 후 불소가 들어 있지 않은 pumice로 닦는 후 물로 수세, 건조한다(**그림 3-5-5**).

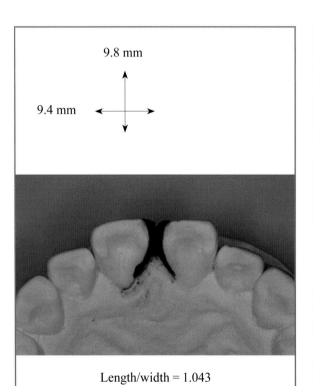

그림 3-5-3

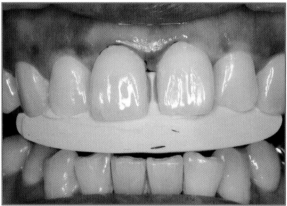

그림 3-5-4

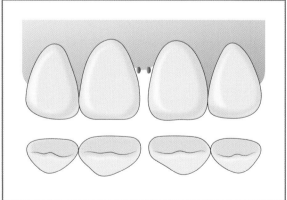

그림 3-5-5

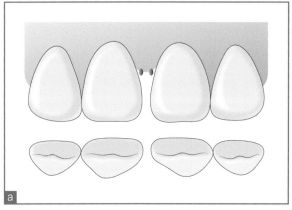
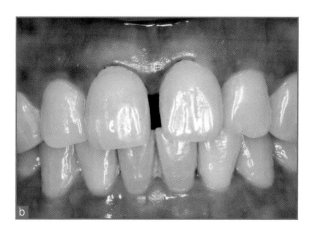

그림 3-5-6

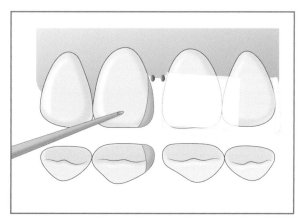

그림 3-5-7

(6) 치료할 부위에 gingicord를 삽입하여 gingiva를 내려준다(**그림 3-5-6a, b**). 반
대쪽 치아는 mylar strip을 이용하여 산부식되는 것을 막아 주고, 한쪽 치아를
먼저 산 부식시킨다. 일반적으로 법랑질 면만을 이용하는 경우가 많기 때문에,
30~40%의 인산을 이용하는데, 만약 치경부 쪽에서 상아질 또는 노출된 치근
면에도 접착이 필요한 경우는 일반적인 상아질 접착의 방법을 사용한다. 법랑질
면만을 이용하는 경우는 wet bonding 등을 신경쓸 필요 없이 치아를 완전히 건
조시켜서 법랑질 부위의 산 부식이 제대로 되었는지 확인하고, 접착제를 도포시
켜서 골고루 발라 준 후 광조사시킨다(**그림 3-5-7**).

(7) Matrix를 치아에 대고 설측 부위를 먼저 충전하고 광조사한 후(**그림 3-5-8**) 나머지 순측 부위를 충전하도록 하는데, polishing하는 양을 고려하여 약간 크게 하는 것이 좋다(**그림 3-5-9**). 계획한 대로 크기와 형태가 되었는지 matrix를 이용하여 확인하면서 polishing을 한다(**그림 3-5-10a, b**).

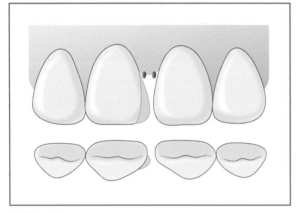

그림 3-5-8

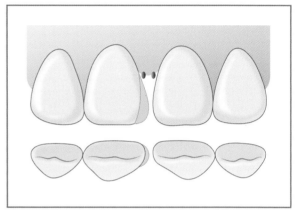

그림 3-5-9

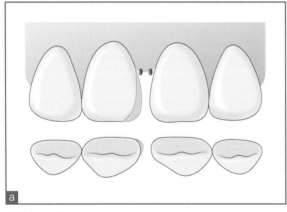
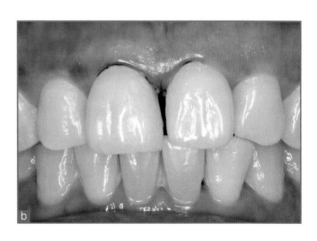

그림 3-5-10

(8) 반대쪽 치아를 산 부식시키고 먼저 치아에서와 같이 접착제를 도포한다(**그림 3-5-11**). Wedge를 사용하는 대신에 특수한 celluloid strip(StopMatrix®)(**그림 3-5-12**)를 이용하여 polishing이 먼저 끝난 치아 쪽을 당겨주어서 공간을 확보한 후, 설측 부위에 복합레진을 먼저 충전하고, margin이 overhanging 안 되도록 정리한 후 광조사한다(**그림 3-5-13**).

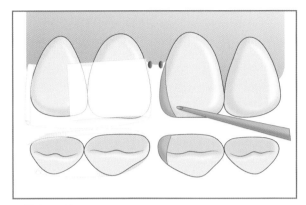

그림 3-5-11

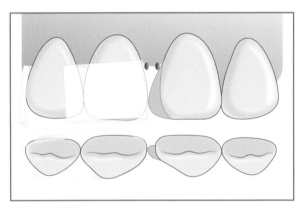

그림 3-5-12

그림 3-5-13

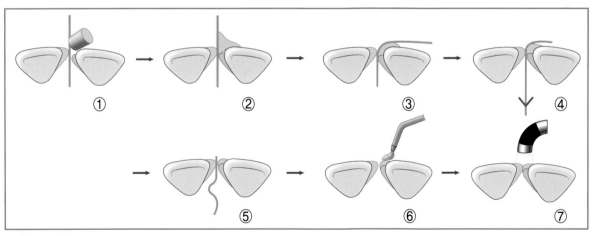

그림 3-5-14
① Mylar strip을 중절치 사이에 끼우고 복합레진을 #21 치아에 위치시킨다.
② 이미 중합이 이루어진 #21 치아의 설측 복합레진 wall 쪽으로 복합레진을 잘 밀어 넣는다.
③ Mylar strip으로 치아를 감싸는 모습으로 이동한다.
④ Mylar strip을 설측으로 당겨준다.
⑤ Mylar strip을 설측으로 천천히 뺀다.
⑥ Mylar strip을 뺀 후, #21 치아의 복합레진을 기구로 살짝 눌러주어 #11과 #21을 붙이면서 자연스러운 모습이 되게 완전히 다듬은 후
⑦ 광조사시킨다. 그 후 #11과 #21 사이에 기구를 넣고 살짝 비틀어 둘 사이를 분리시킨 후 polishing 하면서 contact을 조절한다.

(9) 나머지 순측 부위에 복합레진을 위치시키고(**그림 3-5-14** ①, ②), mylar strip 을 설측 방향으로 뺀 후 수복물의 전체적인 형태를 거의 완전한 상태로 정리한 후, 광중합을 시행한다(**그림 3-5-14** ③, ④, ⑤, ⑥, ⑦). 결국 #11과 #21 수복 물은 붙은 채로 광조사가 되는 것이다(**그림 3-5-15**).

광중합이 끝나면 기구를 #11과 #21 사이에 넣고 비트는 힘을 주면, 붙은 채로 중 합이 이루어졌던 수복물이 서로 떨어지며, 이때 벌어진 간격에 interproximal strip을 넣어, 인접면 contact을 조절한 후(**그림 3-5-16**), 전체적인 마무리 및 연마 작업을 한다(**그림 3-5-17**).

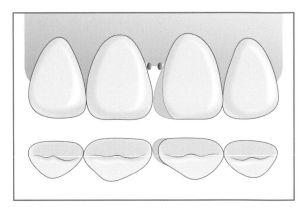

그림 3-5-15

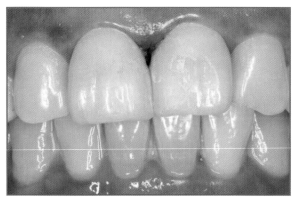

그림 3-5-17

그림 3-5-16

(10) 다시 내원시켜서 재평가하고, final polishing을 시행한다.

(11) 6개월 후 재내원시켜서 착색 여부를 조사하여 polishing하여 주고, 그 후로는 1~2년에 한 번씩 내원하여 polishing하도록 한다.

2) Keypoint
(1) **치아 하나씩 한다.**
(2) **Gingicord를 꽂고 한다.**

Interproximal papilla를 많이 내릴 수 있어서 cervical margin 부위의 복합레진을 쉽게 정리할 수 있다.

(3) Wedge 대신에 StopMatrix® (그림 3-5-12)를 사용한다.

Wedge를 사용하면 그 모습 만큼의 black triangle이 생긴다. 이를 되도록 줄이기 위하여, StopMatrix®를 사용하는데, 이 제품은 band의 한쪽이 두툼하게 되어 있어서 치아 사이에 걸고 치아를 당기기 편리하게 되어 있다.

(4) Mylar Strip (StopMatrix)을 당기는 방법이 일반적인 경우와 반대이다.

Wedge 대신 공간을 확보해 주는 역할을 해야 하기 때문에 복합레진 충전이 먼저 끝난 치아에 걸어주고, 그 쪽으로 당긴다.

(5) StopMatrix®를 빼고 복합레진을 다듬는다.

StopMatrix®를 빼고, 복합레진에 대한 contouring을 시행한 후 광조사한다. 이렇게 하면 치아의 자연스러운 모습을 재현하기에 더 편리하다.

(6) 수복한 두 치아를 기구를 이용하여 분리시킨다.

광조사 후 되도록 빨리 기구를 적용해야 쉽게 분리된다.

2. 임상증례

증례 1: Black triangle이 생긴 경우는 어떻게 하나요? (1):
−건강한 치은을 가진 경우

환자의 주소: 치아 사이의 간격을 메우기 위하여 내원
현증: #11과 #21 사이에 약 2 mm의 diastema가 존재(**그림 3-5-18**).
  Pocket depth: 정상, 치주상태 건강(**그림 3-5-19**).

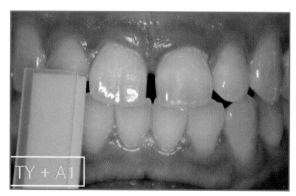
그림 3-5-18

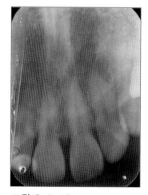
그림 3-5-19

치료계획: 복합레진을 이용한 diastema closure.

　　Model 분석 결과 crown/Root ratio가 좋지 않아 clinical crownlenthening이 필요하였지만 환자가 원하지 않아 통법에 의한 복합레진 충전을 시행하기로 함(**그림 3-5-20**).

치료의 진행: 통법에 의하여 diastema closure를 완성(**그림 3-5-21**).

　　색조 형태에 있어서 조화로운 수복을 하였으나 black triangle이 발생.

　　환자에게 상황 설명하고, black triangle이 줄어들 수 있는 가능성이 높음을 설명하고 일단 기다려 보기로 함.

　　한 달 후 black triangle은 완전히 소실됨(**그림 3-5-22**).

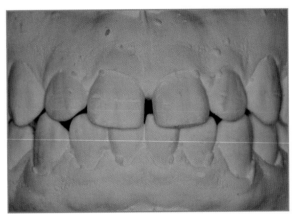
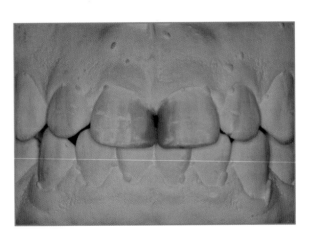

그림 3-5-20

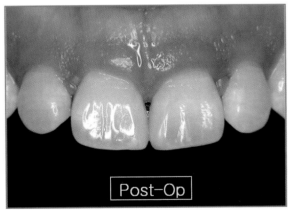

그림 3-5-21

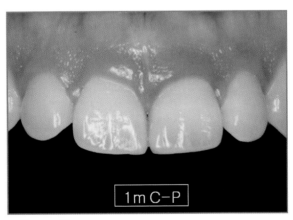

그림 3-5-22

교훈: Diastema closure의 치료가 끝났을 때 black triangle이 생겨서 환자가 이에 대한 불만을 나타내면 참 난감해지는 경우가 많다. 하지만 치주상태가 건강한 경우는 1~2개월 이내에 치은이 차오르며 black triangle이 없어지는 것을 많이 관찰할 수 있다. Interdental papillae가 차오를 확률은 치주의 상태와 밀접한 관계가 있다고 하며, 상악 중절치 사이의 인접면 접촉점의 위치가 치조골 정상으로부터 4 mm 이내는 100%, 4~5 mm 이내에 있을 경우 98%로 매우 높지만, 6 mm가 넘어가면 56%, 7 mm 이상이면 27%로 급격히 떨어진다고 한다 (Tarnow, 1992). 따라서 치료하는 의사 입장에서는 심미적으로 문제가 없는 범위에서 최대한 contact point를 아래로 내려주는 것이 중요하다. 그래서 본문에서 wedge를 쓰는 것보다는 Stop Matrix 등을 이용하는 것이 유리하다고 설명하였다. 이렇게 하여도 혹 black triangle이 발생하여 환자가 불만을 호소한다면 환자의 치주상태에 따라 interdental papillae가 차오르는 것을 설명하여 주고 안심시켜 주는 것이 중요할 것 같다. 중절치 사이의 interdental papilla의 두께를 3~4 mm 사이로 본다면, 1 mm 이내의 black triangle은 치주 상태만 건강하다면 차오르는 확률이 매우 높다고 할 수 있다.

증례 2: Black triangle이 생긴 경우는 어떻게 하나요? (2):
– 건강한 치은을 가진 경우

환자의 주소: 교정치료 완료 후 #12 치아의 space 해소를 위해 교정과로부터 refer 됨.
현증: #12 치아는 치아의 폭경이 다소 작으며, 근, 원심부에 모두 약 1 mm 정도의 space가 발생(**그림 3-5-23**). Perio 상태는 비교적 건강.

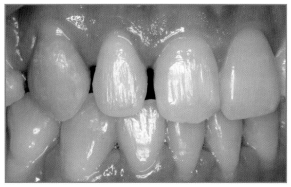

그림 3-5-23

치료계획: Porcelain laminate를 이용하는 것이 술자 입장에서는 편할 수 있었지만, 환자가 치아 삭제량을 최소로 하는 복합레진으로 치료해줄 것을 직접 요구하여 복합레진을 이용한 space closure를 하기로 함.

치아상 어느 정도의 black triangle이 생기는 것은 불가피한 것으로 판단되어 gingival가 자라 올라오는 정도를 측정하기로 함.

치료의 진행: Radiopaque한 endodontic sealer를 묻히고 찍은 치료 전 사진(**그림 3-5-24**).

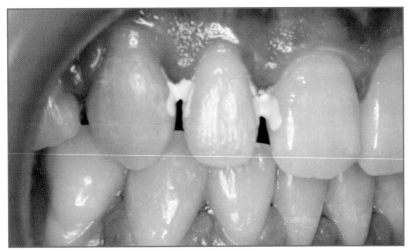

그림 3-5-24

일반적인 방법에 따라 복합레진을 이용한 space closure를 시행함.

치료 직후 black triangle이 발생하였지만(**그림 3-5-25**), 1개월 후 간격은 급격히 줄어들었으며(**그림 3-5-26**), 2개월 후는 1개월 전보다 더 줄어든 모습을 보임(**그림 3-5-27**).

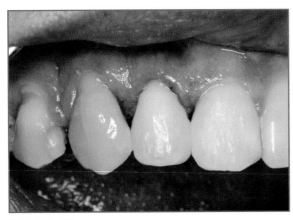
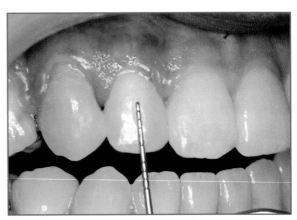

그림 3-5-25   그림 3-5-26

Soft ware program을 이용하여 분석해 본 결과 #13~#12에서는 1.15 mm, #12~#11에서는 0.96 mm의 ginviva의 증가가 있었다(**그림 3-5-28**).

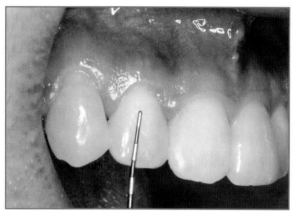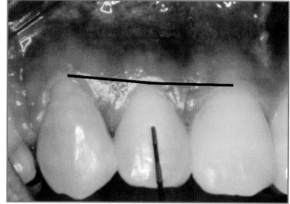

그림 3-5-27

그림 3-5-28

> **교훈**: 증례 1 참고.

증례 3: Black triangle이 생긴 경우는 어떻게 하나요? (3):
– 치조골 손실이 있는 경우.

환자의 주소: 앞니 사이의 벌어진 부위를 메우고 싶다.

현증: 54세 여자환자로 상악 중절치 사이에 약 1.7 mm의 space가 존재하였다(**그림 3-5-29**). 탐침 시 출혈 소견은 없으나, 방사선사진 상 약 2.4 mm의 치조골 소실을 나타내고 있었으며 전체 root 길이의 약 10%에 해당(**그림 3-5-30**). Contact point로 예상되는 지점부터 alveolar bone까지의 거리도 6 mm 이상이 될 것으로 예상.

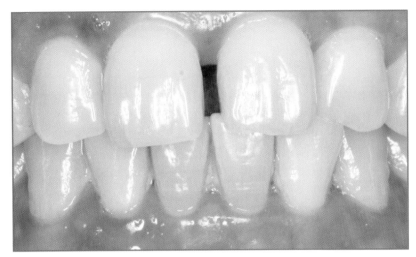

그림 3-5-29

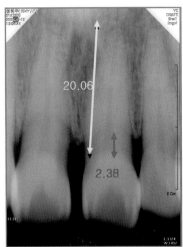

그림 3-5-30

치료계획: 복합레진을 이용한 diastema closure: 심미적인 문제에 지장이 되지 않는 한 최대한 contact point를 낮추어서 시행하기로 함.

치료의 진행: 환자에게는 black triangle의 문제를 설명하고 완전히 해소되지 않을 가능성을 설명하였다. 통법에 의하여 복합레진 충전을 시행하였다(**그림 3-5-31, 32**). Black triangle이 발생하였으며, 치료 후 방사선사진 측정 결과 치조골 정상으로부터 contact point까지의 거리가 약 6.1 mm로 나타남(**그림 3-5-31**). 치료 1개월 후 black triangle이 감소되었지만 아직 남아 있는 상태(**그림 3-5-33**).

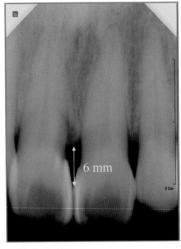

그림 3-5-31

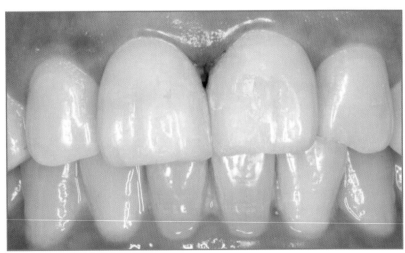

그림 3-5-32

치료 6개월 후 black triangle이 술 후 1개월 때보다 다소 소실되었지만 잔존하고 있는 상태(**그림 3-5-34**).

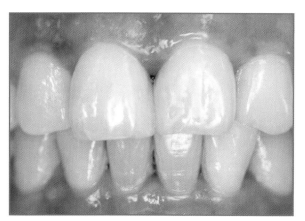

그림 3-5-33

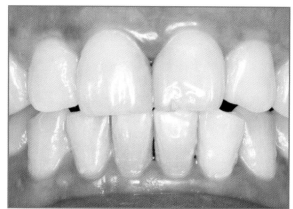

그림 3-5-34

교훈: 치조골의 소실 정도가 interdental papillae의 증식과 밀접한 관계에 있기 때문에 술 전 분석을 통해 그 정도를 알아내어 이에 대비하는 것이 중요하다. 본 환자의 경우 치조골의 소실 때문에 예상했던 대로 black triangle이 완전히 해소되지는 못하였다. 하지만, 치료계획에서부터 이를 미리 대비하여 치료하고, 환자를 교육시켜서 제한된 조건에서 비교적 좋은 결과를 얻었다고 생각된다. 증례 1, 2에서 대개 1~2개월 정도가 지나면 black triangle이 완전히 없어지는 데 비하여, 본 증례에서는 6개월까지 완전히 없어지지 않은 채로 있었다. 앞으로 어떻게 변할지 계속 관찰할 예정이다. 나머지 내용은 증례 1을 참고해 주기 바란다.

증례 4: 간단한 교정치료를 동반한 diastema closure: Dr. 방난심 증례.
　　　　– 치조골 흡수가 심하고, 상악 4전치의 간격이 일정하지 않은 경우.

환자의 주소: 앞니가 벌어지고 때운 것이 떨어졌다.
현증: #11과 #21 사이에 약 3.5 mm의 space가 있고, 치주 상태가 좋지 않음(**그림 3-5-35**).

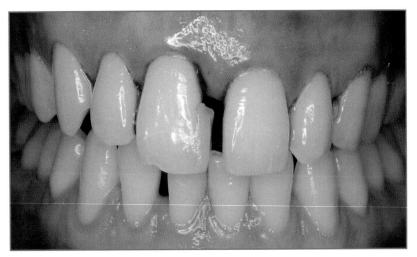

그림 3-6-35

#11은 복합레진이 부분적으로 붙어 있으나, #21은 완전히 탈락된 상태.
상악 중절치 부위의 bone resorption 많이 진행된 상태(**그림 3-5-36**).

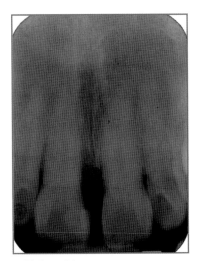

그림 3-5-36

Space 분석결과 중절치 부위에 space가 지나치게 넓어, 이 부위만 치료할 경우 심미적 부조화 초래가 예상됨.

치료계획: 간단한 교정력을 첨가 · 이용하여 상악 중절치 간의 간격을 줄인 후, #12, #11, #21, #22에 복합레진을 이용한 space closure.

치료의 진행: 교정용 separation ring을 이용하여 space를 재분배 함

#12와 #11, #22와 #21 사이에 교정용 elastic separating ring을 장착하여(**그림 3-5-37**)

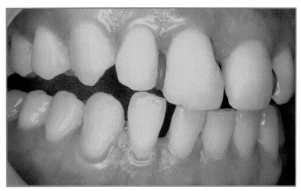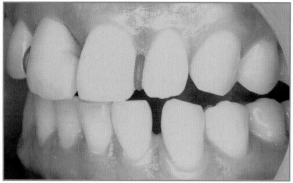

그림 3-5-37

중절치 사이의 간격이 줄어들고, 좌, 우 측절치의 근심에 간격이 생김(**그림 3-5-38**).

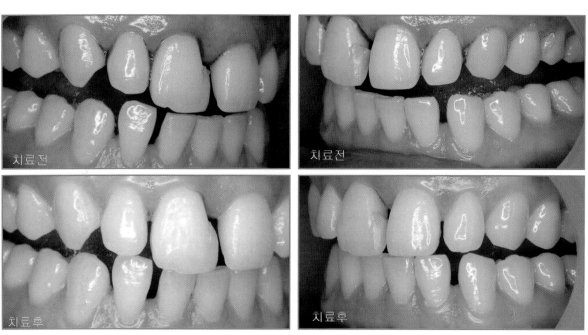

그림 3-5-38

복합레진으로 치아 사이의 간격을 수복(**그림 3-5-39**).
수복 후 치주상태가 많이 개선됨.

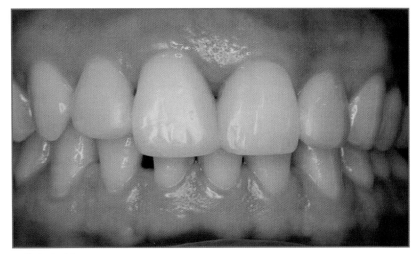

그림 3-5-39

Black triangle은 6개월까지 소실되지 않음(**그림 3-5-40**).

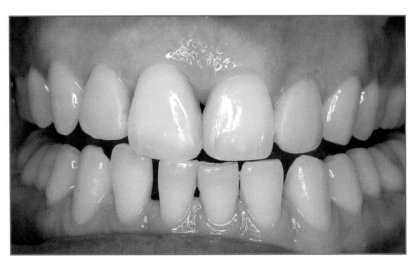

그림 3-5-40

교훈: Minor tooth movement를 효과적으로 이용한 증례이다.

환자의 전반적인 치주 상태에 비하여 상악 중절치 부위의 치주 상태가 많이 좋지 않은 이유가 잘못된 수복물에 의한 영향도 있었을 것으로 추측할 수 있다. 적절한 수복치료를 통하여 치주상태도 매우 좋아졌음을 알 수 있다.

하지만 중절치 부위의 심한 치조골 흡수 때문에 결국 black triangle은 완전히 없어지지 않았다.

VI. 복합레진을 이용한 Direct Composite Facing

1. 필수지식

전치부 우식 부위가 비교적 큰 경우, 또는 기존의 복합레진 수복 부위에 변색이 심해진 경우에 많은 임상의들이 세라믹을 이용한 라미네이트 술식이나 크라운을 선호한다. 하지만 복합레진을 이용한 direct facing 술식이 때로 매우 유용한 경우가 많은데, 이 술식이 필요한 이유는 다음과 같은 두 가지 사실에 기초한다.

첫째, 간접수복에 비하여 직접 수복의 접착강도가 높다.

둘째, 복합레진으로도 포세린에 근접한 심미적인 효과를 낼 수 있다.

다수의 전치부 치아를 치료해야 하며, 치아 삭제의 많은 부분을 법랑질에 국한시킬 수 있다면 포세린을 이용한 라미네이트가 가장 보편적인 치료 방법이라고 할 수 있다. 하지만 와동의 많은 부분에 상아질이 노출된 경우도 있는데, 이런 경우가 복합레진을 이용한 direct facing 치료의 좋은 적응증이 된다고 할 수 있다. 더욱이 다수의 치아가 아닌 한, 두 개의 치아를 치료해야 하는 경우라면 복합레진이 훨씬 유용할 경우가 많다. 왜냐하면, 하나의 치아를 수복해야 하는 경우, 복합레진을 이용하여 직접 인접치의 색을 보면서 색을 선택하는 것이 기공실에서 만들어 오는 포세린보다 쉽게 색을 조절할 수 있는 경우가 많다. 와동의 많은 부분이 상아질인 경우, 접착력을 높이고, 혹시 부분적으로 탈락되더라도 쉽게 repair 할 수 있는 복합레진을 이용하는 것이 합리적이라 생각된다.

작은 치아에서 유지력을 얻어야 하는 경우, 간접 수복법보다는 직접 수복법이 올바른 방법이라고 할 수 있다.

많은 경우에 사용되는 기법은 아니지만, 위와 같은 경우에는 효율적으로 사용할 수 있는 방법이다.

1) 색의 선택

치경부, 치관의 중간 부위, incisal edge 부위에 복합레진을 위치시키고 광조사시켜서 가장 근접한 복합레진의 색조를 선택한다(**〈2장 II. 색의 선택〉 편 참고**).

2) 치수의 보호

필요한 경우 Ca(OH)$_2$, MTA 등을 사용한다. 단 MTA의 경우는 전치부에 사용 시 변색의 문제가 있기 때문에 주의가 필요하다.

3) 와동 삭제와 bevel

최소한의 삭제를 원칙으로 한다. 우식 부위와 soft dentin을 다 제거하고, 모든 법랑질을 포함하여 bevel을 형성한다.

4) Cord packing

Gingicord를 치은열구에 삽입하여 치은의 변연을 약간 내려줘서 치경부의 변연을 노출시키고, 치은열구액(gingival fluid)으로부터의 오염을 막아준다.

5) 올바른 접착 〈I〉: 법랑질만 노출되어 있는 경우

30~40% 인산을 이용하여 법랑질을 30~60초간 산 부식시킨다.

그 후 접착제를 바르고 광조사시킨다.

3-step etch& rinse system이나 2-step self etching system을 사용하는 경우, primer는 필요 없고, 바로 접착제(bonding agent)를 사용하면 되고, 2-step etch & rinse system에서는 접착제를 되도록 여러 번 도포하여 너무 얇게 도포되지 않게 한다. 법랑질만 노출되어 있다면, etch& rinse system을 사용할 경우 wet bonding은 필요 없다.

6) 올바른 접착 〈II〉: 노출된 상아질이 있는 경우 (〈2장. V. 상아질 접착제〉 편 참고)

(1) Wet bonding 기법 이용 시

가) 법랑질과 상아질의 산 부식

30~40% 인산을 사용하는 경우 먼저 법랑질 부위에 위치시키고, 약 20초 경과 후 상아질 부위에 산을 위치시키고 30초가 경과하였을 때 전체적으로 수세한다. 이렇게 하면 법랑질은 30초 상아질은 10초 산 부식을 한 결과가 된다. 상아질에 대한 과도한 산 부식은 후에 여러 가지 complication

의 원인이 되므로 산 부식 시간이 10초 내외가 되도록 주의한다.

10~15%의 인산을 사용하는 경우, 대개의 제품들이 점도가 낮아 법랑질이나 상아질의 특정부위를 산 부식시키기가 어렵다. 그래서 이 경우는 와동에 약 15초간 전체적으로 산을 위치시키고, 법랑질 부위를 문질러 주어서 산의 침투를 높이도록 한다.

나) 법랑질의 산 부식 확인, 상아질의 rewetting 및 접착

산 부식한 치아를 건조하여, 와동 주위의 법랑질이 제대로 산 부식이 되었는지 확인하여 필요하면 추가적으로 법랑질의 산부식을 시행한다. 적절히 산 부식되었으면 과도한 수분이 제거된 wet cotton을 이용하여 와동면을 가볍게 두드려줘서 rewetting시킨다. 그 후 primer와 adhesive를 차례로 도포하고 광조사한다. Primer와 adhesive가 같이 들어 있는 2 step의 etch & rinse system의 경우는 여러 번 도포하여 너무 얇아지지 않게 주의하여야 한다.

(2) 2-step self etching primer 이용 시

가) Etching

대부분의 회사들이 추가적인 산 부식이 필요없다고 하고 있지만, 이 경우 수복물 주위의 변연변색이 많이 관찰되었다. Self etching primer의 경우 법랑질 부위의 접착능력이 아직까지 문제가 되고 있기 때문에, 되도록이면 법랑질 부위만 추가적으로 30~40%의 인산을 이용하여 산 부식하는 것이 바람직하다.

나) Priming

제품에 따라 적용시간이 다르지만 대개 20~30초 범주에 해당된다. 적용시간을 철저히 지키도록 노력하여야 하며, 특히 짧은 경우 부적절한 접착에 의한 문제가 발생할 수 있다. Primer의 적용이 끝난 후에는 완전히 건조시킨다. Self etching primer의 용매는 물이기 때문에 이것을 완전히 없애 주어야 소수성인 adhesive가 접착을 할 수 있다.

Primer가 이미 산부식된 법랑질 표면에 닿아도 문제가 없다.

다) Bonding

완전히 건조된 표면에 접착제를 도포하고 광조사한다. 접착제가 너무 얇아지지 않도록 주의한다.

7) 복합레진 충전

선택한 색을 참고로 하여 복합레진 충전을 한다.

두께가 얇게 복합레진을 충전해야 하는 부위가 많은 만큼 미술용 붓이나 특별한 기구를 사용하면 매우 편하다(Optrapad, Ivoclarvivadent, 《3장. VII.유용한 기구 및 재료》편 그림 3-7-1, 2 참조)).

8) 마무리 및 연마(《2장. IX. 마무리 및 연마》편 참고)

보통 bur의 표면에 노란 이나 흰색 띠가 둘러져 있는 표면 조도 40 um 이하의 high speed bur와 Soflex (3M ESPE) 등의 disk를 사용한다. 납짝한 diamond tip이 앞, 뒤로 움직이는 저속의 Eva system 등도 치은 변연, 인접면 쪽을 마무리하는데 도움을 준다.

전치부 순면의 특별한 texture 등이 필요한 경우, fine bur를 이용하여 형태를 준 후 polishing paste가 포함되어 있는 brush를 이용하여 마무리하여 준다(《2장 IV. 마무리 및 연마》편의 그림 2-80 참조).

2. 임상증례

증례 1: 오래 전에 치료한 복합레진 facing의 재치료

환자의 주소: 특별한 불편함은 없지만 어금니에 충치가 있다는 설명을 듣고 내원

현증: 14, 24, 33, 34, 43, 44, 45 기존 수복물의 탈락 또는 변색 (**그림 3-6-1**).

(수년 전 개인 병원에서 치료했지만 정확하게 언제 했는지는 알지 못할 정도로 오래 되었다고 함)

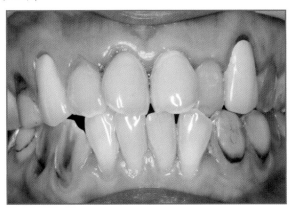

그림 3-6-1

우측 부위의 교합은 소구치 부위에서 긴밀하였고(**그림 3-6-2**), 좌측 부위는 소
구치 부위에서 반대 교합의 양상을 나타내었다(**그림 3-6-3**).

치료계획: Direct Resin facing: 14, 24, 33, 34, 43, 44

Polishing: 45

치료의 진행: 남아 있는 변색된 복합레진을 제거하였으며, 구강에 오랫동안 노출
된 치아의 상아질(43, 44)도 약간 제거한 후 복합레진 facing을 이용하여 치료를
시행(**그림 3-6-4, 5**).

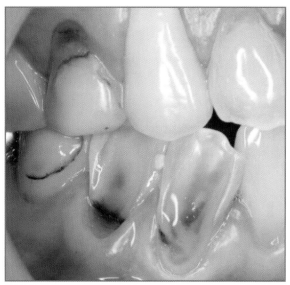

그림 3-6-2

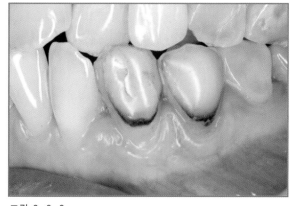

그림 3-6-3

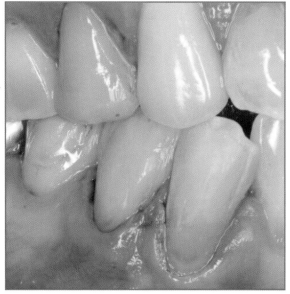

그림 3-6-4

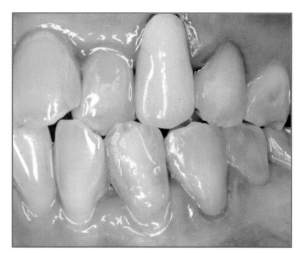

그림 3-6-5

교훈: 비록 많이 변색되고, 일부 탈락되기는 했지만 오래 전에 시행한 복합 레진 치료는 정말 좋은 방법이었다고 할 수 있다. 아마 이전의 치과의사 선생님께서는 환자의 긴밀하고 cross-bite를 나타내는 교합관계, 소구치와 견치 영역, 노출된 상아질의 영역 등을 고려하여 복합레진을 이용한 직접수복이라는 결정을 내렸을 것이다. 치아는 추가적인 삭제가 거의 없이 다시 수복치료를 통하여 사용할 수 있게 되었다. 만약 이와 같은 경우 직접법에 의한 복합레진 facing이 아니라면, crown을 해야 했을 것이라 사료되며, 간접법에 의한 porcelain laminate 등은 결코 오래 사용하지 못하고 쉽게 탈락했을 것이다. Crown을 하기에는 치아가 너무 건강하다.

증례 2: Conical shape 상악 측절치의 치료.

환자의 주소: 앞니 모양이 이상하다.
현증: 12, 22 왜소치(**그림 3-6-6, 7**).

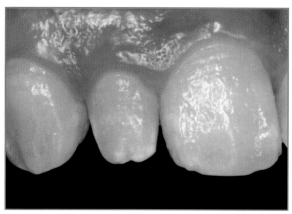

그림 3-6-6

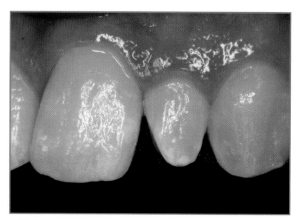

그림 3-6-7

치료계획: 복합레진을 이용한 direct resin facing.

치료의 진행: 복합레진을 이용하여 12, 22의 facing을 시행하였다(**그림 3-6-8~11**).

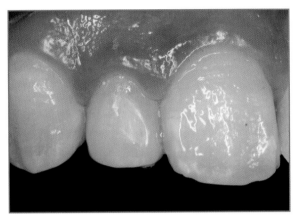

그림 3-6-8

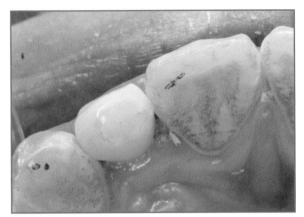

그림 3-6-9

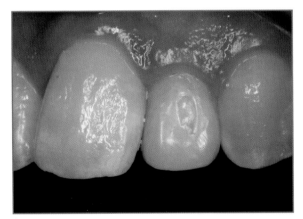

그림 3-6-10

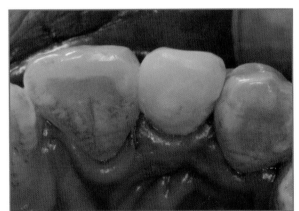

그림 3-6-11

교훈: 이와 같은 치아는 포세린 라미네이트로도 치료할 수 있을 것이다. 하지만 증례에서 보는 바와 같이 복합레진을 이용하여도 충분히 심미적으로 치료할 수 있다. 또한 부가적으로 얻을 수 있는 접착력의 증가도 이 방법의 장점이라고 할 수 있다.

증례 3: 5급 와동의 수복과 direct resin facing을 이용한 치료.

환자의 주소: 앞니가 썩은 것 같다(#21, #22).

현증: (**그림 3-6-12, 13**)

#21: cold(+,++), per(−), mob(−), probing(3 mm 이하), 치경부 깊이 치경부 병소 존재,

#22: cold(+,++), per(+), mob(−), probing(3 mm 이하), 치경부 깊이 치경부 병소 존재.

치료계획: #21: flap 하에 치경부 복합레진 수복 후 직접법을 이용한 복합레진 facing.

#22: flap 하에 치경부 복합레진 수복.

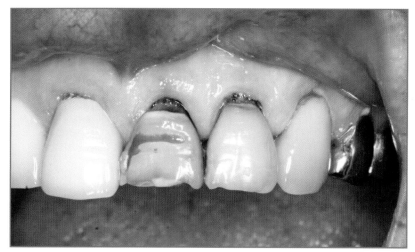

그림 3-6-12

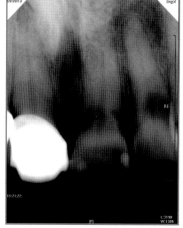

그림 3-6-13

치료의 진행:

1차 치료: #21, #22: Flap 하에 치경부 복합레진 수복(**그림 3-6-14~21**).

2차 치료: #21 치아의 복합레진 facing(**그림 3-6-22~30**).

〈1차 치료〉

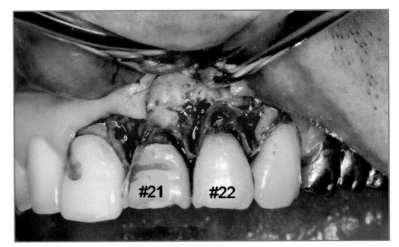

그림 3-6-14 Full flap reflection

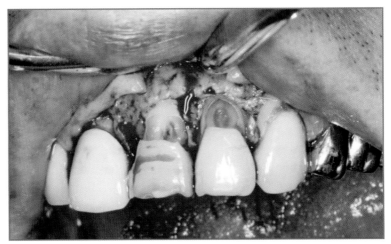

그림 3-6-15 Caries removal (#21, #22)

그림 3-6-16 Rubber Dam & retraction clamp

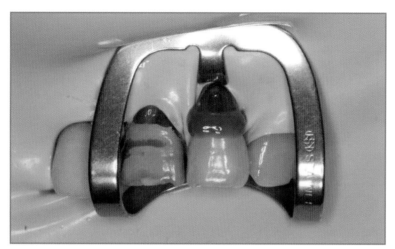

그림 3-6-17 Selective ctching on enamel, #22

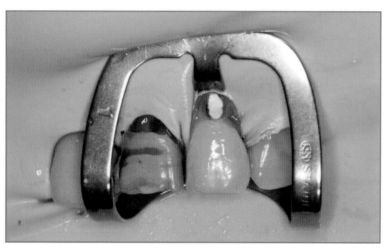

그림 3-6-18 CHX irrigation + Dycal application
Clearfil Se bond + Tetrie Ceram A3.5(#22)

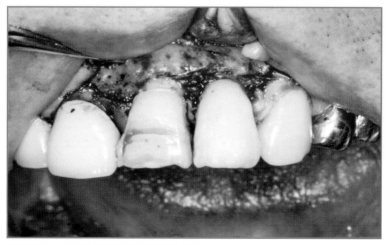

그림 3-6-19 #21도 #22와 같은 과정으로 치료

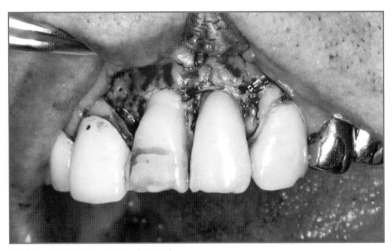

그림 3-6-20 Resin polishing (#21, #22)

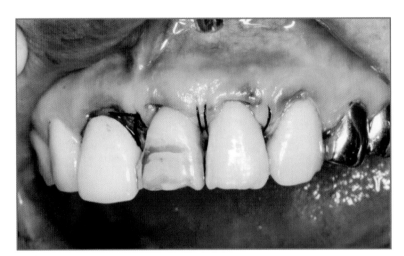

그림 3-6-21 Suture with 4-0 mersilk

〈2차 치료〉

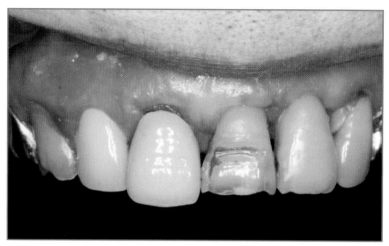

그림 3-6-22 S) 불편한 점 없었다.
O) Ice (+), #21, 22

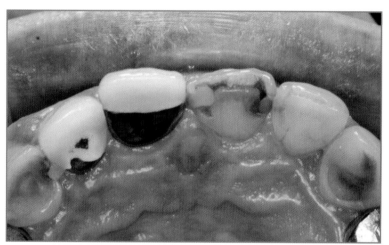

그림 3-6-23 교합면에서 본 모습

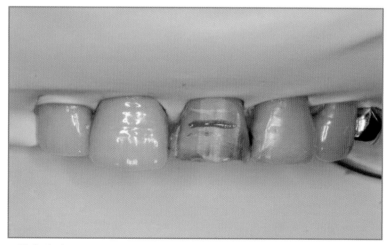

그림 3-6-24 Rubber Dam & composite facing을 위한 preparation.

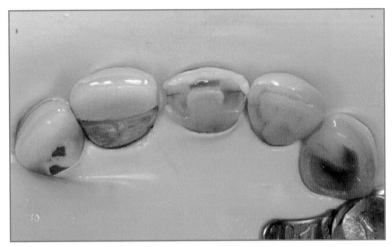

그림 3-6-25 Caries removal

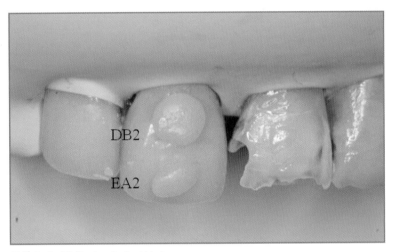

그림 3-6-26 Shade selection : Mock-up

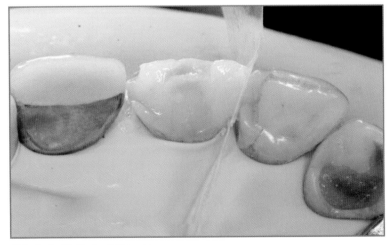

그림 3-6-27 Proximal : Mylar strip

그림 3-6-28 Buccal : Brush

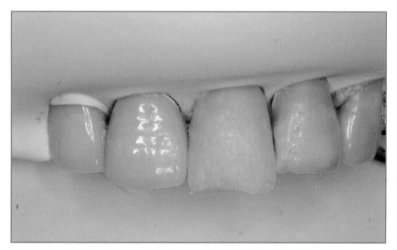

그림 3-6-29 Cervical : sandblast + monobond-s + heliobond
Incisal : sEtch + Se-bond + Tetric Ceram(DB2 + E(B3 + A2 + A1))

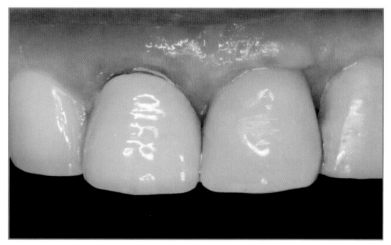

그림 3-6-30 마무리 및 연마 후

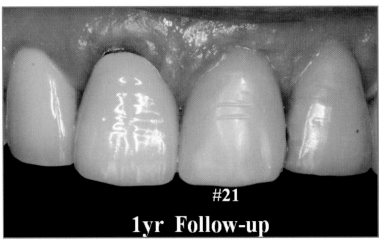

그림 3-6-31 1년 후 follow-up 사진

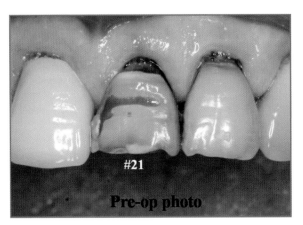

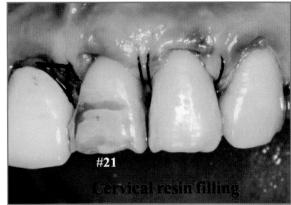

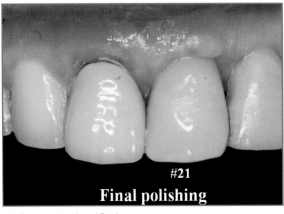

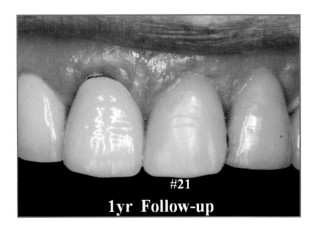

그림 3-6-32 치료 전후 비교

교훈: #21 치아를 어떻게 치료하느냐가 가장 핵심적인 내용인 것 같다. #21 치아는 치경부 병소도 있고, 치관부의 손상도 많은 편이지만, 치아의 생활력은 정상적으로 유지되고 있었다. 치경부 병소가 치은 아래로 얼마나 진행하였는지는 탐침을 통하여 알아낼 수가 있었는데, #21, #22 모두 flap을 통하여 치료할 필요가 있었다.

치경부 병소를 먼저 치료한 후, #21 치아우식, defect 등을 제거해 보니 사용할 수 있는 법랑질의 양이 매우 제한적이었다. 따라서 간접법을 이용한 porcelain laminate보다는 직접법에 의한 레진 facing이 유리하다고 판단되었다.

#11과 차이는 조금 있지만, 환자는 심미적으로 대체로 만족하였으며, 치아의 민감증도 없어졌다. 주기적으로 vitality의 검사가 필요하다.

증례 4: 복합레진을 이용한 다수치아의 전치부 facing.

환자의 주소: 이전에 치료한 앞니의 수복물 색이 맞지 않고, 깨진 부위가 있다. (28세 남자) **(그림 3-6-33)**.

과거 치과력: 10여년 전 개인 병원에서 충치 치료를 받았고, 추가적인 우식의 발생으로 3년 전 복합레진 치료를 받음.

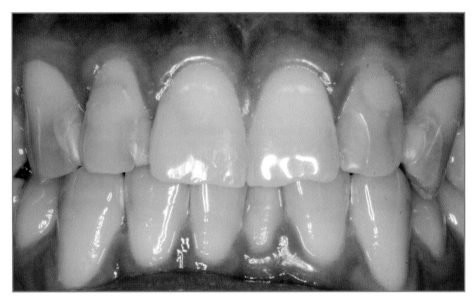

그림 3-6-33

현증: **(그림 3-6-34∼36)** 치아우식(#12 distal)

수복물 및 치아의 변색(#13, 12, 21, 22, 23)

부적절한 치아의 형태(#13, 21)

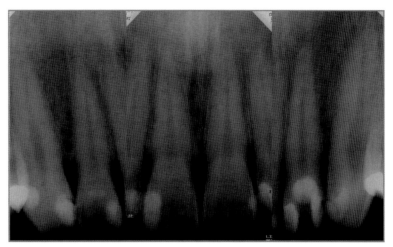

그림 3-6-34

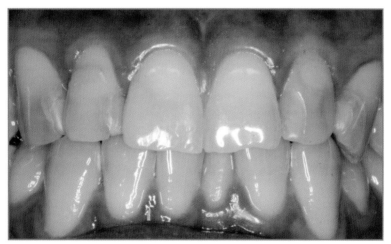

그림 3-6-35

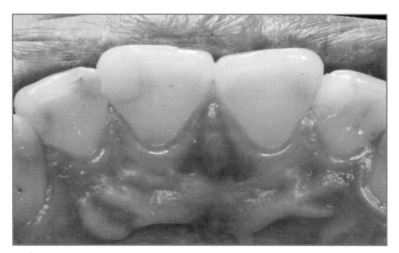

그림 3-6-36

치료계획: Direct composite resin facing : #13, 12, 21, 22, 23
치료의 진행:

  1. Wax carving을 통한 형태 재현(**그림 3-6-37**).

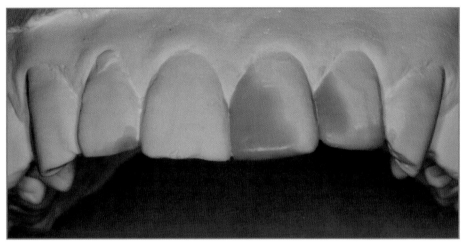

그림 3-6-37

  2. 기존의 복합레진을 제거하고 수복할 복합레진 색을 선택하기 위해 치아 부위에 복합레진을 직접 위치시키고 광중합시켜서 색을 평가함(**그림 3-6-38, 39**).

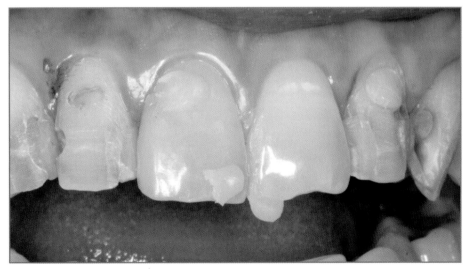

그림 3-6-38

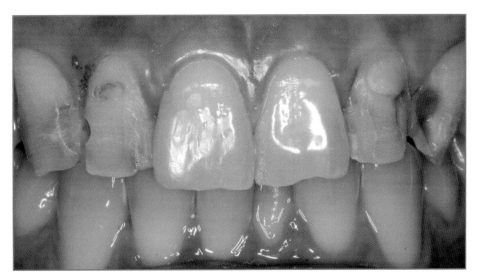

그림 3-6-39

3. 복합레진을 이용하여 수복하는 과정(**그림 3-6-40**).

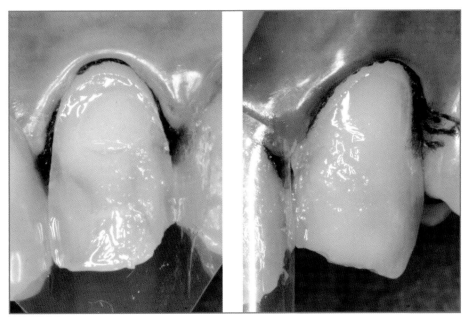

그림 3-6-40

4. 1차 평가: #13 치아가 #23 치아에 비해 undercontour 되어 있고, #12의 원심
   측은 너무 overcontour 되어 있다(**그림 3-6-41**).

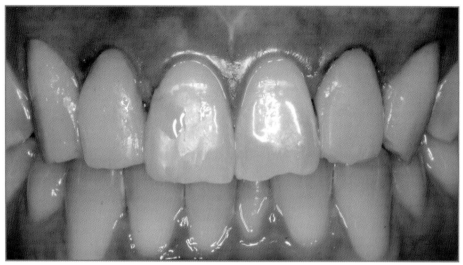

그림 3-6-41

5. 형태의 조정: 전체적인 색조 및 형태가 조화를 이룸(**그림 3-6-42**).

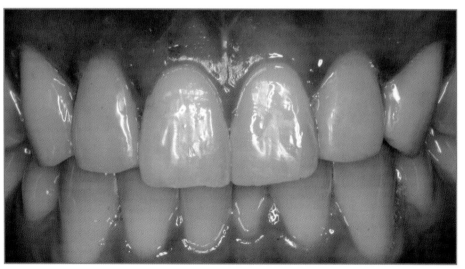

그림 3-6-42

6. Final Polishing: 적절한 표면광택이 부여되었으며, 환자는 결과에 매우 만족함(**그림 3-6-43**).

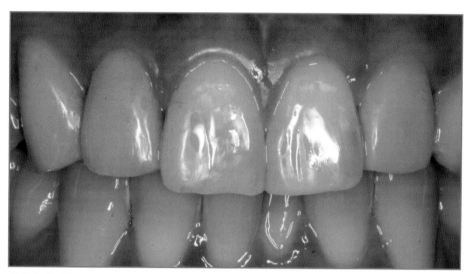

그림 3-6-43

교훈: 이런 환자에 대해 일반적으로 포세린 라미네이트나 PFM, Zirconia 등을 이용한 Crown을 이용하여 치료하는 경우가 제일 많을 듯 싶다. 하지만 X-ray나 임상사진에서 보는 바와 같이 여러 부위에 이미 복합레진 충전이 되어 있고, 많은 상아질이 노출되는 상황에서는 비록 상아질 접착제와 silane 등을 사용한다고 해도 포세린 라미네이트의 성공률은 저하될 것이다. 그렇다고 아직 28세의 젊은 환자에서 이 정도 치아에 크라운을 하는 것도 너무 과한 치료라는 느낌을 지울 수 없다. 이러한 의미에서 복합레진을 이용한 direct facing은 좋은 치료대안이 될 수 있을 것 같다. 얼룩덜룩한 치아 색과 복합레진 색을 개선하기 위해서는 되도록 자연치아 부위에 넓게 bevel을 줄 필요가 있었고, 결국 자연치의 순면 부위의 거의 대부분을 cover하게 되는 direct facing 기법으로 치료하게 되었다. 정기적인 recall check-up을 이용해 복합레진 표면을 polishing하여 주고, 변연에서 발생할 수 있는 변색을 제거해 주는 것이 중요할 것이다.

Q 복합레진을 이용하여 direct facing하게 되면 표면이 거칠어지거나 변색될 우려는 없나요?

광중합형 복합레진의 특성상, 시간이 지나면서 복합레진 표면이 약간 거칠어지거나, 초기의 표면광택이 떨어지고 변연 쪽에서 변색이 발생할 수 있습니다. 그런데 복합레진의 가장 큰 장점 중 하나는 정기적인 check-up의 과정을 통하여 polishing하여 줌으로서 이러한 것을 조절할 수 있다는 것입니다. 물론 환자에게도 이러한 점을 강조해야 합니다. 복합레진 충전 후 6개월~1년 후 반드시 recall 하도록 하며, 그 후에는 적어도 1년에 한 번씩 치과를 방문하게 하고 수복물을 조절해 줍니다.

초기 1~2년 동안 생기는 문제를 잘 조절하여 주면, 그 후에는 크게 눈에 띄는 문제는 잘 생기지 않는 것이 보통입니다.

VII. 유용한 기구 재료

1) 붓(그림 3-7-1)

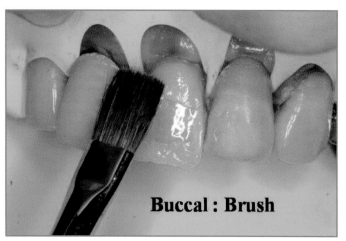

그림 3-7-1　중합시키기 전에 수복물의 대체적인 외형을 잡는데 도움을 준다. 특히 복합레진을 이용하여 4급 와동 수복을 하거나 facing을 하는 경우 편하게 사용할 수 있다. 사용 후에는 알코올이나 아세톤 용액을 이용하여 붓 표면에 남아 있는 복합레진을 깨끗이 제거하여 주는 것이 좋다. 접착제 등을 묻혀서 사용해도 되지만 이 경우, 1-step self etching system의 접착제는 피하는 것이 좋다.

2) Optrapad (Ivoclar vivadent) (그림 3-7-2)

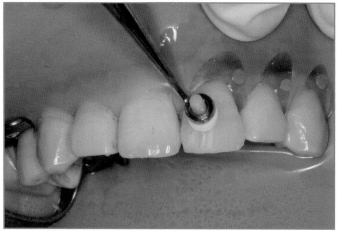

그림 3-7-2　붓과 같은 용도로 사용할 수 있을 뿐만 아니라. 수복물을 눌러 줄 수 있어서 더 편한 점이 있다. 크기가 큰 것과 작은 것이 있어서 작은 와동에도 편하게 사용할 수 있다. Ivoclar vivadent 제품으로 국내에서는 오스템에서 판매하고 있다.

3) Optrasculpt (Ivoclar vivadent) (그림 3-7-3)

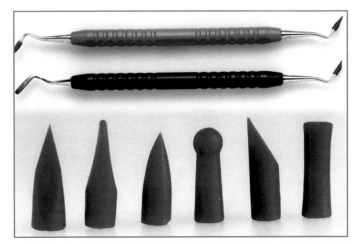

그림 3-7-3 기구에 복합레진이 달라 붙어 불편한 경우가 있는데, 이것을 사용하면 그러한 불편함이 없다. 기구에 여러 가지 모양의 실리콘 재질 tip을 끼워서 사용한다. 전치부 뿐만 아니라, 구치부에도 편하게 사용할 수 있다. 국내에서는 오스템에서 판매한다.

4) Stop Matrix (Kerr) (그림 3-7-4)

그림 3-7-4 Mylar strip인데 한 쪽이 두껍게 되어 있어서, 치아 사이에 걸고 당길 수 있어서 매우 편하다. Diastema 등을 시행할 때, 그림과 같이 치아 사이에 걸고 당길 수가 있어서, wedge 없이도 중절치 사이를 벌릴 수 있어 black triangle 등을 막는데 도움을 줄 수 있다. Kerr 제품으로 국내에서는 신흥에서 판매하고 있다.

Chapter

4

복합레진을 이용한 구치부 직접수복

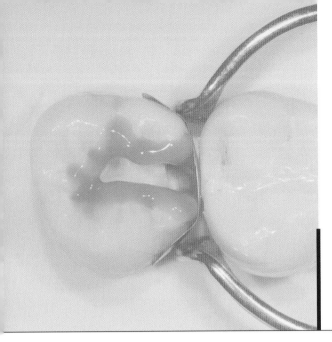

Chapter *4*

복합레진을 이용한 구치부 직접수복

I. 구치부 복합레진 수복의 필수 지식

1. 필수 지식

1) 구치부 복합레진 수복과 전치부 복합레진 수복의 차이점

전치부에서 복합레진하는 것과 같은 기분으로 구치부에 복합레진을 하고 나서, 환자로부터 술 후 민감증이 생겼다는 불평을 들었다는 말을 자주 들었다. 구치부 복합레진의 환경은 전치부에서와 다른 점이 몇 가지 있으며, 이러한 것을 간과하여 수복을 하였을 경우, 술 후 민감증이 나타날 수 있다.

전치부와 구치부 복합레진의 차이를 이해하기 위하여 다음과 같은 점에 관한 기본지식이 필요하다.

(1) C-factor

C- factor란 (접착된 면의 면적)/(접착되지 않은 면의 면적)이라고 정의한다(**그림 4-1-1**). 예를 들면 **그림 4-1-1**에서 정육면체의 면 중 1면만 접착이 되고, 5개의 면이 접착이 되지 않았다면 C-factor는 1/5이 된다. **그림 4-1-1**에서 보는 바와 같이 전치부의 수복은 일반적으로 C-factor가 낮은 편이고, 구치부의 수복은 C-factor가 높은 편이다.

C-factor가 높을 경우에는 접착되는 면이 상대적으로 넓어지기 때문에 유지력은 충분해지는 반면에, 복합레진의 중합수축에 의한 영향도 상대적으로 많이 받

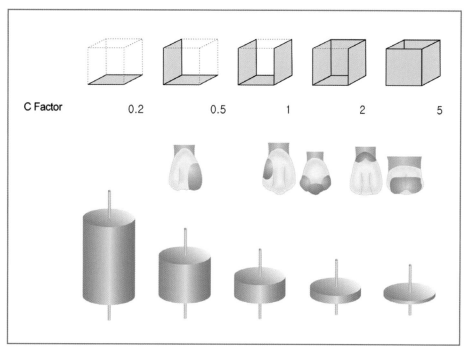

그림 4-1-1
C-Factor (접착된 면의 면적)/(접착되지 않은 면의 면적).

게 된다. C-factor가 낮은 경우는 반대로 중합수축에 대한 영향은 줄지만, 접착면적이 상대적으로 작기 때문에 수복물의 유지력에 문제가 생길 수 있다.

이러한 이유로 전치부의 수복에서는 수복물의 유지력을 높이기 위해, 구치부 1, 2급 와동의 수복에는 중합수축에 의한 영향력을 되도록 적게 받게 더 노력을 해야 한다. 따라서 전치부 수복에서는 충분한 법랑질을 이용하여 유지력을 최대로 올리도록 노력을 하는 것이 중요하며, 구치부 수복에서는 앞으로 설명될 다양한 방법을 이용하여 중합수축의 응력에 대한 영향을 최소로 하는 것이 중요하다. 이것이 제대로 되지 않았을 경우 구치부 수복 후 complication이 나타나게 된다.

(2) 해부학적인 특징(법랑질 소주의 방향)

2급 와동의 인접면의 일부 치경부 변연을 제외하고는 구치부 1, 2급 와동의 모든 변연은 법랑질에 위치한다. 교합면에서는 법랑소주의 방향 때문에 와동의 크기가 크지 않은 경우에는 따로 bevel을 부여하지 않아도 되지만 와동의 크기가 큰 경우에는 bevel을 주어야 한다(**그림 4-1-2**). Bevel의 넓이, 깊이는 교합 상태를 고려하여야 할 것이다. 2급 와동의 인접면에서는 치아의 외면과 60~80도를 이루도록(남아 있는 치질쪽에서는 100~120도를 이루도록) 와동 삭제를 하면 자연

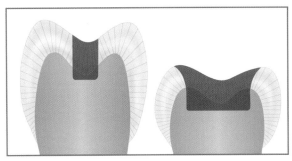

그림 4-1-2
와동의 크기가 좁은 경우는 따로 bevel을 부여하지 않아도 법랑질 소주의 방향 때문에 bevel을 부여한 것과 같은 모습이 된다. 하지만 와동의 크기가 넓은 경우는 bevel을 부여해야 하는 경우가 많아진다.

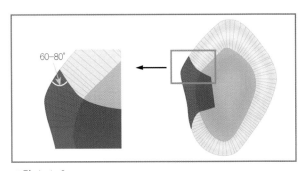

그림 4-1-3
인접면 와동의 삭제 각도는 치아의 외면과 60~80도를 이루도록(남아 있는 치질쪽에서는 100~120도를 이루도록) 와동 삭제를 하면 자연스럽게 bevel을 형성한 것과 같은 모습이 된다.

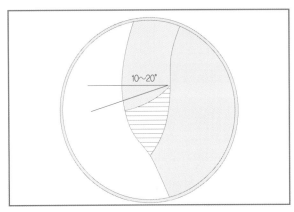

그림 4-1-4
치경부에서는 법랑소주가 평행 또는 약간 바깥쪽으로 경사지게 주행하므로, 가능하다면 30도 이내로 바깥쪽으로 경사지게 와동 삭제를 한다.

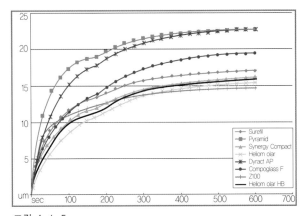

그림 4-1-5
MOD 와동에서 시간에 따른 치아의 교두변위량. 광조사가 끝난 후에도 많은 교두 변위가 발생하는 것을 알 수 있다.

스럽게 bevel을 형성한 것과 같은 모습이 된다(**그림 4-1-3**). 치경부에서는 법랑소주가 평행 또는 약간 바깥쪽으로 경사지게 주행하므로, 가능하다면 30도 이내로 바깥쪽으로 경사지게 와동 삭제를 한다(**그림 4-1-4**).

(3) 교두 변위

2급 와동을 복합레진으로 수복할 경우, 복합레진의 중합수축력에 의하여 교두 변위가 생긴다. 복합레진의 중합수축 양와 탄성계수 등에 영향을 받으며, 와동의 크기가 크면 더 커진다. 한 번에 많은 양의 복합레진을 와동에 넣어 중합시키는 것보다 작은 양을 나누어 중합시키는 것이 교두 변위를 더 적게 일으키며, 직접법으로 복합레진을 수복하는 것보다는 레진이나 포세린 인레이 등을 사용하는 것이 교두변위를 적게 일으킨다. 교두 변위현상이 심해지면, 치아에 미세한 균열 등을 야기시킬 수 있으며, 치아에 대한 민감성도 발생할 수 있다(**그림 4-1-5**).

2) 교합

구치부에는 전치부에 비하여 많은 교합력이 가해진다. 지속적인 교합압은 결국 복합레진과 치아와의 접착계면에 영향을 주게 된다. 일반적으로 구치부 복합레진의 수명은 전치부에 비하여 낮은 경향을 나타난다.

복합레진 중합수축에 의하여 발생하는 응력은 중합수축이 끝난 후에도 치아에 한동안 지속적인 영향을 미치며, 특히 구치부를 수복했을 경우에, 만약 교합까지 높다면, 환자는 더 불편함을 느낄 수 있다. 교두 변위에서 언급한 바와 같이 2급 와동에서는 심할 경우 치아에 미세균열이 발생할 정도로 치아에 가해지는 응력이 높다. 구치부 수복 후에는 특히 교합이 높지 않은지, 치료 전후를 잘 비교하는 것이 중요하다.

3) 복합레진의 양

전치부에 비하여 구치부 수복에서는 일반적으로 많은 양의 복합레진이 사용된다. C-factor도 일반적으로 높아서, 치아에 많은 중합수축의 응력을 발생시킬 수 있다. 복합레진의 양을 줄이기 위해서 광중합형 글라스아이노머 등을 이용한 base를 사용하는 것이 바람직하지만, 이러한 base의 사용은 전체적인 유지력 측면에서는 불리한 요소이다. 따라서 와동이 그리 크지 않아 복합레진의 사용이 많지 않을 경우에는 접착제와 복합레진을 이용하여 유지력을 최대로 높이면서 충전하도록 한다(Total bonding concept). 와동이 깊고 커서, 충분한 접착면을 가지고 있지만, 중합수축의 stress에 의한 영향이 너무 크다고 예상될 경우, glass ionomer base를 이용하여 복합레진의 양을 줄여 준다. Glass ionomer의 치아에 대한 접착강도가 복합레진에 비하여 현저히 떨어지기 때문에, 접착의 관점에서는 다소의 희생이 있지만, 중합 수축의 stress를 줄일 수 있다(Selective Bonding concept). (〈2장 6. 중합수축과 base의 사용〉 참고)

II. 구치부 1급 와동의 수복

1. Total bonding(그림 4-2-1~12)

와동이 작고 깊지 않은 경우에 사용한다. 접착력을 최대한으로 높이기 위하여 와동의 모든 부분을 접착에 이용한다.

그림 4-2-1
Total bonding – 비교적 작고 깊지 않은 크기의 와동에 적용하는 것이 바람직하다. 삭제된 와동의 모습.

그림 4-2-2 적절한 산 처리를 한다.
A. Etch & rinse system을 사용할 경우:
   1) 10~15% 인산용액 사용 시: 법랑질과 상아질 동시에 15초간 처리한다. 이 때 법랑질은 15초간 문질러준다.
   2) 30~40% 인산용액 사용 시: 법랑질 먼저 시작(20초 경과) 후 상아질 적용(5~10초).
B. Self etching primer system을 사용하는 경우: 회사의 주장과 달리 법랑질 부위는 30~40% 인산을 이용하여 산 부식시키는 것이 바람직하다.

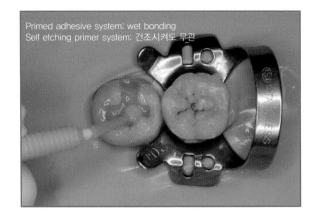

그림 4-2-3
적절한 방법으로 상아질 접착제를 도포한다. Etch & rinse system에서는 wet bonding 기법을 이용하여 상아질 면을 처리하고, 접착제를 도포한다. 접착제 도포 후에는 10~20초간 광중합시킨다. Self-etch system에서는 와동을 먼저 건조시킨 후 primer를 와동에 도포하고, 와동 내에 문질러 주면서 회사 별로 추천하는 충분한 시간이 경과하도록 기다리는 것이 중요하다(20~30초). 그 후 다시 와동 내를 건조시키고 bonding agent를 도포하고 10~20초간 광조사, 광중합시킨다.

1) 와동의 삭제(그림 4-2-1)

치아우식 부위를 모두 제거한다. 와동의 크기가 크지 않은 경우에는 법랑소주의 방향 때문에 따로 bevel을 부여하지 않아도 되지만, 와동의 크기가 큰 경우에는 bevel을 주어야 한다(**그림 4-2-1**). Bevel의 넓이, 깊이는 교합 상태를 고려하여야 할 것이다(**⟨p.189 (2). 해부학적 특징⟩** 참고).

2) 산 처리(그림 4-2-2)

(1) Etch & rinse system을 이용할 경우:

30~40%의 인산을 이용하여 법랑질 부위를 30초 이상 산 부식시킨다. 상아질도 같이 산 부식시킬 때에는 법랑질 부위에 산을 먼저 위치시키고, 20초 후 상아질에 산을 위치시키며, 30초가 경과하면 한꺼번에 물로 세척한다. 이렇게 하여 상아질 부위가 10초 이상 산 부식되는 것을 막아준다. 만약 10~15%의 인산을 이용하여 산 부식시킬 경우에는 법랑질과 상아질에 산을 같이 위치시킨 후 법랑질 부위를 brush로 문질러 주어 산의 침투를 도와 주면서 15초 후에 물로 세척한다(**⟨2장. 상아질 접착제 - 2) Etch & rinse system의 사용⟩** 참고).

(2) Self-etch system을 사용할 경우

법랑질 부위에는 30~40% 인산을 이용하여 법랑질을 산 부식시킨 후 상아질 부위에 self-etching system을 적용한다. 아직까지는 2-step self-etching system을 사용하는 것이 안전하며, primer는 20~30초간 치질에 문질러 주면서 적용하는 것이 좋다. Primer 적용 후 접착제를 도포하고 10~20초간 광중합시킨다.

3) 상아질 접착제 도포(그림 4-2-3)

(1) Etch & rinse system을 이용할 경우

와동의 표면이 적절히 젖어 있는 상태에서 primer (3-step Etch & rinse system) 또는 primed adhesive (2-step etch & rinse system)를 도포해야 한다(**⟨2장 5. 상아질 접착제 - wet bonding⟩** 참고).

3-step etch & rinse system에서 primer를 발라준 후에는 일정시간 경과 후 (10~20초), 와동을 철저히 건조시키고 bonding agent를 발라주어야 한다. 2-step etch & rinse system에서 primed adhesive를 도포한 후, air syringe로 불어서 접착제를 얇게 하는 것보다는 brush를 이용하여 와동 전체적으로 잘 발라줘서 너무 얇아지는 것을 막아 준다. 도포한 상아질 접착제는 10~20초 정도 광중합시킨다. 구치부를 적절히 wet bonding시키는 것은 전치부에서보다 까다로울 수 있다. 익숙하지 않거나, 적용 후 sensitivity 등을 자주 경험하는 임상가

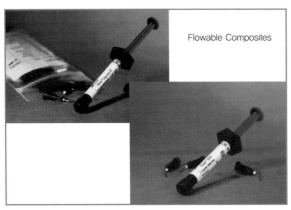

그림 4-2-4
Flowable resin을 이용하여 와동의 내면을 lining한다.

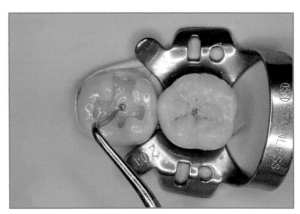

그림 4-2-5
와동의 내면을 lining하고 광조사한다.

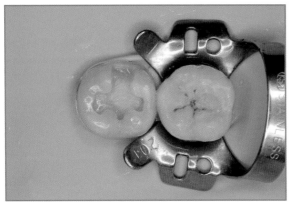

그림 4-2-6
Lining 후의 모습.

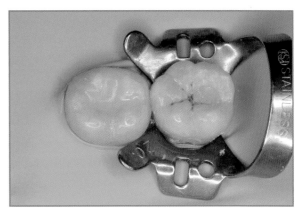

그림 4-2-7
복합레진을 충전하고 광조사한다. 충전 후의 모습.

들은 아래의 self-etch system을 사용하는 것이 좋다.

(2) Self etch system을 사용하는 경우

Primer와 bonding agent가 각각 따로 있는 2-step system을 사용하는 것이 바람직하다. 와동을 먼저 건조시킨 후, primer를 와동에 도포한 후에는 와동 내에 문질러 주면서 회사 별로 추천하는 충분한 시간이 경과하도록 기다리는 것이 중요하다(20~30초). 그 후 다시 와동 내를 건조시키고 bonding agent를 도포하고 광중합시킨다.

4) 복합레진의 중합(그림 4-4~6)

와동 내에 바로 복합레진을 충전하는 것보다는 flowable resin을 이용하여 와동 내를 얇게 lining한 후 복합레진을 충전하는 것이 더 바람직하다고 한다.

복합레진은 한번에 충전하지 않고 2 mm의 깊이로 나누어 충전하는 것이 바람직하다. 동시에 교두의 모습 등을 재현하며 나누어 충전할 수도 있다. 이 때 더 깊은 부위의 복합레진에는 더 많은 시간을 할애하여 광조사시킨다. 예를 들면 4 mm 깊이의 와동을 충전해야 한다면, 위의 2 mm는 20초, 아래 부분의 2 mm는 30초간 광중합시켜야 한다.

5) Finishing & polishing(그림 4-2-7)

Fine (40 um 내외)와 super fine (8 um 내외)의 bur를 이용한다. 그 후 silicone bur, cup 등을 사용하며 최종적으로는 polishing paste가 묻어 있는 brush를 사용한다. 구치부 복합레진에서 특히 교합이 조금만 높아도 환자는 불편함을 느끼기 때문에 교합조정에 세심한 주의를 기울인다. (〈2장 9. 마무리 및 연마〉 참고).

2. Selective bonding(그림 4-2-8~22)

와동이 깊고 커서, 충분한 접착면을 가지고 있지만, 중합수축의 stress에 의한 영향이 너무 크다고 예상될 경우, glass ionomer base를 이용하여 복합레진의 양을 줄여준다.

1) 와동의 삭제(그림 4-2-8)

Total bonding에서와 동일

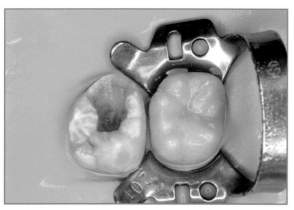

그림 4-2-8
Selective bonding. 비교적 와동이 깊고 큰 경우. C-factor가 높은 경우 사용하는 것이 바람직하다. 와동 삭제 후의 모습.

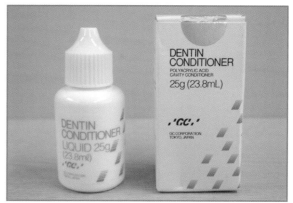

그림 4-2-9
글라스아이오노머를 충전하기 전 치질에 적용하는 conditioner.

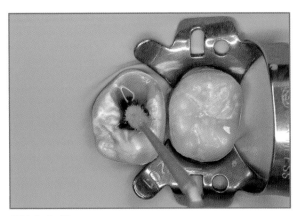

그림 4-2-10
Conditioner 적용 모습.

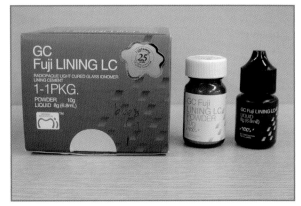

그림 4-2-11
기저재로는 광중합형의 glass ionomer가 바람직하다.

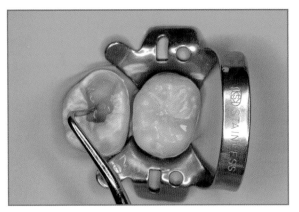

그림 4-2-12
글라스아이노머 적용 모습.

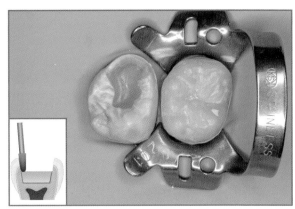

그림 4-2-13
광조사 후 와동벽 및 와동저를 고운 입자의 diamond bur로 다듬어 준다.

2) Base(그림 4-2-9~17)

일반적으로 광중합형 glass ionomer cement를 이용한다. 제품에 따라 미리 conditioner(약산)의 사용을 권하기도 한다. Base의 사용은 복합레진 중합수축의 응력을 감소시키는 작용을 하지만, 너무 많은 양을 사용하면 유지력에 영향을 줄 수 있다. 따라서 충전하는 복합레진이 최소한 2~3 mm 정도는 남아 있고, 주위에 건전한 법랑질과 상아질이 충분히 남아 있을 정도의 양 정도로 도포해야 할 것이다. 글라스아이노머가 중합 후 fine한 diamond bur를 이용하여 와동 내면을 깨끗이 다듬어 준다.

3) 산 처리

Total bonding에서와 동일. 단 광중합형 glass ionomer 충전 부위는 산이 닿지 않도록 하는 것이 바람직하다.

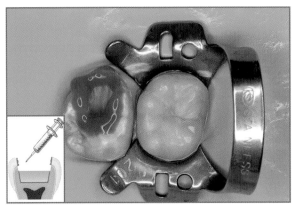

그림 4-2-14
치질에 대한 적절한 산 처리를 한다.
Etching: 10~15% 인산용액: 법랑질과 상아질 동시에, 단 법랑질은
agitation(15초)
Etching: 30% 인산: 법랑질 먼저 시작(20초 경과) 후 상아질 적용(5~10초)
Self etching Primer system: 회사의 주장과 달리 etching이 바람직

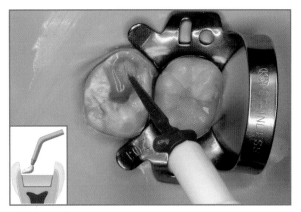

그림 4-2-15
노출된 상아질에 대해 primer를 처리한다.

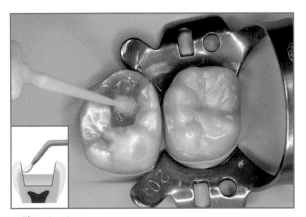

그림 4-2-16
접착제를 도포하고 광조사시킨다.

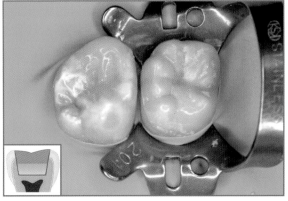

그림 4-2-17
복합레진을 충전한다.

4) 상아질 접착제 도포
Total bonding에서와 동일

5) 복합레진의 중합
Total bonding에서와 동일

6) Finishing & polishing
Total bonding에서와 동일

III. 구치부 2급 와동의 수복

1. Total bonding(그림 4-3-1~8)

1) 와동의 삭제

    (1) 교합면(그림 4-1-2, 4-3-1)

        1급 와동에서와 동일

    (2) 인접면(그림 4-1-3, 4-1-4, 4-3-1)

        법랑소주의 방향을 고려하면, 치아의 외면과 60~80도를 이루도록(남아 있는 치질쪽에서는 100~120도를 이루도록) 와동 삭제를 하면 자연스럽게 bevel을 형성한 것과 같은 모습이 된다(**그림 4-1-3**). 치경부에서는 법랑소주가 평행 또는 약간 바깥쪽으로 경사지게 주행하므로, 가능하다면 30도 정도 바깥쪽으로 경사지게 와동 삭제를 한다(**그림 4-2-4**).

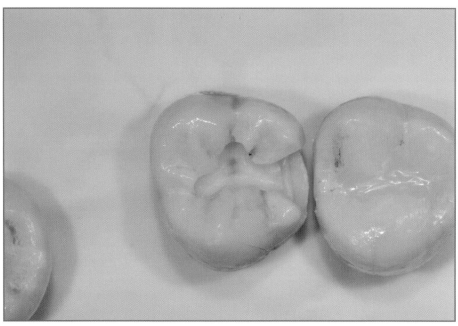

그림 4-3-1　Pre-op
구치부 복합레진 직접수복을 위한 2급 와동 형성. 인접면에서 치아 외형과 이루는 각도는 60~80가 적당하다.

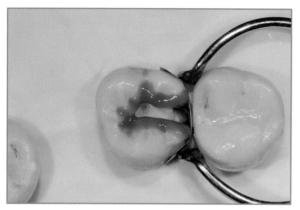

그림 4-3-2 Enamel Etching
법랑질에 대한 산 부식(30~40% 인산의 이용).

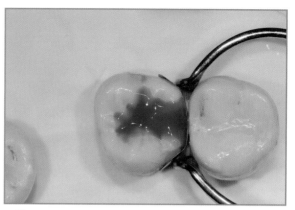

그림 4-3-3 Dentin Etching
상아질에 대한 산 부식. 10~15초 이내가 적당하다.

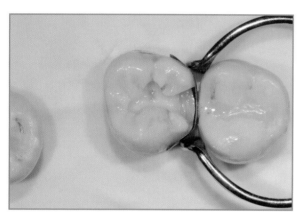

그림 4-3-4   Priming + Bonding (Excite®)
적절히 wet 함. 표면을 유지하고, 접착제를 도포한다.

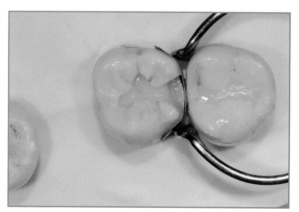

그림 4-3-5   Flowable resin base
치경부와 인접면 변연부, 치수면에 얇게 flowable resin을 도포한다.

2) 산 처리(그림 4-3-2, 3)

인접면의 치경부의 변연부가 법랑질 또는 상아질로 구성되어 있는지 관찰하여 산 부식 방법을 정한다. 그 외에는 1급 와동에서와 동일하다.

3) 상아질 접착제 도포(그림 4-3-4)

1급 와동에서와 동일

4) 복합레진의 충전 및 중합(그림 4-3-5~7)

노출된 상아질 면에 flowable resin을 얇게 도포한다(**그림 4-3-5**). 그 후 인접면을 먼저 완성하여 긴밀한 인접면 접촉을 만들어 준 후, 나머지 부위를 충전한다. 인접면에서는 치경부 1/3을 먼저 완성한 후, 나머지 2/3를 완성하는 것이 좋다. 위쪽 2/3를

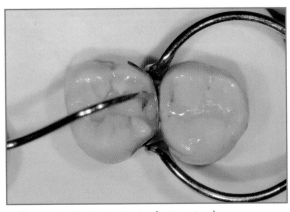

그림 4-3-6   Proximal contouring (ball technique)
인접면 쪽에 어느 정도 복합레진을 충전한 후, 바깥에서 미리 부분적으로
중합시킨 작은 ball 형태의 복합레진을 와동에 넣고 인접면 쪽으로 힘껏
밀면서 중합시킨다.

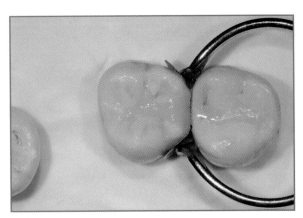

그림 4-3-7   Resin filling
나머지 부위도 복합레진을 이용하여 충전한다.

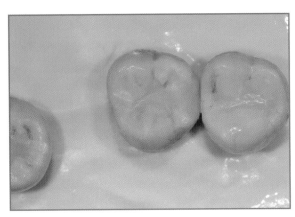

그림 4-3-8   Final polishing
Polishing을 시행한다.

충전할 때는 tight한 proximal contact를 위하여, 여러 가지 방법을 사용할 수 있는데, 이에 대해서는 아래의 〈**4. 복합레진을 이용한 직접 수복에서 tight한 proximal contact 만들기**〉를 참고하기 바란다. 여기서는 그 중 pre-cured resin ball을 사용하는 방법을 설명하겠다. 인접면 접촉면에 적합하게 와동 바깥에서, 미리 반쯤 중합시킨 복합레진을 준비한다(pre-cured resin ball). 그리고 복합레진을 와동 내에 어느 정도 넣고, 이 pre-cured resin ball을 와동 내로 가져가 인접치아 쪽으로 힘껏 밀면서 복합레진을 중합시킨다(**그림 4-3-6**). 이렇게 하면 tight한 와동을 얻는데 어느 정도 도움을 받을 수 있다. 인접면이 완성되면 나머지 부분의 와동을 수복한다(**그림 4-3-7**).

5) Finishing & Polishing

Fine (40 um 내외)와 super fine (8 um 내외)의 bur를 이용한다. 그 후 silicone bur, cup 등을 사용하며 최종적으로는 polishing paste가 묻어 있는 brush를 사용한다. 구치부 복합레진에서 특히 교합이 조금만 높아도 환자는 불편함을 느끼기 때문에 교합조정에 세심한 주의를 기울인다(**〈2장 9. 마무리 및 연마〉** 참고).

2. Selective Bonding(그림 4-3-9~13)

1) 와동의 삭제

Total bonding에서와 동일

2) Base

1급 와동의 selective bonding 참조

3) 산 처리

인접면 치경부의 변연부가 법랑질 또는 상아질로 구성되어 있는지 관찰하여 산 부식 방법을 정한다. 그 외에는 1급 와동에서와 동일하다.

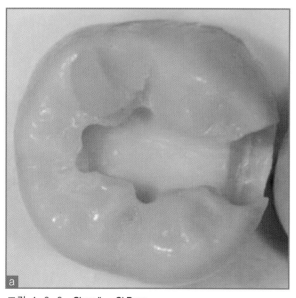 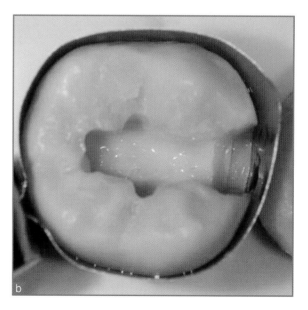

그림 4-3-9　Class II - GI Base
와동 형성과 dentin conditioner의 처리. 글라스아이노머를 충전하기 전에 약산인 conditioner로 처리하는 것이 좀 더 바람직하다고 한다.
a. 와동 형성 & mock up
b. Dentin conditioner

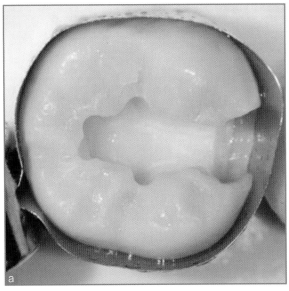

그림 4-3-10 Class II – GI Base
Conditioner의 수세와 글라스아이노머 충전. a. Rinse & Dry b. GI filling

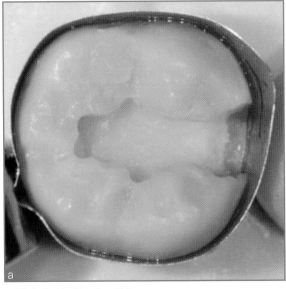
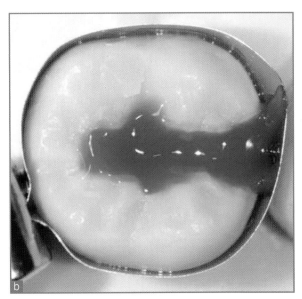

그림 4-3-11 Class II – GI Base
fine한 diamond bur를 이용하여 글라스아이노머와 와동 벽을 다듬고, 산 부식 처리를 한다. a. 와동 정리 b. Etching
*화학중합형 글라스아이노머를 base로 사용했을 경우에는 치아 면과 같이 산 부식시킨다. 반면에 광중합형 글라스아이노머를 base로 사용했을 경우에는 치아 부위만 산 부식시킨다.

4) 상아질 접착제 도포

1급 와동의 selective bonding 참조

 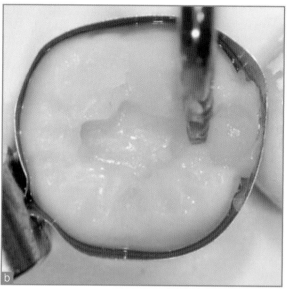

그림 4-3-12 Class II - GI Base
상아질 접착제를 처리하고 복합레진을 충전한다. 복합레진 충전은 인접면에서부터 시행하고, 인접면 접촉을 긴밀하게 하기 위하여 미리 중합시킨 resin ball을 이용하여 인접치아 쪽으로 힘껏 밀면서 광조사시킨다. a. bonding b. Resin filling

 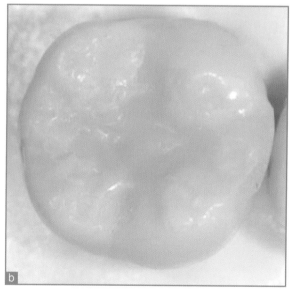

그림 4-3-13 Class II - GI Base
남은 부위도 복합레진을 이용하여 충전한 후, 마무리 및 연마한다. a. Resin filling b. polishing

5) 복합레진의 충전 및 중합

2급 와동의 total bonding에서와 동일

6) Finishing & polishing

2급 와동의 total bonding에서와 동일

IV. 복합레진을 이용한 직접 수복에서 tight 한 proximal contact 만들기

2급 와동을 복합레진을 이용한 직접법으로 수복하고자 하는 경우, 적절한 인접면 접촉을 얻는 것은 아직까지는 그리 간단하지 않다. 하지만 몇 가지 원칙과 요령을 터득하면 많은 도움을 얻을 수 있다.

1. 얇은 sectional matrix 이용하기(그림 4-4-1~6)

먼저 되도록 얇은 matrix band를 사용하는 것이 유리하다. 일반적인 Tofflemire matrix band의 두께는 50 um으로 치아를 감싸서 장착하게 되어, wedge 등을 이용하여 100 um의 두께를 보상받아야 긴밀한 인접면 접촉을 형성할 수 있다. 여기에 반하여 sectional matrix band는 40 um의 두께를 가지고 있으며, 치아의 한쪽에만 장착하면 되어 40 um의 두께만 보상을 받으면 되기 때문에 더 쉽게 인접면 접촉을 얻을 수 있다(**그림 4-4-36**). Sectional matrix와 치아 사이를 벌려주는 기구인 bitine ring을 이용하여 2급 와동을 수복하는 방법을 그림에 예시하였다(**그림 4-4-37~41**).

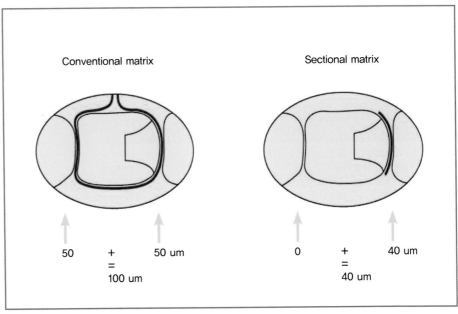

그림 4-4-1
Matrix band의 두께와 인접면 접촉을 위해 필요한 간격과의 관계.

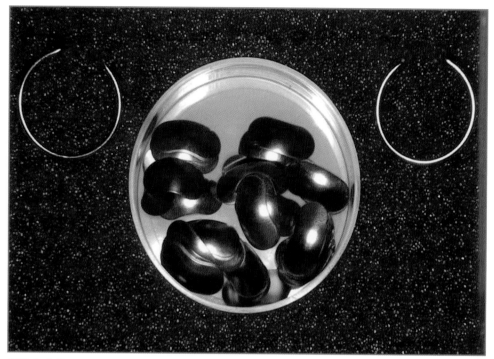

그림 4-4-2
Sectional matrix와 BiTine ring.

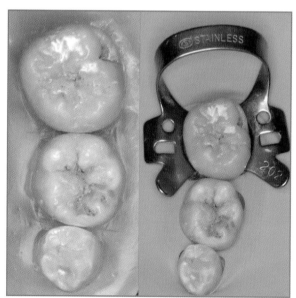

그림 4-4-3   Rubber Dam
Rubber dam 장착.

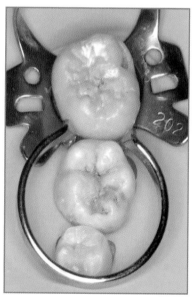

그림 4-4-4   BiTine Ring
와동을 형성하기 전에 미리 BiTine ring을 인접면
에 끼워 넣으면 치아를 더 많이 분리시킬 수 있다.

211

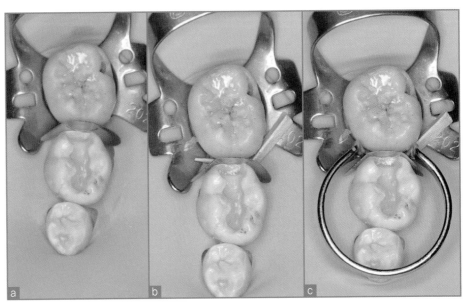

그림 4-4-5   **Rubber Dam**
Rubber dam 장착. a. Matrix b. Wedge c. BiTine Ring

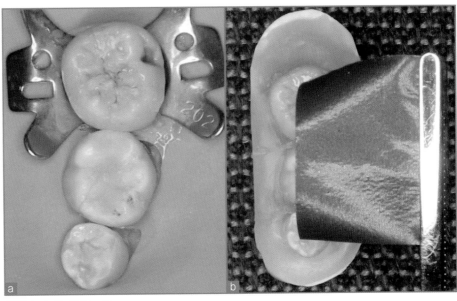

그림 4-4-6   **Rubber Dam**
복합레진을 충전하고 교합 검사. a. Resin Filling b. 교합 Check

　　소구치 영역까지는 어느 정도 효과를 나타내지만 좀더 긴밀한 접촉이 필요한 대구치 부위에서는 적절한 효과를 얻기가 쉽지 않다.

2. Pre-cured resin ball 이용하기(그림 4-3-6, 12 참조)

또 다른 방법으로 pre-cured resin ball을 이용하는 방법이 있다. 인접치아의 contact point에 적합하게 복합레진을 바깥에서 미리 curing한 후(pre-cured resin ball), 인접면의 복합레진 충전 시, 이 pre-cured resin ball을 같이 와동 내에 넣어 인접면 쪽으로 세게 밀면서 복합레진과 같이 중합시키는 방법이다. 앞의 방법(sectional matrix + BiTine ring)과 복합적으로 사용하면 좀 더 tight한 접촉을 얻을 수 있다.

3. 새로운 system 사용하기(그림 4-4-7~17)

인접면 접촉을 가장 편하고 안정적으로 얻을 수 있는 방법으로 이를 위해 개발된 특별한 system을 이용하는 것이다. 이 system 내에는 인접치아를 효과적으로 벌려주는 기구와 sectional matrix, 그리고 wedge가 구성되어 있다. 새로 한 system을 구입해야 한다는 비용적인 면에서의 단점을 제외하고는, 인접면 접촉에 관한 거의 대부분의 문제를 해결할 수 있는 제일 효과적인 방법이라고 할 수 있다. 현재 국내에서 구입 가능한 system은 아래 표와 같다.

상품명	제조사	판매사
Palodent Plus	Dentsply Caulk	한국 Dentsply
Composi-tight 3D XR	Garrison	신흥

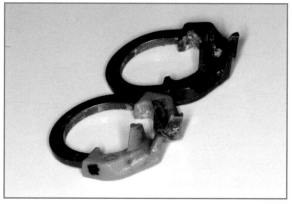

그림 4-4-7
Palodent Plus (DeutsplyCaulk) system의 ring. 인접면에 위치시켜 치아 사이를 벌려주는 역할을 하며, wedge도 위치시킬 수 있다.

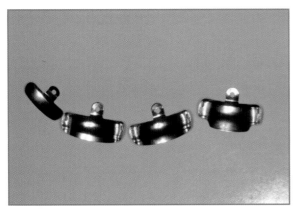

그림 4-4-8　Palodent Plus system의 sectional matrix

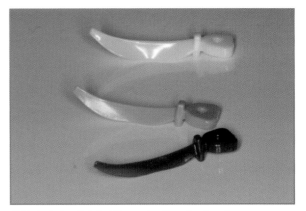

그림 4-4-9　Palodent Plus system의 sectional wedge.

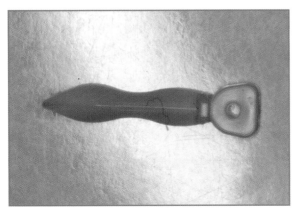

그림 4-4-10　Palodent system의 wedge를 위에서 본 모습.

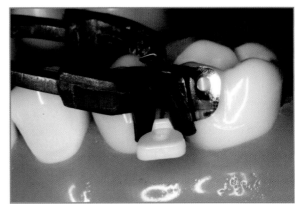

그림 4-4-11　Palodent system의 matrix wedge, ring이 위치된 모습.

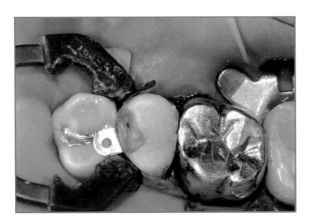

그림 4-4-12　Mesial palodent 적용

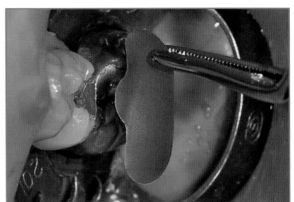

그림 4-4-13　Composi-tight 3D XR에서의 sectional matrix.

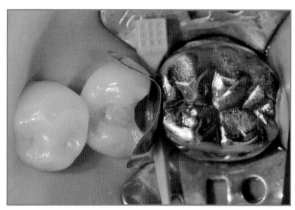

그림 4-4-14 Composi-tight 3D XR의 sectional matrix와 wedge를 위치시킨 모습.

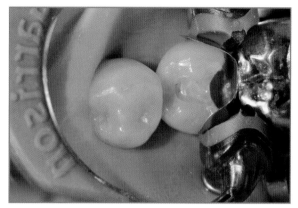

그림 4-4-15 Composi-tight 3D XR의 ring을 위치시킨 모습. Palodent plus system에 비하여 인접치아의 외면을 좀 더 넓게 밀착시킬 수 있는 부드러운 pad로 보강되어 있다.

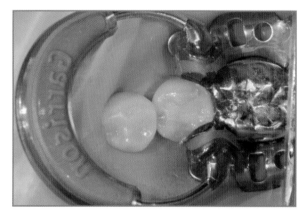

그림 4-4-16 Composi-tight 3D XR에서 복합레진을 충전한 모습.

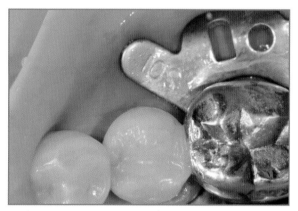

그림 4-4-17 Composi-tight 3D XR을 이용하여 복합레진을 충전한 사진.

각각의 방법을 이용하여 수복한 예를 그림에 보여주고 있다. Composi-tight가 인접면을 고정하는 부분이 좀 더 넓어서, 인접면의 모양을 조금 더 편하게 형성할 수 있지만, 큰 차이는 없고 가격은 조금 더 비싼 편이다.

각 system을 이용한 방법을 **그림 4-4-7~17**에 나타내었다.

V. 치면열구전색

1. 필수지식

소와(pit) 및 열구(fissure)는 전형적으로 법랑질의 불완전한 유착으로부터 발생하며, 특히 우식으로 발생할 가능성이 높다. **그림 4-5-1**은 현미경으로 관찰한 일반적인 fissure 부위의 모습을 나타내고 있다. 그림에서 보는 것처럼 상아질과의 거리가 매우 가깝기 때문에 치면열구 전색법을 이용한 예방적 치료가 매우 중요한 것이다.

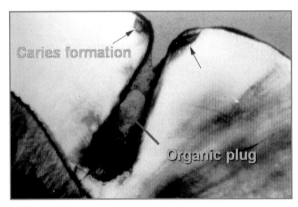

그림 4-5-1

1) 색의 선택

치면열구 전색의 경우 색이 문제가 되는 경우는 드물다.

충전 부위를 쉽게 파악하기 위하여 일부러 opaque한 sealant나 flowable composite 등을 이용하는 경우도 있다. 치아 색이 나는 치면열구 전색제를 사용한 제1대구치보다 opaque한 제2대구치의 치면열구 전색제가 관리에 더 효과적일 수 있다(**그림 4-5-2**).

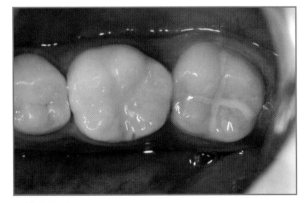

그림 4-5-2

2) 준비 작업, 치면의 세정, 와동의 삭제

법랑질의 접착이 매우 중요한 만큼 saliva 등에 의한 오염을 방지하기 위하여 rubber dam을 꼭 장착하도록 한다.

불소 등이 포함되어 있지 않은 pumice 가루를 이용하여 치아 세면을 깨끗이 세정하여 주는데, rubber cup보다는 뻣뻣한 brush를 이용하는 것이 깊숙한 열구를 세정하는데 유리하다. 와동의 삭제는 일반적으로 필요하지 않지만, fussure이 매우 좁고 깊다고 생각되는 경우, 이미 fissure의 아래 부분에서 치아 우식이 시작되고 있다고 판단되는 경우는 1/2 round bur(**그림 4-5-3**)나 이 용도로 개발된 특수한 bur를 사용하여 fissure 부위를 넓혀주는 것이 좋다(**그림 4-5-4**). 그렇지 않은 경우 치면열구전색제 아래에서 우식이 계속 존재하여, 문제가 될 수 있다(**그림 4-5-5**).

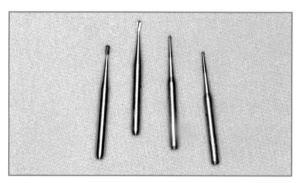
그림 4-5-3

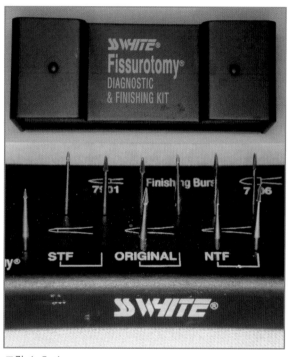
그림 4-5-4

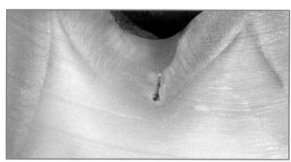
그림 4-5-5

3) 법랑질의 산 부식

복합레진 수복 시 일반적으로 사용하는 gel 형 산 부식제(30~40% 인산)보다는 흐름성이 좋은 액상형 산 부식를 사용하여 깊은 부위까지 효과적으로 산 부식하도록 한다.

치아 표면에 불소 등이 침착이 되어 있는 경우 산 부식이 잘 되지 않는 경우도 있으므로 산 부식 시간은 30~60초로 충분히 하도록 하며, 철저히 건조 후 표면이 제대로 산 부식되었는지 확인한다. 치아 외면이 눈이 내린 것과 같이 하얗고 opaque한 모습을 나타내면 적절히 산 부식된 것으로 보는데, 필요한 경우 추가로 산 부식을 한다.

4) 치면열구 전색제의 도포, 복합레진의 충전

치면열구 전색제는 자가 중합형, 또는 광중합형을 사용할 수 있으며, 낮은 점도의 flowable resin도 사용 가능하다. 대합치와의 교합이 예상되는 부위는 복합레진으로 덮어 주는 것이 좋다.

5) 마무리 및 연마

러버댐을 제거하고, 교합을 살펴 본다. 교합 조정 후 일반적인 복합레진의 마무리 및 연마 작업을 한다.

Ⅵ. 임상증례

증례 1: 아말감 충전물을 복합레진으로 심미적으로 재치료 〈1〉 (Class Ⅰ)
(그림 4-6-1~4)

환자의 주소(chief complaint): 아말감 수복을 복합레진으로 바꾸고 싶다(**그림 4-6-1**).

현증: 아말감 충전물의 상태는 표면이 약간 거친 점을 제외하고는 양호한 상태

치료계획: 복합레진을 이용한 수복

치료의 진행: 기존의 아말감을 제거한 후, 우식을 제거하고 복합레진을 이용하여 충전함(**그림 4-6-2~4**).

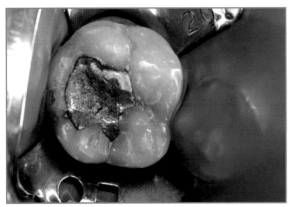

그림 4-6-1
초진 상태

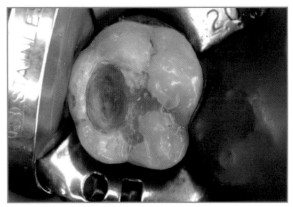

그림 4-6-2
아말감 제거

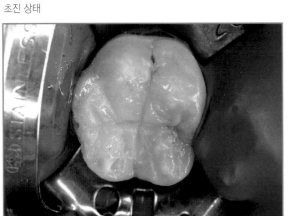

그림 4-6-3
복합레진 충전

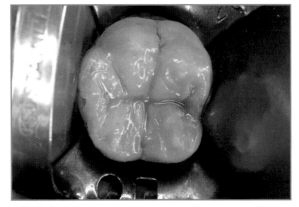

그림 4-6-4
마무리 및 연마 후

교훈: 아말감은 200년 가까이 치과영역에서 사용되어 온 아주 훌륭한 재료이다. 심미적인 면만을 제외한다면 구치부 수복에 있어서 저렴하고 훌륭한 기능을 할 수 있는 아주 좋은 재료라고 할 수 있다. 하지만 요즘의 젊은 세대에서는 심미적인 면이 기능만큼이나 중요하다고 생각하는 경우가 많다. 이 증례에서도 기능면에서 본다면 아말감 수복물을 제거해야 할 어떤 이유도 없어 보이지만, 환자의 심미적인 수복물에 대한 요구로 치료한 경우이다.

색조의 선택이나 해부학적인 구조물을 비교적 잘 재현시켜서 치료한 증례라고 할 수 있다.

증례 2: 아말감 충전물을 복합레진으로 심미적으로 재치료 〈2〉 (Class I)
(그림 4-6-5~9)

환자의 주소(chief complaint): 예전에 아말감으로 치료받은 부위가 깨졌다(**그림 4-6-5**).

현증: 25세 여성환자로 #36 부위의 아말감 충전물 주위로 부분적인 아말감의 파절 발생.

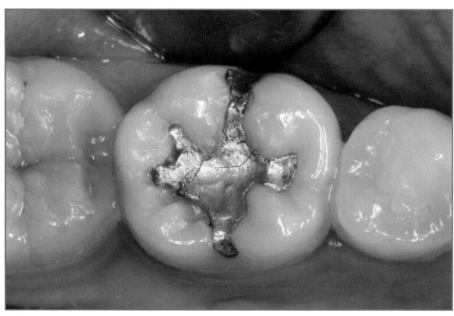

그림 4-6-5
초진 상태

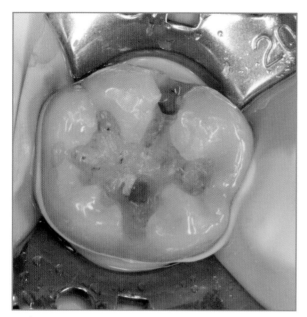

그림 4-6-6
초진 상태

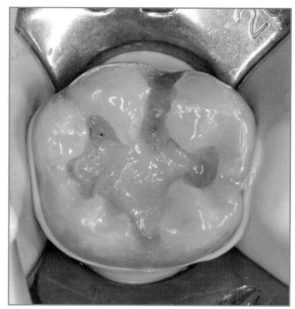

그림 4-6-7
아말감 제거

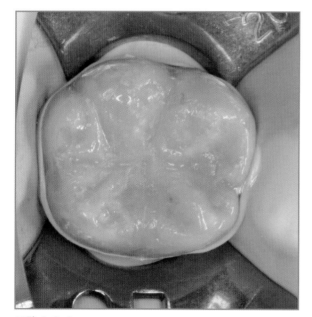

그림 4-6-8
복합레진 충전

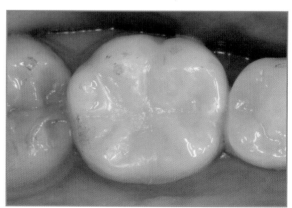

그림 4-6-9
마무리 및 연마 후

치료계획: 복합레진을 이용한 수복

치료의 진행: 기존의 아말감을 제거한 후, 우식을 제거하고 복합레진을 이용하여 충전함

교훈: 아말감 수복물 주위의 defect가 환자의 말처럼 기존의 아말감이 깨진 것인지, 아니면 아말감 수복물 주위로 치아의 erosion이 발생한 것인지 정확히는 알 수 없다. 하지만 defect 부분의 깊이가 깊지 않아, 만약 아말감으로 재치료를 하려면 아말감 수복을 위한 최소한의 두께(1.25~1.5 mm)를 보장하기 위하여 부가적인 치아 와동을 지금보다 더 삭제하여 주어야 한다. 환자의 나이를 고려한다면 치질 삭제량을 최소로 할 수 있는 방법이 필요했으며, 더욱이 심미적인 효과를 더할 수 있는 복합레진을 이용한 수복이 가장 적합하다고 할 수 있다.

증례 3: 금 수복물 인접한 인접면의 치아 우식(그림 4-6-10~14)

환자의 주소(chief complaint): 충치치료를 받기 위하여 내원하였다.
과거치과치료: 2년 전 개인 치과의원에서 #24 gold inlay (Class I) 수복
현증: #24의 원심면에 상아질을 포함하는 치아 우식
　Per(−), mob(−), cold(+)

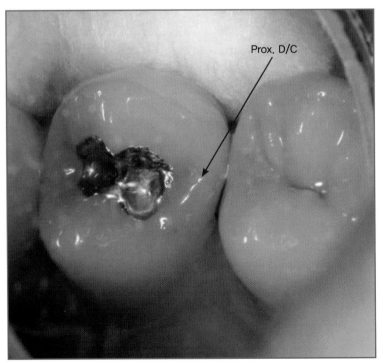

그림 4-6-10
초진 상태. #24 금 인레이 원심쪽에 우식의 양상을 띤 변색이 관찰된다.

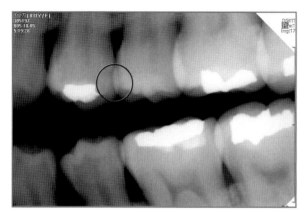

그림 4-6-11
방사선사진. #24 원심쪽으로 우식이 관찰됨.

그림 4-6-12
우식 부위를 제거함

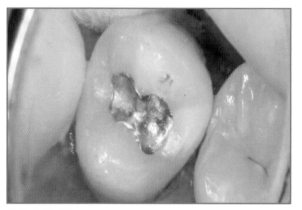

그림 4-6-13
복합레진 충전

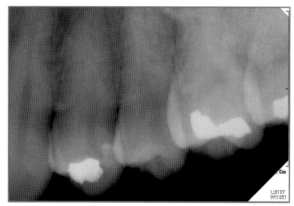

그림 4-6-14
복합레진 충전 후 방사선 사진

진단: #24 원심면의 치아 우식(상아질 침범)

치료계획: 복합레진을 이용한 수복

치료의 진행: 교합면에 있는 기존의 gold inlay는 유지하고, 원심면의 와동 삭제 후 복합레진 수복.

교훈: 인접면 우식은 어느 정도 진행되기 전에는 조기 진단을 놓치게 되는 경우가 많은 것 같다. 이 환자의 경우 2년 전 gold inlay를 수복할 당시, 인접면 병소가 이미 존재했는지 여부는 확실히 알 수 없지만, 병소의 크기로 보아 그랬을 가능성을 완전히 배제하기는 어려울 것 같다. 인접면 병소의 진단을 위하여 bite wing X-ray는 중요한 역할을 할 수 있다. 금 인레이의 상태가 양호했기 때문에 인접면 우식만을 치료하였으며, 작은 와동 형성으로도 유지력을 얻을 수 있는 복합레진을 이용하였다.

증례 4: 긴밀한 인접면 접촉을 요하는 예(그림 4-6-15~24).

환자의 주소(chief complaint): 예전에 아말감 수복한 것이 탈락되었다(**그림 4-6-15**).

현증 : #26: 아말감 파절, 2급 와동, per(−), mob(−), cold(+) (**그림 4-6-15**)

과거 치과력: #26: 10년 전 본원 보존과에서 AF

치료계획: 복합레진을 이용한 2급 와동 수복.

긴밀한 인접면 접촉에 유의.

치료의 진행: 기존의 남아 있는 아말감을 제거하고, 약간의 치아를 삭제.

긴밀한 인접면 접촉을 위하여 wedge와 Bitine ring을 장착(**그림 4-6-16**).

pre-cured resin ball 기법을 이용하여 복합레진으로 interproximal wall을 먼저 형성하고, 나머지 와동 부위를 형성(**그림 4-6-17~20**).

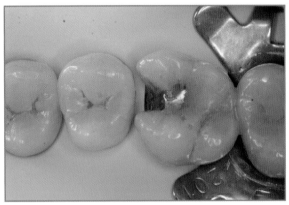

그림 4-6-15
초진 상태

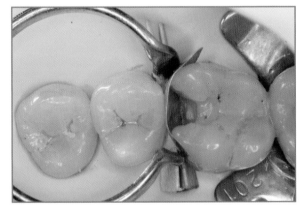

그림 4-6-16
아말감 제거 후 BiTine과 sectional matrix, wedge 2개 장착

그림 4-6-17
복합레진을 이용하여 인접면을 먼저 완성함

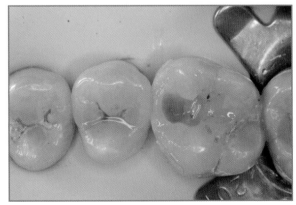

그림 4-6-18
인접면이 완성되면 BiTine ring을 제거해도 된다.

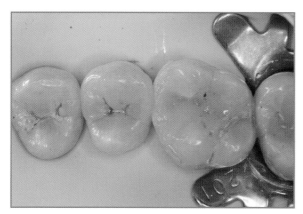

그림 4-6-19
복합레진 충전(설측 side)

그림 4-6-20
복합레진 충전(협측 side)

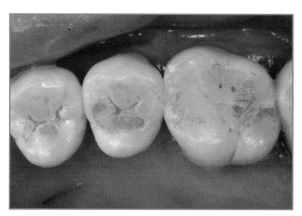

그림 4-6-21
교합조정

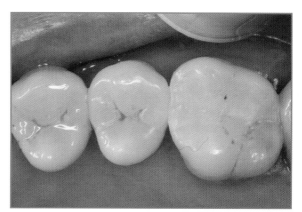

그림 4-6-22
마무리 및 연마 후

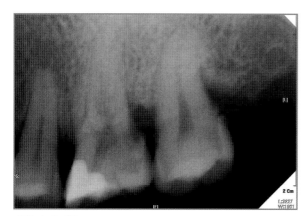

그림 4-6-23
술 후 방사선 사진

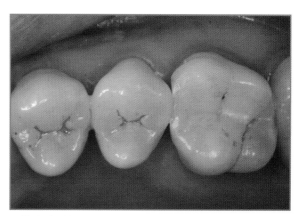

그림 4-6-24
1년 후 follow-up 사진

교합조정 후(**그림 4-6-21**), final polishing(**그림 4-6-22**).
치료 후의 X-ray 사진(**그림 4-6-23**).
Follow up 사진(**그림 4-6-24**).

교훈: 복합레진을 이용하여 제1대구치나 2대구치의 인접면을 수복할 경우에는 특히 인접면 접촉에 대하여 신경을 많이 써야 한다. 아말감에 비하여 condensation을 하기가 용이하지 않기 때문에 자칫 치료 후 음식물이 많이 낀다는 불평을 듣게 되는 경우가 있다. 그런데 환자들이 인접면 접촉에 대하여 불편을 느끼는 정도는 매우 상대적인 것 같다. 어떤 경우 의사의 입장에서는 충분하다고 생각되는 경우도 환자는 음식이 낀다고 불평을 하는 경우가 많이 있다. 그래서 필자는 치료 전 다른 치아의 인접면 접촉 상태를 먼저 평가하곤 한다. 가끔씩 floss가 들어가기 어려울 정도로 인접면 접촉이 긴밀한 환자들도 있는데, 이런 환자들에게는 아무리 노력을 해도 복합레진을 이용해 직접 충전하는 방법으로는 치료 후 환자의 불평을 피하기 어렵다. 이러한 경우에는 간접법을 생각하는 것이 필요한 경우도 많이 있다.

이 환자의 경우 다른 치아, 특히 반대측의 동일 부위 인접면 접촉 상태가 평균 이상의 긴밀한 상태로 판단이 되어 간접수복이 바람직했지만, 환자는 경제적인 이유로 직접수복을 원하였고, sectional matrix, BiTine-ring 그리고 pre-cured resin ball을 이용하는 방법을 모두 이용하여 적절한 인접면 접촉을 얻을 수 있었다.

아마 요새 이러한 환자가 왔다면 Palodent system이나 Composi-tihght 3D XR system을 이용하여 어렵지 않게 치료했을 것이다. 하지만, 이 환자를 볼 당시에는 그런 기구들이 출시되기 전이었기 때문에 위와 같은 술식을 총동원하였다.

복합레진을 이용하여 2급 와동 수복 시 적절한 인접면 접촉을 위한 방법에 대해서는 〈적절한 인접면 접촉 만들기〉를 참고하기 바란다.

증례 5: 인접한 두 면을 복합레진으로 충전하기(그림 4-6-25~32)

환자의 주소(chief complaint): 왼쪽 어금니에 음식이 자주 끼어서 충치치료를 하고자 한다.

현증 : #25: 수복물 주위로 2차 우식(**그림 4-6-25**)

　　　　#26: 상아질 부위까지 침범한 치아우식(**그림 4-6-26**)

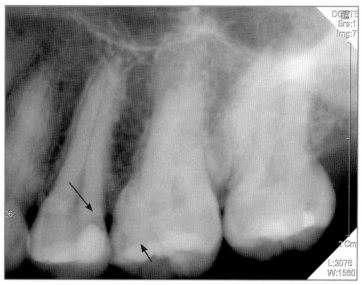

그림 4-6-25
#25: 수복물 주위로 2차 우식. #26: 상아질 부위까지 침범한 치아 우식을 나타냄.

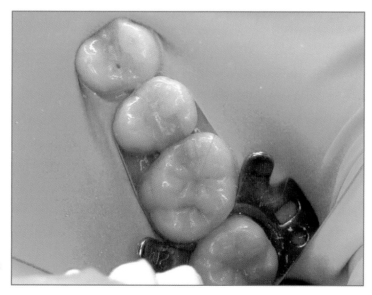

그림 4-6-26
술 전 사진

과거 치과 치료: #25 – 2년 전 복합레진 수복(Local clinic)

치료계획: #26: 복합레진으로 수복

#25 글라스아이노머 충전 후 복합레진 충전

*#26 치료를 먼저 끝낸 후, #25 복합레진을 수복을 하기로 함

치료의 진행:

① #25: 기존의 복합레진 수복물과 이차 우식을 제거함

#26: 치아 우식을 제거함(**그림 4-6-27**)

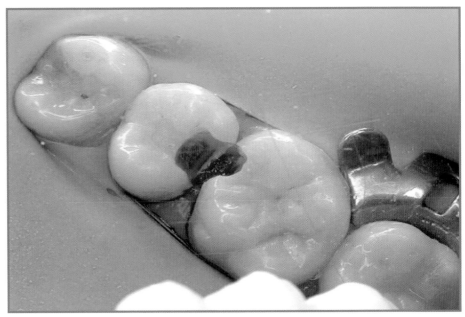

그림 4-6-27

#25: 기존의 복합레진 수복물과 2차 우식을 제거함. #26: 치아우식을 제거함.

② #25: 글라스아이노머를 이용하여 충전

#26: 복합레진을 이용하여 충전(**그림 4-5-28**)

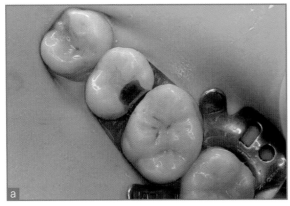 

그림 4-6-28

#25: 깊은 우식 부위를 글라스아이노머를 이용하여 충전. #26: 복합레진을 이용하여 충전.

③ #25: 복합레진으로 충전(**그림 4-6-29**)

그림 4-6-29
a. 글라스아이노머를 부분적으로 제거하여 base를 형성하고, b. 복합레진으로 충전.

④ 교합 check 및 조정(**그림 4-6-30**)

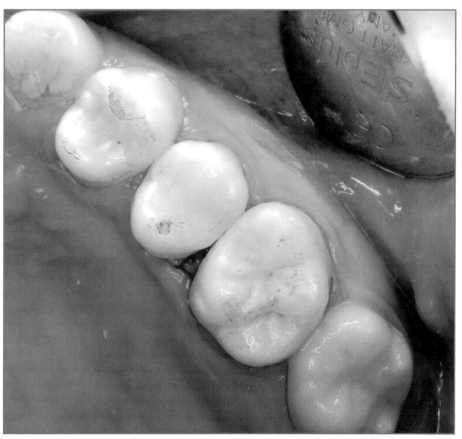

그림 4-6-30
교합 check 및 조정

⑤ 치료 전, 후 X-ray 의 비교(**그림 4-6-31**)

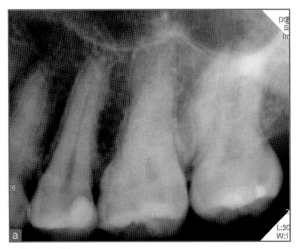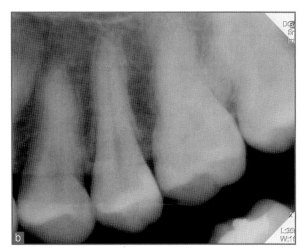

그림 4-6-31
치료 전, 후 X-ray의 비교

⑥ 치료 전, 후 비교(**그림 4-6-32**).

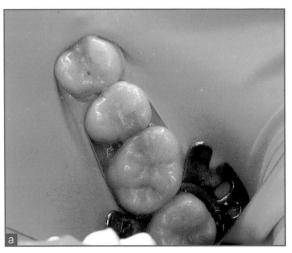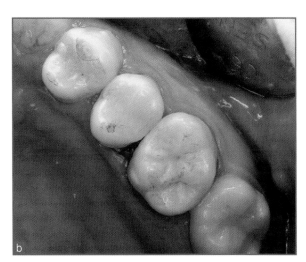

그림 4-6-32
치료 전, 후 비교

교훈: 아말감 수복의 경우 인접한 인접면을 동시에 수복할 경우 양쪽에 matrix band를 장착하고, wedge를 끼운 후 condensation을 하는 방법을 사용한다. 하지만 복합레진의 경우 인접한 인접면을 동시에 수복하면서 적절한 인접면 접촉을 얻는다는 것은 참 어렵다. 아말감에서와는 달리 복합레진을 condensation하기가 쉽지 않기 때문이다. 그래서 보통은 한 쪽을 먼저하고, 다른 쪽을 하는 방법을 사용한다. 아말감에 비해서 아직까지 번거로운 편이다.

이번 증례에서는 #26에 생긴 치아 우식을 먼저 수복하고, #25번을 수복하였다. 그런데, #25를 바로 수복하지 않고, 일단 글라스아이노머로 수복한 후, 후에 이를 base로 사용하여 복합레진으로 충전하였다. 와동이 크고 넓어 selective bonding을 사용하는 것이 유리하다는 판단을 하였고, 또 다른 이유는 불과 2년 전에 한 복합레진에 이차 우식이 생긴 경우였기 때문에 깊은 치아 와동 부위를 글라스아이노머를 이용하여 수복하는 편이 더 좋겠다는 판단이었다.

#26에 문제가 생긴 것은 아마 #25와의 loose한 contact 때문에 음식물이 많이 끼어서 생긴 문제였을 가능성이 높다. 2급 와동 수복 후 인접면 contact이 약간 loose 하다고 판단되면 철저한 flossing 교육이 중요하다.

Q 아말감을 복합레진으로 교체한 후, 환자가 씹을 때 시큰거린다고 불평합니다. 이유가 무엇이고, 어떻게 예방할 수 있는지 알고 싶습니다. 또 어떻게 대처해야 하나요?

(1) 원인

이러한 현상이 발생하는 가장 흔한 이유는 복합레진과 치수벽(pulpal wall) 사이의 접착에 문제가 발생했기 때문입니다. 대부분 1급 와동의 변연은 법랑질로 되어 있으며, 복합레진과 우수한 접착을 이룹니다. 이에 반하여 치수벽 쪽의 상아질은 접착에 불리한 요소를 많이 가지고 있는데(예를 들면, 과석회화, 부분적인 탈회, 치수압의 증가, 유기질 함량의 증가 등), 접착 또는 복합레진 중합의 과정에서 문제가 발생하면, 상아질과 복합레진과의 접착에 문제가 발생하여 그 사이에 일종의 defect가 형성됩니다. 이러한 defect에는 상아질로부터의 상아세관액의 교통 통로가 되며, 저작 시 상아세관액의 움직임에 의하여 환자는 민감성을 느끼게 됩니다(그림 2-6-3 참고).

교합이 높은 경우도 이러한 증상을 나타낼 수가 있습니다. 복합레진의 중합 수축에 의하여 치아와 복합레진과의 계면에서는 광조사 후에도 상당 시간 동안 일종의 응력이 남아 있는데, 여기에 교합까지 높은 경우는 환자가 아말감에서보다 더 큰 불편을 느끼게 되는 것 같습니다.

와동이 아주 깊은 경우 실제로 치수에 문제가 발생하여 이러한 증상이 발생할 수도 있습니다. 깊은 와동을 수복할 경우에는 selective bonding technique을 사용하도록 하는 것이 비교적 안전할 것 같습니다(본문의 내용 참조).

(2) 검사

환자가 위와 같은 증상으로 오면 원인이 무엇인지 정확하게 검사하여야 합니다. 먼저 vitality test를 하여서 치수에 문제가 없는지 확인하고 교합을 살펴 봅니다. 특별히 교합이 높지 않은데도 위와 같은 증상을 호소한다면 복합레진과 치수벽(pulpal floor) 사이의 접착에 문제가 발생했기 때문입니다. 이런 경우는 우선 문제가 생긴 복합레진을 제거하고 강화형 유지놀 시멘트나 글라스아이노머 시멘트 등으로 충전 후 예후를 관찰하는 것입니다. 대부분의 경우 환자의 불편감이 해소되며, 그 후 다시 복합레진으로 수복해 주면 됩니다.

가장 안타까운 경우는 이런 증상이 나타났다고 해서 무조건 근관치료를 하는 경우입니다.

(3) 예방

와동이 깊은 경우는 selective bonding technique을 사용하는 것이 안전합니다. Total bonding technique을 사용하는 경우는 접착제를 광조사한 다음, flowable resin을 얇게 치수벽 쪽에 도포하고 광중합시킨 후, 충전용 일반 복합레진을 충전합니다. 이렇게 하면 치아로 전달되는 중합수축의 응력을 flowable resin이 감소시키는 효과가 있다고 합니다.

Q 와동에 접착제 처리 후 flowable resin으로 와동의 내면을 도포 하는 것이 민감증 예방에 도움이 되나요?

도움이 될 수 있습니다. 와동에 접착제를 도포하고, 광조사 후 flowable resin을 얇게 도포하여 주는 것은 몇 가지 효과가 있습니다.

먼저 접착제의 중합을 보다 확실히 하는 효과가 있습니다. 즉, 접착제가 너무 얇게 발라질 경우 광조사를 하여도 잘 중합이 되지 않는 경우가 있습니다. 일명 oxygen inhibition 효과 때문입니다. 접착제가 제대로 중합이 되지 않은 상태에서 충전용 복합레진을 바로 충전하게 되면 충전용 복합레진 중합수축의 힘을 접착제가 막아 주지 못하고, 결국 치아와의 사이에 defect를 만들어 술 후 민감증의 원인이 될 수 있습니다. Flowable resin을 얇게 도포한 후 광조사하면 접착제를 추가적으로 중합시키는 효과가 나타나서 접착에 도움을 줄 수 있습니다.

Flowable resin의 또 다른 효과는 치아와 충전용 복합레진 사이에 쿠션과 같은 역할을 하여서, 충전용 복합레진의 중합수축의 응력이 치아로 직접 전달되는 것을 어느 정도 줄여 준다는 것입니다.

단 주의할 것은 flowable resin은 절대로 많은 양을 사용해서는 안 되며, 와동 벽에 얇게 lining하는 정도로 처리해야 된다는 것입니다. Flow resin 자체는 충전용 레진보다 중합 수축을 훨씬 많이 해서, 많은 양을 사용할 경우, 높은 응력을 유발합니다.

Q 복합레진를 구치부에 사용하면 마모가 너무 많이 일어나지 않나요?

복합레진의 마모는 복합레진의 종류에 따라 많은 차이가 있다고 합니다. Filler가 큰 conventional type의 복합레진이나 초기 hybrid type의 복합레진은 아말감보다 마모가 많이 일어납니다. 하지만 근래에 사용되는 microfill, micfo-hybrid type, nanofill type의 복합레진의 마모율은 아말감과 비슷하거나 오히려 약간 낮은 편이라고 합니다. 아말감은 200년 가까이 치과에서 구치부 수복용으로 사용되어 왔던 재료로서, 비록 자연치아보다는 높은 마모율을 나타내지만 임상적으로 큰 문제는 보고 되지 않았습니다. 최근에 사용되는 복합레진이 아말감과 비슷하거나 약간 작은 마모율을 보인다면, 적어도 임상적으로는 마모율 때문에 문제가 생길 확률은 아주 낮다고 보아도 무방할 것 같습니다.

마모율 면에서 가장 좋은 재료는 자연치아의 마모율과 가장 가까운 재료라고 할 수 있을 것이며, 이런 관점에서 본다면 gold가 아직까지 가장 훌륭한 재료라고 할 수 있습니다. 거의 대부분의 세라믹은, 자체의 마모율은 낮지만 대합치를 많이 마모시키기 때문에 표면을 잘 glazing시키지 않으면 자연치에 많은 마모를 일으킵니다.

Q 복합레진으로 2급 와동을 충전할 때 인접면 접촉이 너무 헐겁게 되는 경향이 있습니다. 어떻게 하면 긴밀한 접촉(tight contact)을 만들 수 있나요?

본문의 '복합레진을 이용한 직접 수복에서 tight 한 proximal contact 만들기' 편을 참고하세요

Q 크기가 크고 깊은 와동에서 글라스아이노머 베이스를 따로 하는 것이 오히려 불편합니다. 복합레진 만으로 하면 안 되나요?

Glassionomer를 이용하여 base를 하는 것이 술 후 민감성을 줄일 수 있지만, 접착에 있어서 불리한 점이 있다는 것을 지적한 바 있습니다. 이와 같은 것이 염려스러울 경우에는 복합레진을 조금씩 나누어 충전합니다. 와동 내에 바로 복합레진을 충전하는 것보다는 flowable resin을 이용하여 와동 내를 얇게 lining 한 후 복합레진을 충전하는 것이 더 바람직하다고 합니다.

복합레진은 한번에 충전하지 않고 2 mm의 깊이로 나누어 충전하는 것이 바람직합니다. 동시에 교두의 모습 등을 재현하며 나누어 충전할 수도 있습니다. 이 때 더 깊은 부위의 복합레진에는 더 많은 시간을 할애하여 광조사시킵니다. 예를 들면 4 mm 깊이의 와동을 충전해야 한다면 위의 2 mm는 20초, 아래 부분의 2 mm는 30초간 광중합시키는 것입니다(**그림 4-F-1**).

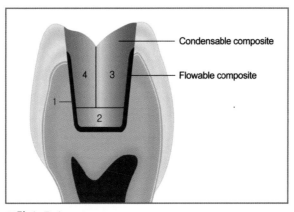

그림 4-F-1
복합레진을 위와 같이 되도록 나누어 충전할수록, 와동 내에서 중합수축
의 힘이 적게 발생하며 교두 변위 현상도 더 적게 일어난다.

Chapter 5

Post & core

I   Fiber Post의 선택과 올바른 사용

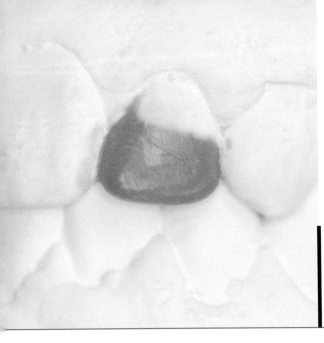

Chapter 5

Post & core

I. Fiber Post의 선택과 올바른 사용

1. 필수 지식

1) Post의 종류는?

적용 방법에 따라 직접법에 사용하는 post와 주조법에 사용하는 post로 나누어 볼수 있으며, 재질에 따라서는 금속 post와 비금속 post로 나누어 생각해 볼 수 있다.

직접법에는 금속과 composite, carbon fiber, glass fiber 등의 재질이 사용되며, glass fiber는 형태가 정해져 나오는 것과 형태를 변형할 수 있는 형태로 나누어진다.

주조법에는 치과용 합금, ceramic, zirconium 등이 사용된다. 치과용 합금을 사용하기 위해서는 impression post, burnout post, temporary post 등이 인상채득 및 임시치관 수복을 위해서 필요하다(표 5-1-1).

표 5-1-1 Post의 종류

적용방법	Post의 종류		재질
직접법	Metal post		Stainless steel, Titanium
	Composite post		Composite
	Carbon fiber post		Carbon
	Glass fiber post	형태가 정해진 것	Glass fiber
		형태를 변형할 수 있는 것	
주조법	Casting post,	Impression post	Plastic
		Burnout post	Plastic
		Temporary post	Aluminium
		Gold post	Platinium Gold alloy
	Ceramic post		Glass ceramic Glass-infiltrated Aluminium ceramic
	Zirconium		Zirconium oxide(Cosmopost)

2) 왜 post를 할까요?

2 가지 목적으로 post를 한다.

첫째, core의 유지력을 증강시키기 위하여 한다.

둘째, 치아를 보강하여 파절을 방지하기 위하여 한다.

하지만 두 번째 목적에 대해서는 동의하지 않는 학자들도 많이 있다.

3) Post system의 장, 단점은?

(1) 금속 post (기성품) – 비교적 가격이 저렴하고 비교적 쉽게 근관 내에 합착시킬 수가 있다. 특히 구치부의 수복에 많이 사용되어 왔다. 일정한 유지력을 얻기 위하여 통상 치근단 부위로부터 3~4 mm까지 연장될 필요가 있다. 만약 남아 있는 잔존치질의 양이 충분하지 못할 경우 치아보다 탄성계수가 커서, Fiber post보다 치근의 파절을 일으킬 확률이 높다는 더 많은 단점이 있다.

(2) 금속 post (주조) – cast post & core의 형태로 치아 구조물이 많이 손상된 경우 주로 사용되어 왔고, 일반적으로 전치부 수복에 많이 사용되어 왔다. 많은 부분을 치아보다 탄성계수가 큰 금속이 차지하게 되어, 남아 있는 치질

에 많은 힘이 집중될 수 있어서, 만약 남아 있는 잔존치질의 양이 충분하지 못할 경우 치아 파절을 일으킬 확률이 높은 단점이 있다.

(3) Fiber post (형태가 결정되어 나온 것) - 금속 post에 비하여 탄성계수가 상아질과 더 가까워 root fracture 등이 일어날 확률이 적다는 것이 가장 큰 장점이다. 다른 장점으로는 색조가 반투명하거나 하얀색을 나타내고 있어서 보다 심미적이라는 점이다(**그림 5-1-1**). 하지만 접착의 과정을 통하여 근관 내에 붙여야 하기 때문에 과정이 금속 post에 비하여 복잡한 것이 단점이다. 또 금속 post에 비하여 크기 등이 다양하지 못하다는 문제가 있다. 회사마다 차이가 있지만 보통 3~5개 정도의 size를 가지고 있다(**그림 5-1-2**). 또한 radiopacity에 있어서도 제품마다 차이가 있어서, X-ray 상에서 잘 나타나지 않는 경우도 있다(**그림 5-1-3**).

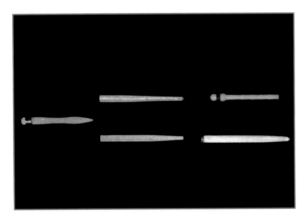

그림 5-1-1
다양한 종류의 fiber post.

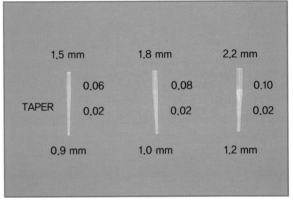

그림 5-1-2
회사마다 3~5가지 정도의 굵기를 갖는 fiber post가 있어 금속 post보다 다양하지 않은 편이다.

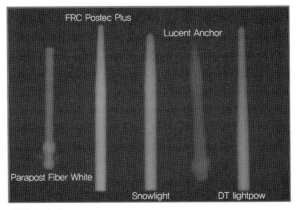

그림 5-1-3
다양한 fiber post의 방사선 사진 모습. Lucent anchor, Parapost fiber White 등은 장착을 했는지 X-ray 상에서 잘 구별되지 않는 문제가 있다.

(4) **Fiber post (형태를 변경할 수 있는 것)** – 일반적인 장, 단점은 위의 fiber post와 같다. 부가적인 장점은 광조사를 통하여 굳어지기 때문에 복잡한 근관의 형태에 맞게 어느 정도 형태를 수정하는 것이 가능해서 때문에 근관의 형태에 보다 근접하게 수복할 수 있다. 단점은 광조사까지 추가적으로 해야 하기 때문에 시간이 일반적인 fiber post에 비하여 더 걸리는 편이고, 익숙해질 때까지는 조작하기가 그리 편하지 않다는 점이다.

(5) **Ceramic & Zirconium Post** – 심미적으로 가장 우수한 편이다. 하지만 fiber post에 비하여 탄성계수가 너무 높아 치근의 파절을 일으킬 확률이 더 높고, 접착의 과정은 금속 post에 비하여 더 복잡하다.

4) 어떤 system을 사용하는 것이 좋을까요?

비금속 post가 개발되기 전에는 금속 post가 많이 사용되었는데, 비금속 post가 개발되면서, 빠른 속도로 그 사용이 증가하고 있다고 한다. 특히 fiber post는 기존의 금속 post에 비하여 많은 장점을 가지고 있어서 그 사용 빈도가 매우 높다. 하지만 합착의 과정이 금속 post에 비하여 복잡하고, size도 다양하지 못하며, 소모 비용도 더 많이 드는 단점이 있다. 또한 fiber post 중, 추가적인 광중합을 이용하여 형태를 변형시킬 수 있는 system이 출시되어서, 근관 내부의 형태에 보다 가깝게 fiber post를 제작할 수 있고, 두께도 어느 정도는 조절할 수 있는 system이 출시되어 fiber post의 문제를 어느 정도는 해소시켜 주었다.

Cast post, prefabricated metal post system, ceramic post 등을 이용하여 치아를 수복한 경우 남아 있는 치질의 양이 적거나, post의 길이 또는 두께가 부적절한 경우 해당 치아를 수개월~수년 사용하다가 이가 부러지는 일이 종종 발생한다. 더욱이 부러진 정도가 해당치아를 발치해야 할 정도라면, 이를 치료한 치과의사의 입장은 더욱 난감해진다.

Post를 한 치아가 fracture될 경우, fracture의 정도가 해당 치아를 발치하지 않고, post & core를 이용하여 다시 회복할 수 있는 빈도를 연구한 여러 연구에서, fiber post system은 다른 metal이나 ceramic system에 비하여 월등한 장점을 가지고 있다. 즉, 다른 금속 post나 ceramic post를 이용한 치아에서 파절이 발생할 때 많은 경우에서 발치를 하게 되는 반면에, fiber post를 이용할 경우에는 치아를 발치하지 않고 다시 사용할 수 있을 정도의 파절이 많다는 것이 이제까지 연구의 결론이다. Fiber post system이 이러한 장점을 보이는 주요 이유는 탄성률이 다른 system에 비하여 상아질과 비슷하기 때문이다. 물론 이러한 장점을 발휘하려면 제대로 된 접착의 과정을 거쳐야 하며, 기존의 금속이나 세라믹을 이용한 system에서와는 약간은 다른 접근 방식이 필요하다. 아직까지는 접착의 과정이 금속 post를 사용할 때보다 불편한 점이 있지만, 제대로 장착될 경우 치과의사로서는 많은 도움을 줄 수 있는 system이다.

5) Fiber post 중 2가지 system (형태가 결정되어 나온 것, 형태를 변형할 수 있는 것)이 차이는 무엇입니까?

형태가 결정되어 나온 것은 post의 형태에 맞게 근관을 성형해야 해야 한다. 그래서 경우에 따라서 과도한 근관의 삭제가 일어날 수 있다. 반면에 형태를 변형할 수 있는 것은 광중합을 통하여 fiber post를 중합시키기 때문에 광조사 전까지는 근관의 형태에 맞게 fiber의 형태를 조절할 수 있다. 또한 resin cement와의 접착에 있어서도 형태를 변형할 수 있는 system이 유리하다고 할 수 있다. 시술의 간편성에 있어서는 형태가 결정되어 나온 system이 더 우수하다고 할 수 있다.

6) 어떤 core를 사용해야 되나요?

복합레진을 이용한 코어 재료로서, 광중합형, 이원중합형, 화학중합형이 존재한다. 그리고 코어를 넣기 전에 치아에 도포하여 주는 상아질 접착제도 매우 다양하다. 사용의 편리함을 위하여 이원중합형 또는 화학중합형의 코어를 사용하는 경우가 많은데, 이 경우 상아질접착제의 선택에 주의를 기울일 필요가 있다. 1-step self-etching system (all in one system)은 이원중합형 또는 화학중합형 코어재료의 중합을 방해할 수가 있어서 접착력에 문제가 생길 수 있다. 따라서 적어도 2-step 이상의 etch & rinse system 또는 self-etching system을 사용하는 것이 바람직하다.

사실 특별한 core 재료가 따로 필요한 것은 아니고, 충전용으로 사용하는 복합레진을 사용하는 것이 제일 좋다고 할 수 있다. 단 몇몇 회사에서는 충전용 레진보다는 조금 저렴하게 몇 가지 제품을 core 용으로 판매하고 있다. 이러한 제품은 마치 flowable resin과 같이 흐름성이 좋은 제품군(예: Luxacore (DMG), Multicore flow (Ivocla Vivadent)과 충전용 레진과 같이 다소 뻑뻑한 군(Photocore (Kuraray), Biscore (Bisco Inc), Multicore HB (Ivocla Vivadent)으로 나누어 볼 수 있는데, 사용 면에서는 흐름성이 좋은 군들이 편하지만 물성은 떨어지며 중합 수축양도 더 많다. 따라서 치질 손상의 정도, 교합 등을 고려해서 선택하는 것이 바람직하겠다.

7) 어떤 cement를 사용해야 되나요?

Cement은 접착제를 먼저 사용해야 하는 system과 접착제 필요 없이 바로 사용할 수 있는 self-adhesive type이 있다. 접착제를 필요로 하는 system에는 종류는 etch & rinse system을 사용하는 종류와 self-etch system을 사용하는 종류로 대별할 수 있다. 그리고 레진시멘트 자체의 중합 형태에 따라서는 광중합형, 이원중합형, 화학중합형으로 나누어 볼 수 있다(〈**8장. 간접수복을 위한 cementation**〉 참고).

이 중 post의 cementation을 위해서는 cement의 선택과 사용에 있어서 몇 가지 주의해야 할 점이 있다. 우선 중합의 형태 중에서는 이원중합형이 가장 바람직하다고 할 수 있다. 왜냐하면 광중합형의 경우 대개 canal 안으로 빛이 깊이 들어가는데 제한을 받을 수 있기 때문에 충분한 중합이 어려운 경우가 있고, 화학중합형은 setting time이 예상보다 빨라져 post가 미처 들어가기도 전에 굳어버리는 일이 종종 일어나기 때문이다. 특히 cement를 넣기 위하여 lentulo 등을 이용할 경우 과도한 heat의 발생은 중합의 시간을 촉진시킬 수 있다. 화학중합형 중 어떤 제품(예: Panavia 21)은 산소로부터 차단되면 굳기 시작하는 특징을 가지고 있다. 이러한 제품을 canal 내에 먼저 넣는 경우는 제일 깊은 쪽에서 산소가 차단되는 효과가 나타나 굳어 버려 post가 충분히 들어가지 않는 경우가 있다. 즉, 이원중합형이 가장 무난하다고 할 수 있으며, 화학중합형 사용에는 특별한 주의가 필요하다.

접착제를 사용하는 system을 사용하는 경우, etch & rinse system이나 self-etch system 모두 사용이 가능한데, 두 system 모두 canal 내에서는 치관 부위에서보다는 접착이 불리하다는 점을 명심한다. 효과적인 접착을 위하여, etch & rinse system의 경우, 산 처리 후 수세 과정에서 canal 내에 수분이 많이 남아 있지 않도록 paper point 등으로 잘 건조시키는 것이 중요하다. Self etch system을 사용하는 경우, self-etch primer를 20~30초 동안 canal 내를 brush로 충분히 문질러 주고, 완전히 건조시킨 후 접착제를 도포하도록 한다. 이때 좁은 canal 내로 primer 및 접착제를 잘 발라줄 수 있는 microbrush가 도움이 된다.

접착제를 바르는 과정이 필요 없는 self-adhesive resin cement를 사용하는 경우는 접착제를 사용하는 경우보다 접착강도에 있어서 떨어진다는 것을 명심할 필요가 있다. 하지만 기존의 ZPC cement 등에 비해서는 접착력이 우수하기 때문에 근관 내의 post 길이가 충분히 확보되어 있고, 치관 부위에서도 충분한 접착을 얻을 수 있다면 편하게 사용할 수 있는 재료라고 생각된다. 레진시멘트를 canal 내에 직접 주입할 수 있는 Aplicap(3M ESPE)이 도움이 된다(**유용한 기구 및 재료 참고**).

2. Post를 이용한 치아의 수복 방법

1) 직접법: 금속 포스트 사용 시 (그림 5-1-4)

근관치료 완료 후 근관충전의 apical seal이 영향을 받지 않도록 근관장 길이보다 일반적으로 4 mm 정도 짧게 길이를 설정하여 gutta percha를 제거한다. 주어진 근관장을 최소로 확대한다는 생각으로 drill을 이용하여 근관장을 넓히도록 하며, 과대한 확대는 근관의 perforation과 치근의 파절을 유도할 수 있다는 것을 명심해야 한다. 가장 대표적인 metal post system인 Parapost XT system에서 사용되는 drill과 함께 사용할 수 있는 gates bur를 **표 5-1-2**에 정리하였다.

대개 stainless steel, titanium의 재질을 사용하며 Zinc phosphate cement 또는 resin cement를 사용하여 근관 내에 post를 cementation하고, core 재료로는 복합레진, 아말감, 또는 cermet cement (예: Ketac Silver) 등을 사용할 수 있는데, 치아에 대한 접착력, 물리적인 성질 등을 고려하면 복합레진을 이용한 제품이 가장 바람직하다고 할 수 있다. 주조법에 비해서 비교적 간단하게 시술할 수 있으며, 임상적인 성공률에 있어서도 큰 차이가 없는 것으로 평가되고 있다.

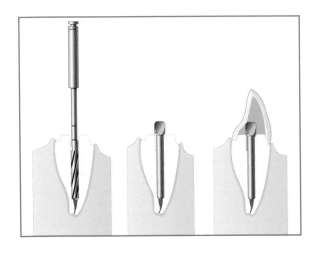

그림 5-1-4 금속 Post를 이용한 치아수복(직접법)
A. Gates bur와 Drill을 이용한 Gutta percha의 제거. 4 mm 정도의 gutta percha는 남아 있도록 하자. 길이가 표시되어 있는 drill을 사용하면 편리 하다.
B. Post의 cementation. Titanium 계통의 재질을 가진 post를 이용한다.
C. 복합레진이나 아말감을 이용하여 core를 제작하고 치관을 수복하여 준다.

표 5-1-2 Parapost XT와 Gates bur의 굵기 비교

파라포스트 드릴			함께 사용할 수 있는 게이츠 바의 크기
번호	굵기	색깔코드	
3	0.9	갈색	#3-0.9mm
4	1.0	노랑	#3-0.9mm
4.5	1.14	파랑	#4-1.1mm
5	1.25	빨강	#4-1.1mm
5.5	1.4	보라	#5-1.3mm
6	1.5	검정	#6-1.5mm

2) 직접법: fiber post의 사용 시

(1) 기성품(형태가 결정되어 나온 것)

① 먼저 근관치료가 제대로 되어야 한다.

② Gutta percha를 제거한다.

일반적인 금속 post의 유지를 위해서는 근관의 2/3, 치근단으로부터 3~4 mm까지 post를 위한 공간으로 확보해야 되지만, fiber post를 사용할 경우에는 그렇게 길게 확장할 필요가 없다고 본다. 근관 내 수 mm-근관의 1/2 정도만 해도 충분하다는 견해가 많다. 상아질 접착의 과정을 통해서 치아에서 유지를 얻기 때문에, 그 정도로 충분한 유지력을 얻을 수 있어서 필요 이상의 근관의 확대가 필요 없게 된 것이다(**그림 5-1-5**).

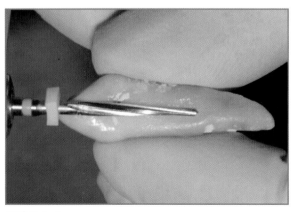

그림 5-1-5

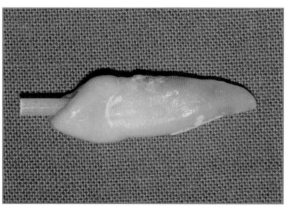

그림 5-1-6
Post를 원하는 길이만큼 자른다. Core의 유지력을 감안하여 그 길이를 결정한다.

③ Post를 위한 근관의 확대를 한다. 회사마다 다양한 size의 post system이 나오고 있기 때문에 제품의 manual을 잘 읽어야 한다. 각 회사마다 다양한 drill과 post가 사용되고 있다. 여기서는 DT Light-Post system (Bisco Inc. USA)을 이용한 방법을 보겠다. DT Light-Post은 3가지 굵기로 되어 있으며(**그림 5-1-2**), 각각의 post보다 60 um 정도 큰 drill, 그리고 pre-shaping drill로 구성되어 있다. Pre-shaping drill로 근관을 정리한 후 원하는 drill을 이용하여 위에서 정해진 길이만큼 근관을 확대하면 된다.

④ Post를 시적해 보고 원하는 길이만큼 자른다(**그림 5-1-6**).

⑤ Assist가 post를 cleansing (10~40% 인산, 5~10초)하고 silane 처리한 후 (1분 이상) 접착제를 표면에 바르고, 표면이 중합이 안 되게 보관한다(**그림 5-1-7**). 이 동안 치과의사는 치아에 접착의 과정을 시행한다. 상아질 접착제는 여러 가지 상품을 이용할 수 있는데, 각 제품의 특징을 잘 이해하고 있어야 효과적인 접착이 가능하다. 과도한 wet bonding이 되지 않도록 paper point 등을 이용하도록 하며, 근관 내에 wet bonding을 사용하기에 어려움을 느낀다면 2-step self-etching primer system을 사용하면 실수를 줄일 수 있다. 근관 내에 잘 들어갈 수 있는 microbrush를 이용하여 primer를 근관 벽에 골고루 발라주고, 30초 정도 기다린 후 근관을 완전히 건조시키고, 다시 microbrush를 이용하여 bonding agent를 근관 벽에 골고루 발라준다. 이 때 bonding agent가 근관 내에서 pooling 되지 않게 paper point 등으로 처리한 후 광조사한다(**그림 5-1-8~13**).

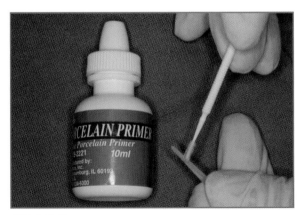

그림 5-1-7
Post의 표면에 silane 처리를 한다.

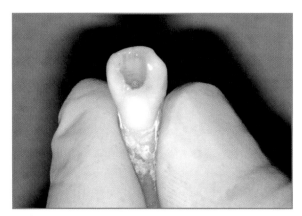

그림 5-1-8
치수강 및 근관 내부의 산 처리.

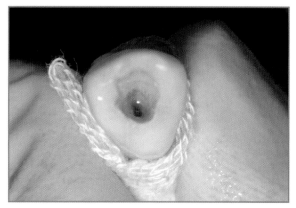

그림 5-1-9
근관 내의 irrigation과 건조.

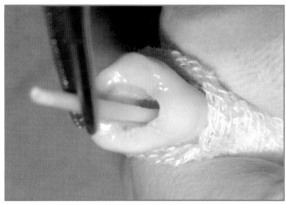

그림 5-1-10
적절한 wet bonding을 위한 과정. Paper point를 이용하여 근관 내에 과
도한 물기가 남아 있지 않게 한다.

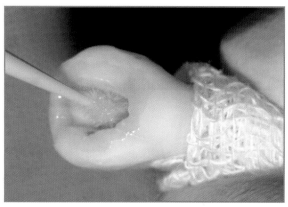

그림 5-1-11
접착제 도포. 근관 내부까지 접착제를 효과적으로 도포할 수 있는 brush
를 선택해야 한다.

그림 5-1-12
Bonding agent의 pooling을 방지하기 위해 paper point를 이용한다.

그림 5-1-13
접착제의 광조사(20~40초) 깊이가 깊을수록 광조사 시간을 더 충분히 해
주어야 한다.

⑥ RelyX Unicem (3M ESPE), RelyX U200 (3M ESPE), MaxCem Elite(Kerr), Biscem (Bisco) 등의 제품은 따로 접착의 과정이 필요 없이 cement 만으로 치질과 접착을 하는 self-adhesive resin cement에 해당되는 제품이다. 이러한 류의 제품들의 상아질 또는 근관벽에 대한 접착강도 등은 뒤에 설명하는 이원중합형 또는 화학중합형의 레진시멘트에 비하여 낮지만, 기존에 치과영역에서 많이 사용되었던 ZPC 등의 cement에 비하여는 높으므로, priming, bonding 등의 접착의 과정이 자신이 없거나 불편하다고 느끼시는 분들에게는 좋은 대안이 될 수도 있을 것이다.

⑦ 이원중합형 resin cement를 mix하여 근관 내에 삽입하고, post를 위치한 후 광조사한다(**그림 5-1-14~15**). Post 위쪽부터 근관 내에 위치한 post의 아래 부분까지는 상당한 거리이므로, 광조사가 효과적으로 이루어지지 않는 것에 특히 유의해야 하는데, 현재 국내에 시판되고 있는 resin cement 중에서는 Duo-Link (Bisco), RelyXARC (3M ESPE) 등이 비교적 이에 효과적인 것으로 보고 되고 있다. Post 자체도 빛을 효과적으로 잘 투과할 수 있는 system이 바람직한데, 국내에 시판되고 있는 것 중에는 DT Light-Post(Bisco), Snowpost(Danville), Twin Lucent Anchors(Dentaus), FRC Postec(Ivoclar Vivadent) 등이 비교적 빛의 투광도가 우수하다.

⑧ 화학중합형의 레진시멘트를 사용할 경우 이와 같은 광조사에 대한 부담을 덜 수 있는데, Panavia F(Kuraray), Multilink(Vivadent/Ivoclar) 등의 제품이 이에 해당한다. 하지만 중합시간을 조절할 수 없다는 것이 역시 문제인데, 특히 온도가 올라간다거나, 시멘트의 두께가 두꺼워질 경우에는 시멘트의 내부에서 중합이 더 급속하게 진행되는 특징이 있다. 따라

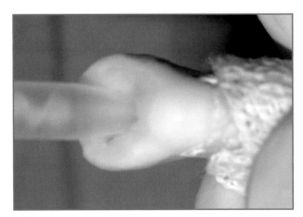

그림 5-1-14
이원 중합 cement를 근관 내에 주입한다.

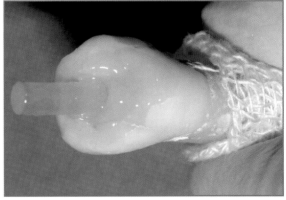

그림 5-1-15
Glass fiber에도 cement을 묻힌 후 근관 내에 삽입한다.

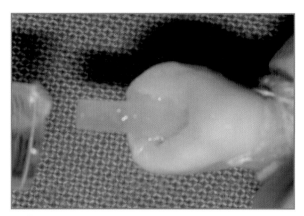

그림 5-1-16
1분 이상 충분히 광조사한다.

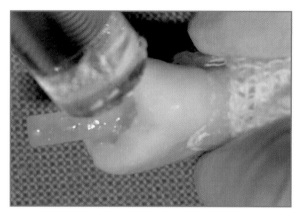

그림 5-1-17
core를 충전하고 광조사한다.

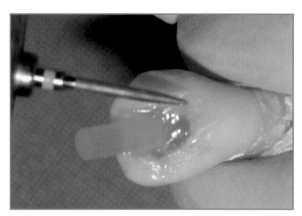

그림 5-1-18
여분의 fiber post를 bur를 이용하여 제거한다.

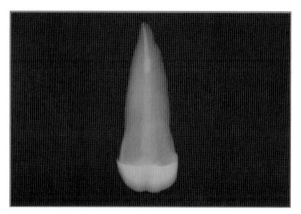

그림 5-1-19
X-ray로 상태를 확인한다. 상아질에 비해 약간 radiopaque한 space를 확인할 수 있다.

서, lentulo 등의 사용을 되도록 피해야 하며, fiber post에 시멘트를 직접 묻혀서 되도록 빨리 근관 내에 삽입해야 한다.

⑨ Core를 올리고 광중합한다(**그림 5-1-17**). 일부 이원중합형 또는 화학중합형 core 제품과 접착제와의 compatibility가 문제가 되고 있다. 광중합 형태의 core를 사용하는 것이 시간인 조금 더 걸리지만, 실수를 줄일 수 있고, 가장 안전한 방법인 것 같다.

⑩ Post를 trimming하고(**그림 5-1-18**), X-ray를 찍어 확인한다(**그림 5-1-19**). Fiber post 중에는 radiopacity를 가지고 있지 않은 제품들이 일부 있다. 이러한 경우, 임상적으로 여러 가지 불편한 점이 생긴다. 국내 시판되는 제품 중 DT Light-Post, Snowlight (Danville), FRC Postec Plus 등이 비교적 우수한 radiopacity를 가지고 있다.

(2) 기성품 (형태를 변형할 수 있는 것): Everstick Post system

① 먼저 근관치료가 제대로 되어야 한다.

② Gutta percha를 제거한다(**그림 5-1-20, 21**).

일반적인 금속 post의 유지를 위해서는 근관의 2/3, 치근단으로부터 3~4 mm까지 post를 위한 공간으로 확보해야 되지만, fiber post를 사용할 경우에는 그렇게 길게 확장할 필요가 없다. 근관 내 수 mm-근관의 1/2 정도만 해도 충분하다는 견해가 많다. 상아질 접착의 과정을 통해서 치아에서 유지를 얻기 때문에, 그 정도로 충분한 유지력을 얻을 수 있어서 필요 이상의 근관의 확대가 필요 없게 된 것이다.

③ Fiber post의 선택과 trimming(**그림 5-1-22~27**).

근관의 크기에 적합한 fiber를 선택한다. 우선 원하는 길이만큼 들어가는

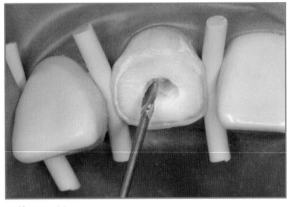

그림 5-1-20
Gates bur를 이용하여 gutta percha를 제거한다. Everstick Post system 은 0.9 mm, 1.2 mm, 1.5 mm 의 3가지 size로 구성되어 있는데 Gates bur 3, 4, 6 등이 각각 적당하다고 할 수 있다.

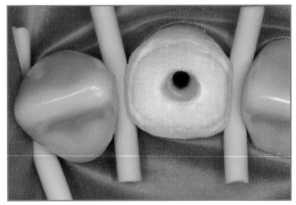

그림 5-1-21
근관 내를 깨끗이 rinse한다.

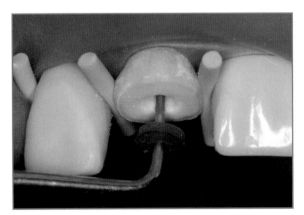

그림 5-1-22
Post를 위하여 설정된 근관의 길이를 확인한다.

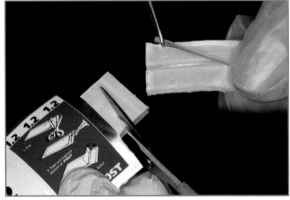

그림 5-1-23
해당하는 두께의 post를 선택한다.

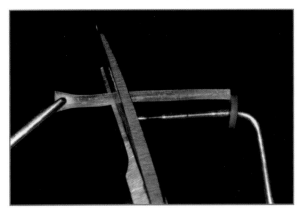

그림 5-1-24
원하는 길이만큼 자른다.

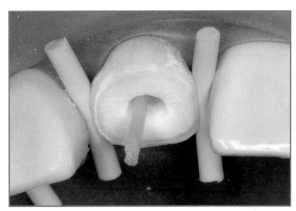

그림 5-1-25
근관 내에 post를 시적한다.

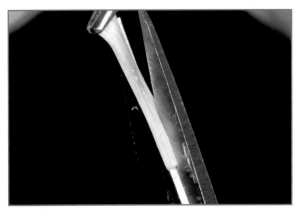

그림 5-1-26
필요하면 근첨 부위를 근관의 형태에 맞게 trimming할 수 있다.

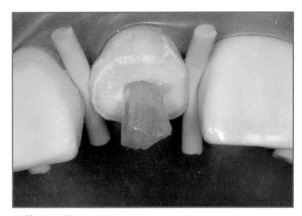

그림 5-1-27
근관의 입구 부위와 core 부위는 glass fiber를 잘라 첨가하여 두껍게 할 수 있다.

지 확인하며, 필요한 경우 가위를 이용하여 trimming하여 준다. 치경부에 가까워질수록 근관이 넓어지기 때문에 post와 근관 벽 사이에 공간이 더 커지게 되는데, 작은 post를 잘라 넣어서 이 공간을 메워 줘서 근관의 모습에 더 가깝게 만들어 줄 수 있다. Fiber post는 resin matrix 안에 위치하기 때문에 원래의 fiber post와 후에 덧붙인 fiber post 간에는 서로 잘 붙는다.

④ Fiber post의 light curing하고 근관 내부로부터 제거한다.
   약 30초 정도 광조사시킨 후 근관에서 빼낸다.

⑤ Fiber post에 대한 추가적인 광조사(**그림 5-1-29**).
   근관에서 빼어낸 post를 부위 별로 40초 이상씩 충분히 광조사시켜 준다.

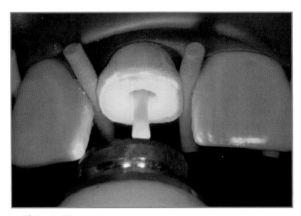

그림 5-1-28
근관 내에 넣고 광조사한다(약 20~30초).

그림 5-1-29
근관 내에서 빼낸 후 각 부위별로 40초 이상 충분히 광조사시킨다.

그림 5-1-30
표면에 bonding agent를 묻혀서 표면을 activation시킨다. 주의해야 할 것은 이때 사용하는 bonding agent는 solvent가 없는 제품이어야 한다. 즉, 3 step etch&rinse system의 bonding agent와 2 step self etching의 bonding agent가 적절하다.

그림 5-1-31
자연광으로부터 차단하여 기다린다. 이 사이 cementation을 위한 근관 내의 작업을 진행한다.

그림 5-1-32
Cementation 전 표면의 bonding agent가 골고루 발라졌는지 확인하고, oil free air로 조심스럽게 불어준 후 광조사시킨다(10초).

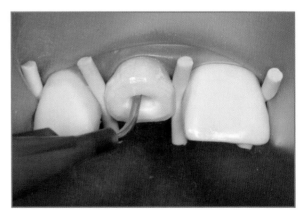

그림 5-1-33
필요한 접착의 과정을 거친 후, 근관 내에 이원중합 cement를 주입한다.

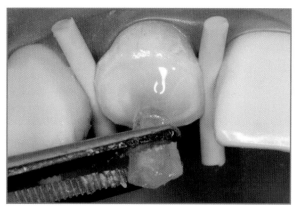

그림 5-1-34
근관내에 post를 천천히 위치시킨 후, 제자리에 위치되면 잡고, 광조사시
킨다.

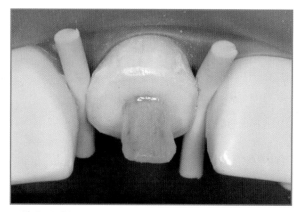

그림 5-1-35
Core 부위의 충전을 진행한다: 형태가 결정되어 나온 fiber post의 경우와
동일함.

⑥ Fiber post 표면에 bonding agent 도포(**그림 5-1-30, 31**).

Fiber post 표면을 상아질 접착제의 bonding agent로 골고루 발라주고,
약 5분 정도 방치한다. 이 과정은 post의 표면을 activation하는 과정이다.

⑦ 근관에 대한 처치

〈형태가 결정되어 나온 post〉에서의 경우와 같다.

⑧ Fiber post의 합착(cementation)과 광조사(**그림 5-1-32~35**).

〈형태가 결정되어 나온 post〉의 경우와 같다.

⑨ Core 이후의 과정:

〈형태가 결정되어 나온 post〉의 경우와 같다.

3) Ceramic post, zirconium의 사용

일반적으로 형태가 결정되어 나온 fiber post의 경우와 같은 방법을 사용한다. 단
glass ceramic post는 효과적인 접착을 위하여 4~9%의 불산을 이용하여 재질에 따라
30~60초의 산 처리하고(예: Empress II, e-Max: 30초, Empress I: 60초), silane
의 도포한 후 접착의 과정을 시행한다. Zirconium post는 특별한 표면처리를 필요로
하지 않는다.

4) 금속 주조 post의 사용

주조법에는 근관 내부를 성형한 후 인상채득을 하고 기공실에서 post와 core를 주
조하는 방법(**그림 5-1-36**)과 환자의 구강 내부에서 post를 근관 내부에 넣은 후, 주
조과정에서 연소하는 레진(예, Dularay 등)을 이용하여 core를 직접 만든 후, 이를
빼내어 직접 주조하는 방법이 있다(**그림 5-1-37**).

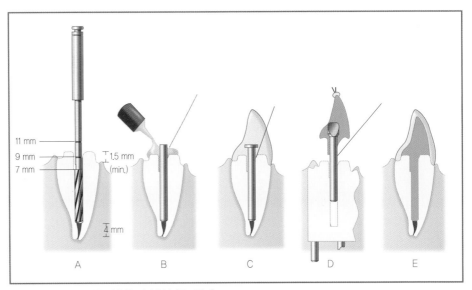

그림 5-1-36 Post를 이용한 치아수복 (주조법 1)

A. 게이츠 바와 드릴을 이용하여 Gutta percha를 제거한다.

B. Key hole을 형성하고 인상채득을 한다.

C. Temporary post를 이용하여 임시치관을 제작한다.

D. Die에서 burn out post와 wax를 이용하여 post와 core를 형성한 후 이를 주조한다. Burn out post 대신에 기성품화
   된 platinium gold post를 직접 이용할 수도 있다.

E. Post를 구강 내에 장착한 후 다시 인상을 채득하여 crown을 제작한다.

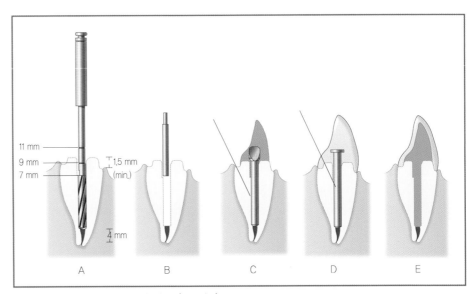

그림 5-1-37 Post를 이용한 치아수복 (주조법 2)

A. 게이츠 바와 드릴을 이용하여 Gutta percha를 제거한다.

B. Key hole을 형성한다.

C. Burn out post와 완전 연소되는 재질을 이용하여 환자의 구강 내에서 직접 core를 만든 후 이를 주조시킨다. Burn
   out post 대신에 기성품화된 platinium gold post를 직접 이용할 수도 있다.

D. Temporary post를 이용하여 임시치관을 제작한다.

E. Post를 구강 내에 장착한 후 다시 인상을 채득하여 crown을 제작한다.

근관 성형에 사용한 drill의 크기에 맞추어서 impression post, temporary post 등이 같이 구비되어 있는 system의 경우(**그림 5-1-36**) 인상채득과 임시치관 장착 등에서 매우 편리하게 사용할 수 있다.

주조된 포스트와 코어를 환자의 근관 내에 시적 시 잘 들어가지 않는 경우가 자주 발생하는데, 이러한 현상은 근관 내에 존재하는 미세한 undercut 등에 의한 경우가 많다. Drill의 size에 크기를 맞춘 기성 상품화되어 나온 platinium gold post를 이용할 경우 이러한 문제를 많이 줄일 수 있다. 즉, die 상에서 drill과 동일한 크기의 기성 상품화된 platinium gold post를 삽입한 후 gold post와 근관과의 사이에 간격이 주로 발생하는 근관의 middle 1/3 부위와 coronal 1/3 부위만 wax로 채우고, 이를 주조하면 비록 apical 1/3 부위는 근관 내에 미세한 undercut 등이 있더라도 이에 영향을 받지 않는 주조체를 얻을 수 있다.

5) Post의 제거

금속 post의 경우 특수한 장비를 사용하거나 진동을 이용하여 cement와의 접착을 헐겁게 하여 한꺼번에 제거하도록 노력하는데(**그림 5-1-38**), 이것이 어려울 경우는 실제적으로 제거하기가 불가능하며 무리하게 제거하려고 하다 치근이나 치아 파절 등을 유발할 수도 있다.

Fiber post의 경우는 작은 bur, long-neck bur, Peso reamer 등으로 직접 파서 제거한다. 금속 post보다는 쉽게 제거되지만, 역시 그리 간단한 작업은 아니다. 특수한 kit도 상품화하여 판매되고 있다(**그림 5-1-39**).

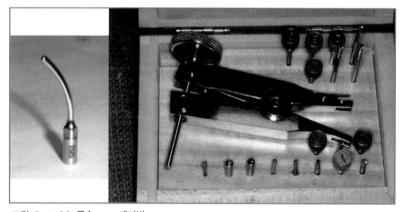

그림 5-1-38 금속 post 제거법.
Scaler tip 대신에 A와 같이 생긴 tip을 끼워서 post에 대고 진동을 주어 cement와의 접착을 헐겁게 한다. Post Extractor(Chigii Co.)를 남아 있는 post 부위에 끼우고 잡아서 뺀다.
금속 post를 제거하기 위하여 A 또는 B의 방법을 적절히 사용할 수 있다.

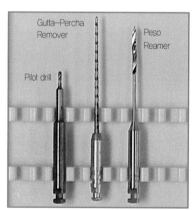

그림 5-1-39
Fiber post removal kit (Bisco Inc)

3. 임상 증례

증례 1: 심한 외상이 의심되는 치아의 수복

환자의 주소(chief complaint): 스쿠터를 타고 가던 중 차에 치여 이가 깨졌다. 음식을 먹을 때 #11 치아가 아프다.

과거 치과치료: 하악골 파절되어 관혈적정복술(open reduction)을 시행 받았지만 치관파절에 대한 치료는 받지 않음

현증:

#21: class III fracture Cold (−), Per(+), mob(−)

#11: class I crown fracture Cold(+) Per(−), Mob(−)

#36: class II crown fracture Cold(+) Per(−), Mob(−)

#41: Cold(−), EPT(−)Per(−) Mob(−)

진단:

#21: class III fracture

#11: class I crown fracture

#36: class II crown fracture

#41: concussion

치료계획:

#21: Endodontic treatment

Post & core

Crown

#11: composite resin restoration

#35: composite restoration

#41: wait & see

치료의 진행: 근관치료 후 치아의 삭제를 최소한으로 하기 위하여 fiber post 중 치과의사가 직접 형태를 조절할 수 있는 Everstick을 이용하여 post를 제작한 후 복합레진 core를 제작하고, PFG restoration을 시행하였다.

#11은 복합레진으로 수복하였다.

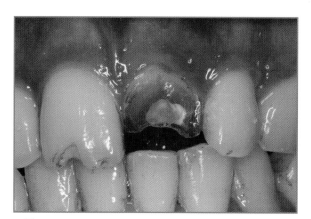

그림 5-1-40
근관치료를 완료한 상태.

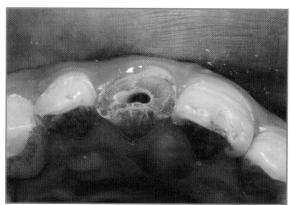

그림 5-1-41
임시충전물을 제거한 후의 incisal view.

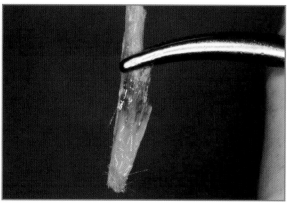

그림 5-1-42
근관을 최소한으로 확장하여 gutta percha를 제거하고, 근관의 모양에 맞게 fiber post를 만들기 위하여 Everstic Post (sticktech, Finland)를 이용하여 canal의 모습에 맞게 만든 모습. Canal의 tapering이 재현되어 있는 것을 볼 수 있다.

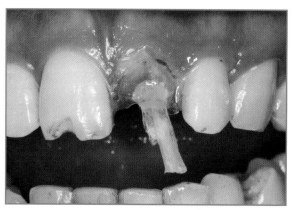

그림 5-1-43
Cured resin cement를 이용하여 cementation한 모습.

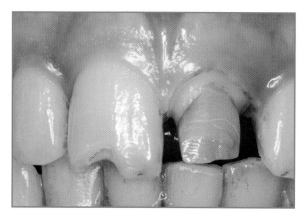

그림 5-1-44
복합레진을 이용하여 core build-up.

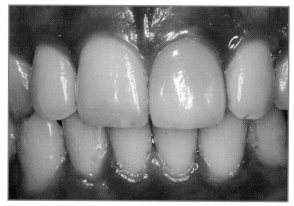

그림 5-1-45
PFM restoration을 이용한 crown 장착.

교훈: Trauma를 받아 파절된 치아에서 post & core를 주로 하게 되는데, crown fracture만 있다고 확진내리는 것이 과연 쉬운 일일까? 단지 진단만 안 될 뿐이지 root crack이 실제로 동반되어 있을 가능성은 얼마든지 있다. 특히 이 환자처럼 하악골의 파절까지 동반된 경우 그러한 가능성을 항상 염두에 두어야 할 것 같다. 치아의 파절된 양상을 보면, cast post & core가 적합할 것 같지만, 만약 root crack 등이 존재하고, metal post에 의하여 지속적으로 영향을 받을 때 실제로 root의 fracture가 발생할 확률은 얼마든지 있다고 생각된다. 그러한 이유로 이 환자의 경우 fiber post를 이용하였고, 특히 치관의 확장을 최소한으로 하면서 치관의 원래 형태에 가깝게 재현할 수 있는 system을 이용했다.

증례 2: 치아 우식으로 치경부의 손상이 심한 치아의 수복

환자의 주소(chief complaint): 앞니가 썩어서 아프다(**그림 5-1-6**).
과거 치과치료: 4개월 전 앞니가 썩은 것을 발견하였으나 증상이 없어서 그냥 지내 왔다.
 #22 치아는 2개월 전에 부러졌으나 통증이나 불편감이 없다.
 #21: resin filling (10년 전 local clinic)
현증:
 #11: root caries Cold(−) Mob(−) Per(−) EPT(+)
 #12, 21: Advanced dental caries Cold(−) Mob(−) Per(−) EPT(−)
 #22: root rest
진단:
 #12,22: root rest , canal obstruction
 #11: root caries
 #21: non – vital tooth
치료계획:
 1. #12,22: 발치
 2. #11: Operative treatment
 3. #21: 근관치료 후 post & core (Everstick post & composite resin core)
 4. 전체적인 보철치료 (crown & bridge, Partial denture).
치료의 진행: (**그림 5-1-46~50**)

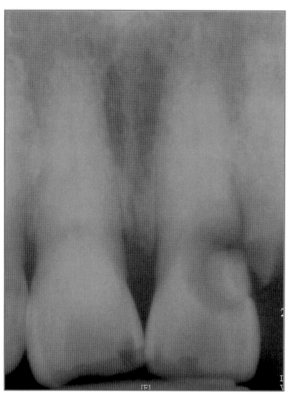

그림 5-1-46
#12의 canal obstruction, 심한 cervical caries.
#11 Incisal corner 부위의 defect.
#21 복합레진 아래 쪽에 pulp까지 진행된 caries.
#22 root rest와 canal obstruction을 나타낸다.

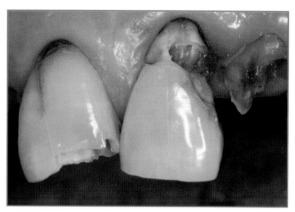

그림 5-1-47
#21 치아의 치경부의 defect를 제거한 모습. 일부 남아 있는 복합레진이 보인다.

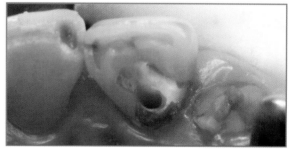

그림 5-1-48
#21의 incisal view.

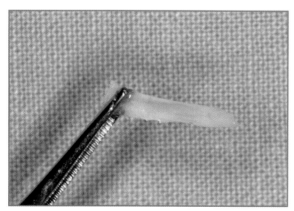

그림 5-1-49
만들어진 fiber post의 모습. 부가적으로 fiber post를 잘라붙여서 core 부위를 보강하였다.

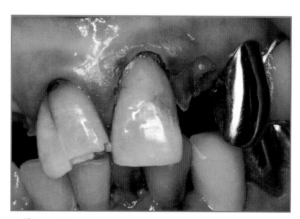

그림 5-1-50
복합레진 core 충전 모습. Crown의 지대치로 사용될 예정이기 때문에 추가적인 polishing은 시행하지 않았다.

근관치료가 끝난 후 post space를 확보하고, 형태 및 크기를 조절할 수 있는 Everstick post를 이용하여 post를 하고 복합레진 core를 제작하였다. 추후 보철 치료가 진행될 예정이다.

> 교훈: 치경부의 치질 손실이 심한 경우, 이 부위를 적절히 보강하지 않으면 crown 수복 후에도 이가 부러지는 경우가 생긴다. 이 환자의 경우와 같이 많은 치경부위의 손실이 있고, 남아 있는 치질의 양이 적은 경우에는 post 재료의 선택에 있어서도 치아에 가해지는 stress가 적은 재료를 선택할 필요가 있어서 fiber post system을 이용하였다. 또한 추가적인 fiber의 부착을 통하여 core 부위를 좀 더 튼튼하게 보강할 수 있으며, core 재료도 치질 및 post에 잘 접착을 하는 것이 중요하다. 이러한 이유로 fiber post system 중 추가적으로 post를 부착하여 core 부위를 보강할 수 있고, 복합레진 core과의 접착도 이루어질 수 있는 Everstick system을 이용하였다.

증례 3: 교합문제로 post의 axis를 바꿔야 할 경우

환자의 주소(chief complaint): 오토바이 뒤에 타고 가다 떨어져서 얼굴을 부딪혔다(21세 남자).

과거 치과치료: 사고 당일 본원 치과 응급실에 내원하여 #22의 class III crown fracture로 진단 후 emergency opening

현증 (그림 5-51, 52)

    #22: class III crown fracture : equigingival level

        Ice(−), Per(−), Mob(−)

    #21: Ice(+), Per(+), Mob(+−)

진단:

    #22: class III crown fracture, pulpless tooth

    #21: concussion

치료계획: #22: 근관치료 및 Post & core

치료의 진행 (그림 5-1-51~59)

    근관치료 후 교합분석 과정에서 치축의 변경의 필요성이 제기되어

    치과의사에 의하여 형태를 수정할 수 있는 fiber post system (Everstick Post system)을 이용하여 수복함.

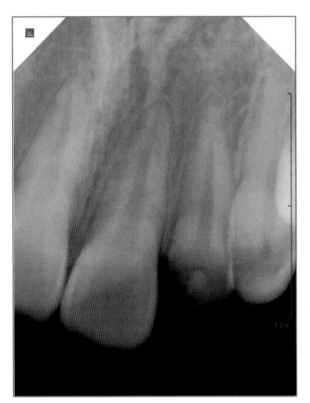

그림 5-1-51
#22 tooth fracture

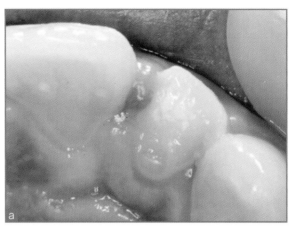

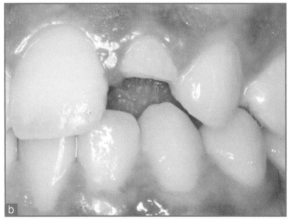

그림 5-1-52
a. Incisal view. b. Labial view.

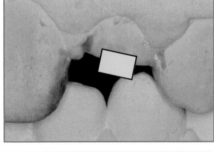

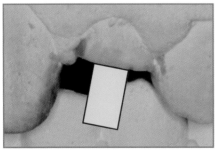

그림 5-1-53 교합 분석 모습.
교합분석 결과 측절치 부위의 제한된 공간 때문에 일반적인 post로는 원하는 길이를 충분히 얻기가 어렵다는 것을 알게 되었다.

그림 5-1-54
wax로 이상적인 모습을 재현하고 putty index를 만들어 두었다.

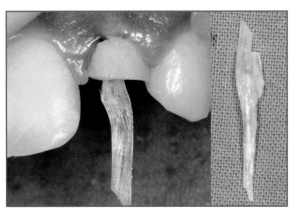

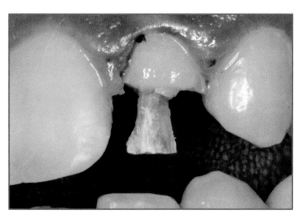

그림 5-1-55
Post를 순측으로 구부려서 교합을 피해서 길게 확장할 수 있게 하였으며, 순측에는 추가적으로 post를 덧붙여서 강도를 보강하였다.

그림 5-1-56
Cementation 모습.

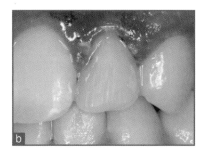

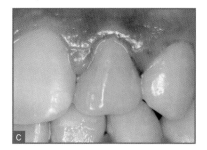

그림 5-1-57
미리 만들어진 putty index를 이용하여 core를 형성하였다.

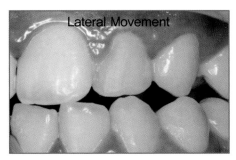

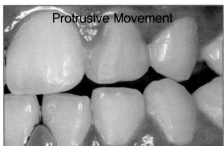

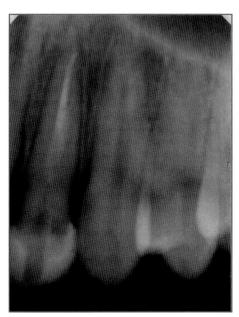

그림 5-1-58
기능 운동시의 교합도 적절하게 설정되었다.

그림 5-1-59
Post를 하였는데도 X-ray 상으로 radiopaque하게 나타나지 않는 단점이 있다.

교훈: 앞의 증례 1에서 설명한 바와 같이 trauma 후의 post를 해야 할 경우에는 fiber post를 선택하는 것이 현명할 것 같다. 그런데 이 환자의 경우 교합적인 문제 때문에 치축을 변경해야 할 필요가 있었고, 통상의 fiber system보다는 치과의사에 의하여 직접 형태의 수정이 가능한 fiber post system을 사용하는 것이 적절하다고 판단하였다.

4. 유용한 기구 및 재료

1) RelyX Unicem이나 U200 (3M ESPE)와 canal 내에 직접 삽입이 가능한 Aplicap과 연결된 긴 tip (3M ESPE) (그림 5-1-60).

기존의 상아질 접착제를 이용하여 좁고 긴 canal 내를 적절히 접착을 시킨다는 것은 쉬운 일이 아니다. 따라서 별도의 접착과정 없이 cement 자체가 치질과 어느 정도 접착을 할 수 있는 self adhesive resin cement은 이러한 관점에서는 치과의사에게 매우 매력적인 상품이라고 할 수 있다. Self adhesive resin cement 중에는 3M ESPE 사의 RelyX Unicem, U200 등이 가장 좋은 평가를 받아왔다. 이 제품으로 출시되는 capsule에는 두 가지가 있는데(Aplicap, Maxicap), 이 중 Aplicap에 Elongation tip을 붙여서 사용하면 canal 내로 직접 resin cement을 짜 넣을 수 있어서 매우 편하게 사용할 수 있다.

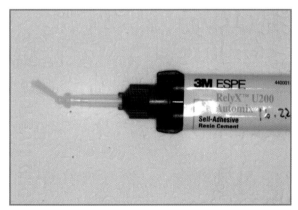

그림 5-1-60
3M ESPE 사의 Aplicap에 연결하여서 쓸 수 있는 extended tip은 레진시멘트를 좁은 canal 내로 직접 넣을 수 있어서 편리하게 사용할 수 있다.

2) Microbrush

　상아질 접착제를 좁은 canal 내에 적절히 처리하는 것은 적절한 도구가 없으면 매우 어려운 일이다. 일반 microbrush(fine size)는 canal 내에 잘 들어가지 않는 경우가 많다. 이럴 경우 더 작은 size의 microbrush(superfine size)를 준비하고 있으면 유용하게 사용할 수 있다(**그림 5-1-61**).

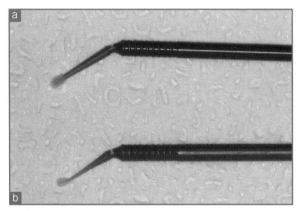

그림 5-1-61
a. 일반적인 disposable microbrush (fine size).
b. 근관 내 사용이 적당한 disposable microbrush (superfine size).
(TPC Disposable Micro Applicators)

Chapter 6

복합레진을 이용한 간접수복

(인레이, 온레이, 크라운, 라미네이트)

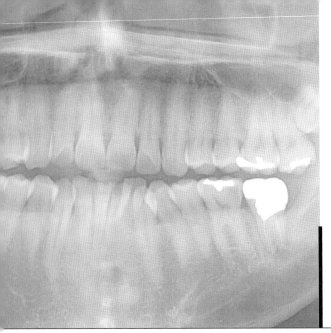

복합레진을 이용한 간접수복

복합레진은 전치부 치아의 수복에 있어서 이미 가장 보편적인 수복물의 하나로 자리 잡았고, 구치부 영역에 있어서도 그 적용 범위가 점점 확대되었다. 재료학적인 발전을 거듭하면서, 마모율 면에 있어서 아말감과 큰 차이가 없을 정도가 되어, 1급 와동 수복에는 복합레진을 이용하여 직접 광중합시키는 방법이 많이 사용되고 있다. 2급 와동의 경우도 특수한 치아 이개 방법을 이용하여 치아를 이개시켜서 어느 정도 긴밀한 인접면 접촉(proximal contact)을 얻는 것이 가능해졌고, 점층법을 이용하여 중합수축에 대한 영향을 조절할 수 있어서 2급 와동의 경우도 과거에 비해서는 복합레진을 이용하여 수복하는 빈도가 점점 높아지고 있으며 앞으로 더욱 증가할 것이다. 하지만 크기가 크고 복잡한 구치부 와동을 복합레진을 이용하여 직접수복법으로 치료하는 것은 아말감보다는 아직까지는 많은 시간이 소요되는 것이 사실이다. 특히 여러 개의 치아를 동시에 치료하고자 할 경우에는 간접법을 이용하는 것이 훨씬 효과적일 수 있다. 가장 대표적인 indirect tooth colored restoration을 위한 재료라면 세라믹을 들 수 있겠지만, 환자의 재정적인 문제나 특수한 교합상의 문제로 세라믹보다는 복합레진을 이용하여 치료해야 하는 경우가 생긴다. 이번 장을 통하여 복합레진을 간접수복에 효과적으로 이용하는 방법에 대해 알아보도록 한다.

I. 복합레진 간접수복을 위한 필수지식

1. 복합레진을 이용한 간접수복의 장점

복합레진을 치아에 직접 충전하는 방법에 비하여, 간접법을 사용할 경우 다음과 같은 장점을 얻을 수 있다.

1) 추가적인 열중합을 통하여 복합레진의 중합률을 높임으로서 더욱 향상된 물리적인 성질을 얻을 수 있다.

복합레진을 광중합시킨 후 부가적으로 열중합을 시키면 재료에 따라서 약 4~44% 의 중합률이 높아지며, 이는 재료의 물리적인 성질을 높이는 데 기여한다. 하지만 재료자체의 탄성률을 손상시키지 않는 범위 내에서 복합레진의 물리적인 성질이 향상되어야 하며, 이러한 면에서, 인레이 기법을 사용할 경우에는 이에 적합한 복합레진을 선택하는 것이 중요하다(그림 6-1-1).

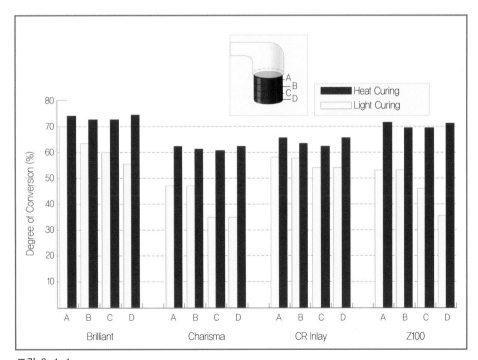

그림 6-1-1
추가로 열중합을 시키면 광중합만을 시켜줄 때보다 중합률이 향상된다. 단, 증가 정도는 복합레진마다 다르다. 너무 증가의 양이 많으면 중합률은 증가하지만 재료가 취약해질 수 있다.

2) 복합레진의 중합수축에서 오는 치아에 대한 stress를 줄여줄 수 있다.

인레이 기법을 이용하는 경우 대부분의 중합 수축이 기공과정에서 이루어지며, 레진 시멘트에 의한 중합수축만이 구강 내에서 이루어지기 때문에 중합수축에 의하여 생기는 응력이 치아에 대해 더 적게 발생한다.

3) 인접면 접촉을 포함한 해부학적인 형태를 더욱 바람직하게 형성할 수 있다.

2. Heat curing system의 종류

현재 국내에서 사용 가능한 heat curing system의 종류는 다음과 같다

이름	중합방법	온도, 시간, 압력	제조사
Brilliant DI	빛/열	110 C, 7분	Coltene-Whaledent
Clearfil CR Inlay	빛/열	100 C, 15분	Kuraray
Conquest	빛		Jeneric/Pentron
Dentacolor	빛		Kulzer
Tescera	빛/열/압력	130C, 14분, 60 psi	Bisco

빛만 가해지는 system보다는 빛과 열이 같이 가해지는 system이 더 유리하다.
압력이 가해지면 복합레진 내에 포함되어 있는 기포를 줄여 줄 수 있는 장점이 있다.

3. 치아 와동 형성 (그림 6-1-2~5)

교합면은 와동을 형성한 후 기본적으로는 bevel을 주지 않지만(**그림 6-1-2**), 와동의 크기가 커지는 경우, 법랑질소주(enamel rod)의 방향을 고려하여 bevel을 주게 되는 경우도 있다(**그림 6-1-3**). 인접면은 치아 외연의 각도가 60~80°가 바람직하다 (**그림 6-1-4**). 아말감에서와 같이 90°의 butt joint를 형성하는 것은 enamel rod의 방향이 와동의 방향과 평행하게 되어 바람직하지 않다. 인접면(proximal surface)의 치은변연(gingival margin)에서 법랑질 소주는 수평방향, 또는 약간 치은쪽으로 기울어 주행하게 된다. 따라서 수평면으로부터 30° 정도 기울어지게 삭제하는 것이 이상

적이다(**그림 6-1-5**). 복합레진에서의 기본적인 와동 형성 방법은 〈**2장. III. 와동의 삭제**〉를 참고해 주기 바란다.

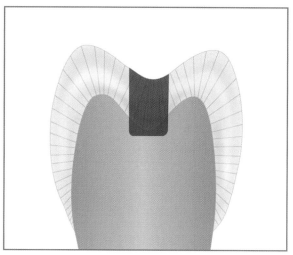

그림 6-1-2
와동의 크기가 크지 않은 경우, enamel rod의 방향 때문에 bevel을 부여
하지 않아도 자연스럽게 bevel을 준 효과가 나타난다.

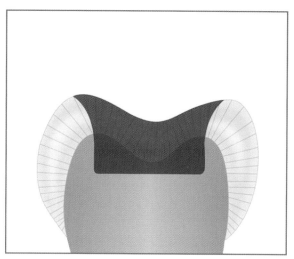

그림 6-1-3
와동의 크기가 큰 경우에는, enamel rod의 방향 때문에 bevel을 부여하는
것이 필요한 경우도 생긴다.

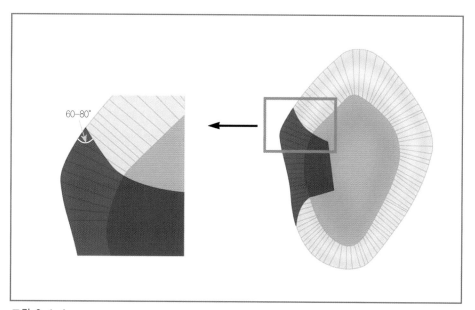

그림 6-1-4
인접면에서는 enamel rod의 방향 때문에 치아외연의 각도가 60~80°를 이루게 하여야 중합수축의 힘에 저항할 수 있
게, 자연스럽게 bevel을 준 형태가 이루어짐으로서 인접면 치질의 파절을 막는데 도움을 준다.

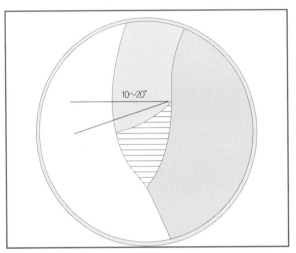

그림 6-1-5
인접면 치경부 enamel rod의 방향이 수평 또는 치근쪽으로 약간 10~20
도 내외로 기울어진 경우가 많기 때문에 치질삭제는 치경부 쪽으로 약 30
도 정도 경사지게 bevel을 부여하는 것이 바람직하다.

4. 치수의 보호와 인상채득, 임시수복

1) 와동의 깊이가 깊지 않은 경우(그림 6-1-6~10)

특별한 base를 사용할 필요 없이 노출된 상아질은 즉시 상아질 접착제를 이용하여
처리를 하고 광중합시킨다. 이런 과정을 'Immediate Dentin Sealing'이라고 하는
데, cementation 후에 생기는 술후 과민증을 줄여 줄 수 있으며 접착강도도 증가시
킬 수 있는 매우 효과적인 방법이다. 작은 undercut 등이 있는 경우나 부분적으로 약
간 깊은 부위는 간단히 flowable resin 등으로 충전할 수 있다. 인상을 채득하기 전에
접착제의 표면을 알코올이나 아세톤을 묻힌 면봉으로 잘 닦아 준 후 인상을 채득하
고, 광중합형 임시가봉재 등을 이용하여 와동을 막아 준다. 알코올이나 아세톤을 이
용하여 접착제의 표면을 잘 닦아주지 않으면 광중합형 임시 가봉재가 같이 중합하는
경우가 생겨서 후에 제거가 잘 되지 않는 경우가 있으니 주의해야 한다.

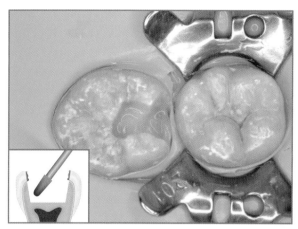

그림 6-1-6
치아우식을 제거하고 와동을 형성한다. 아직 법랑질 부는 완전히 정리하지 않는다.

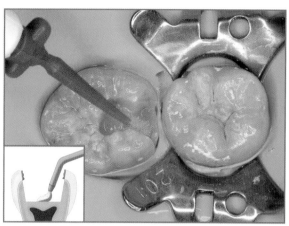

그림 6-1-7
노출된 상아질을 2-step self etching system이나 etch & rinse system을 이용하여 처리하고 광중합시킨다. Etch & rinse system(2 step 또는 3 step)을 이용할 경우에는 상아질 표면에 산 부식 과정을 거쳐야 한다. 필요한 경우 flowable resin 등을 추가로 이용할 수 있다.

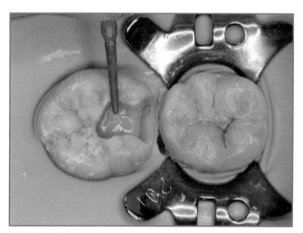

그림 6-1-8
와동의 변연을 fine diamond bur를 이용하여 정리한다.

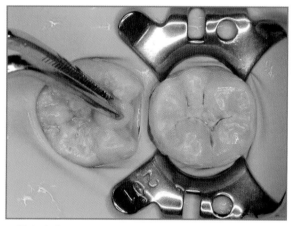

그림 6-1-9
접착제의 표면을 알코올 또는 아세톤을 이용하여 닦아준 후 인상채득을 한다.

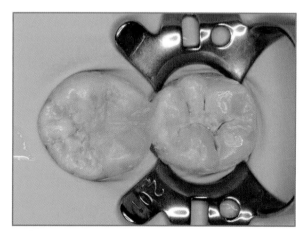

그림 6-1-10
광중합형 임시충전재로 가봉한다.

2) 와동의 깊이가 깊은 경우(그림 6-1-11~15)

광중합형의 글라스아이노머를 이용하여 base를 하여서 깊이를 줄여 주고, undercut도 제거한다. 이렇게 함으로서 인레이의 두께를 궁극적으로 줄여 줌으로서 이원중합레진시멘트를 효과적으로 중합시킬 수 있다. 이원중합레진시멘트라 하더라도 광중합이 얼마나 충실히 이루어지는지에 따라 물성이 결정되는 경우가 대부분이다. 나머지 노출된 상아질 부위는 앞에서의 immediate dentin sealing에서와 같이 상아질 접착제를 이용하여 처리를 하고 광중합시킨다. 또한 적절한 탄성을 부여하여 수복물의 변연을 장기적으로 보호한다. 단, 이 때 광중합형 글라스아이노머 베이스는 너무 두께가 얇아서는 안 되며, 적어도 1~2 mm의 충분한 두께를 가져야 한다. 인상 채득하기 전 마지막으로 치아의 변연 부위와 글라스아이노머 표면을 잘 다듬어 준 뒤 인상을 채득한다. 인상을 채득하기 전 노출된 상아질 접착제와 글라스아이노머 표면을 알코올이나 아세톤을 묻힌 면봉으로 잘 닦아 준 후 인상이 채득하고, 광중합형 임시가봉재 등을 이용하여 와동을 막아 준다. 알코올이나 아세톤을 이용하여 접착제의 표면을 잘 닦아주지 않으면 광중합형 임시 가봉재가 같이 중합하는 경우가 생겨서 후에 제거가 잘 되지 않는 경우가 있으니 주의해야 한다.

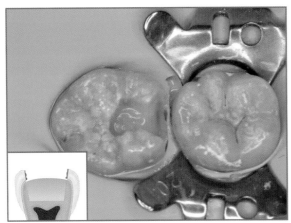

그림 6-1-11
와동의 깊이가 깊은 경우 광중합형 글라스아이노머를 사용하여 와동의 깊이를 줄여주고 undercut를 없애준다.

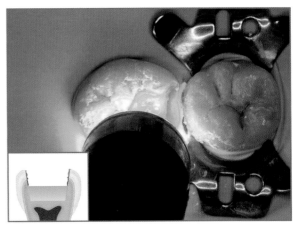

그림 6-1-12
글라스아이노머가 적절한 두께가 되도록 다듬은 후 나머지 노출된 상아질을 2-step self etching system이나 etch & rinse system을 이용하여 처리한다. Etch & rinse system (2-step 또는 3-step)을 이용할 경우에는 상아질 표면에 산 부식 과정을 거쳐야 한다.

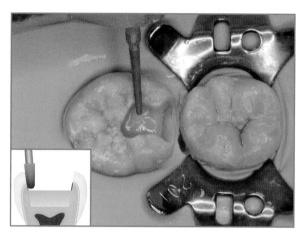

그림 6-1-13
와동의 변연을 fine diamond bur를 이용하여 정리한다.

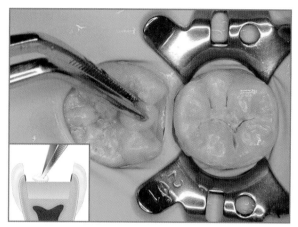

그림 6-1-14
접착제의 표면을 알코올 또는 아세톤을 이용하여 닦아준 후 인상채득을
한다.

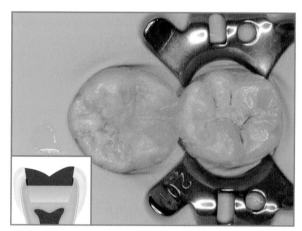

그림 6-1-15
광중합형 임시충전재로 가봉한다.

5. 복합레진 인레이의 기공과정 및 열처리(그림 6-1-16)

수복물의 내면에 분리제를 바르고 die spacer를 발라 준다. Die spacer는 복합레진의 중합수축을 고려할 때 비교적 충분히 발라 주는 것이 유리하다. 그 후 복합레진의 열 처리 과정은 사용하는 system에 따라 차이가 있다. 국내에서 가장 많이 사용하는 Tescera system의 경우 압력과 빛이 가해지는 과정과 압력과 열이 가해지는 2가지의 과정으로 나누어 진행되게 된다.

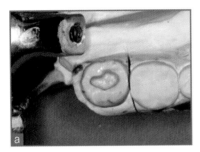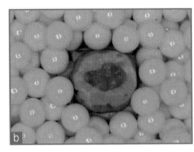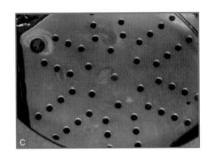

그림 6-1-16
기공과정을 통하여 복합레진 인레이를 제작하고, 광중합, 열중합의 과정을 거친다.
a. Die 제작. b. 압력과 빛을 가한다.   c. 열중합시킨다.

6. CAD/CAM용 block

물성을 향상시킨 복합레진블록을 통하여 CAD/CAM 방법을 이용하여 milling하는 방법도 최근 소개되었다. 예를 들면, Lava Ultimate (3M ESPE)은 CEREC을 이용하여 milling할 수 있는 레진 블록이다. 일반적인 복합레진 인레이보다 우수한 물성을 보인다고 알려져 있다.

최근 다양한 종류의 resin-matrix ceramics 등이 비슷한 용도로 국내외에 소개되었는데, 아직 사용된 지 오래되지 않아, 임상적인 장, 단점에 대한 data가 부족하다. Ceramic으로 잘못 알고 있는 경우가 많은데, 실제로는 복합레진이며 표면 처리 방법도 복합레진 인레이에 준한다. 추후 이에 대한 많은 연구가 진행되리라 예상된다. 현재 다음과 같은 제품이 소개되어 있다.

Lava Ultimate (3M ESPE)
Enamic (Vita)
Shofu Block HC (Shofu)
MZ-100Block, Paradigm MZ-100 Blocks (3M ESPE)

7. 합착의 과정

레진시멘트를 이용한 합착의 과정은 ZPC나 glass ionomer cement 등에 비하여 다소 복잡한 것이 사실이다. 하지만 진료 보조자와 유기적으로 협조가 이루어지면 그 과정이 훨씬 수월해질 수 있다. 예를 들면 진료 보조자가 수복물의 내면처리를 하는 동안 시술자는 치아에 대한 처리를 하는 등의 역할 분담이다(그림 6-1-17).

1) 시적

수복물을 와동에 시적한다. 변연 접합성, 색의 조화, 인접면 접촉 등을 검사한다. 주의할 점은 교합에 대한 검사는 이 때 시행하지 않고, cementation이 완전히 끝난 후에 시행해야 한다는 것이다. 일반적으로 처음 시적하여 보았을 때 금인레이 등에 비하여 변연 접합성이 다소 떨어지지만 레진 시멘트를 사용한다는 장점을 이용하여 이를 극복할 수 있다.

2) 수복물의 내면 처리(그림 6-1-17)

복합레진 인레이의 내면은 sandblast나 bur를 이용하여 약간 거칠게 해준 후, silane을 도포해 주고 약 1분 정도 기다린 후 건조시킨다. 그 후 접착제를 바르고, 빛을 차단하여 cementation시키기 직전까지 보관한다. 이때 사용하는 접착제는 3-step etch & rinse system이나 2-step self-etching system의 bonding agent가 바람직하다.

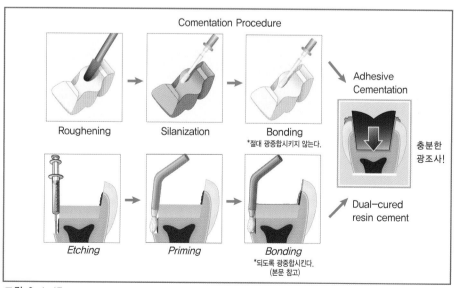

그림 6-1-17
Cementation의 전과정 요약.

3) 치아의 내면 처리 (그림 6-1-18~20)

임시수복재를 제거한 후 치아 변연부를 40 um 이하의 fine diamond bur와 불소가 함유되어 있지 않은 pumice 등을 이용하여 깨끗하게 정리한다. Immediate destine sealing 과정에서 치아에 도포되었던 변연부의 상아질 접착제가 이 과정에서 일부 제거되는데, 이 과정을 치아 변연의 activation 과정으로 부르기도 한다

3-step etch & rinse system을 사용하는 경우, 법랑질을 먼저 20초 정도 산 부식 후, activation 과정에서 노출된 상아질 변연(예: 인접면의 치경부변연)에 산 부식제를 위치시켜 10~15초 정도 산을 적용시킨다. 그 후 상아질 변연에 primer를 바르고 건조시킨 후 bonding agent를 치아 변연을 포함한 모든 와동 내에 도포한 후 광조사한다.

2-step self-etching system을 사용하는 경우는, 법랑질은 따로 인산을 이용하여 산 부식시킨 후 치아를 수세 건조하고, self etching primer를 상아질 변연에 적용 후 (20~30초) 건조시키고, bonding agent를 전체적으로 발라주고 광조사시키면 된다.

Bonding agent는 두꺼워지지 않게 brush 등을 이용하여 충분히 얇게 하도록 노력한 뒤 광조사시키는 것을 명심하여야 한다. 만약 사용하는 bonding agent 등이 두꺼워, 광조사 후 inlay를 위치시킬 때 잘 들어가지 않을 우려가 클 경우에는 접착제에 self-cure activator를 혼합하여 와동에 도포하고(광중합시키지 않고), 바로 cementation을 한 후에 같이 광조사시키는 방법을 사용할 수 있다. 차선책으로 self-cure activator도 사용하지 않으면서 cementation과정에서 bonding agent와 resin cement를 같이 광조사시키기도 하는데, 이 때 꼭 필요한 전제조건은 치아는 반드시 immediate dentin sealing이 되어 있어야 한다는 점이다. 그렇지 않을 경우 술후 hypersensitivity 등이 발생하는 경우가 많이 있다.(〈2장 **V. 상아질접착제, 8장 간접수복을 위한 cementation**〉 참고).

4) 합착 (Cementation)(그림 6-1-21~24)

복합레진이나 세라믹인레이, 온레이 등의 합착 용도로는 etching-priming의 과정을 거쳐서 사용하며, viscosity가 되도록 높은 이원중합 형의 복합레진시멘트가 가장 적절하다고 할 수 있다. 만약 self-etching system을 이용할 경우에는 2-step system을 사용하는 것이 바람직하며, 법랑질 etching은 부가적으로 하는 것이 적절하다.

간혹 광중합형의 flowable resin이나 충전용 복합레진을 cement 대용으로 사용할 수 있는데, 이 경우 inlay의 두께가 두껍지 않아서(2 mm 이내) 빛이 복합레진이나 세라믹인레이, 온레이를 충분히 통과할 수 있어야 하며, 광조사 시간을 1면당 1분 이상 충분히 하여야 한다.

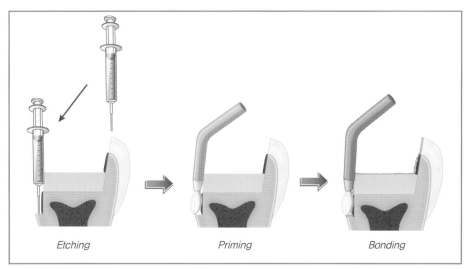

그림 6-1-18
Indirect tooth colored restoration을 위한 치아의 내면처리 모식도.

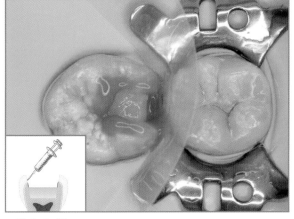

그림 6-1-19
Indirect tooth colored restoration을 위한 치아의 내면처리 - 산 부식.
법랑질을 산 부식시킨다. Etch & rinse system을 사용할 경우에는 노출된
상아질에 추가적으로 산 부식시킨다.

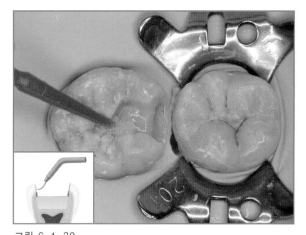

그림 6-1-20
Indirect tooth colored restoration을 위한 치아의 내면처리 - primer 및
bonding의 도포.
Etch & rinse system, self-etching system. 각각의 방법에 따라 노출된 상
아질에 primer를 처리하고, bonding agent를 도포한다. Bonding agent는
광조사시키기 전, 두꺼워지지 않게, brush를 이용하여 골고루 넓게 발라주
고 광조사시킨다.

Inlay body가 와동과 비교적 큰 간격이 있거나 inlay body가 와동 내에 접합도
가 그리 좋다고 생각되지 않으면 충전용 복합레진을 cement 대용으로 사용할 수 있
다. 이 때는 복합레진의 점도가 매우 높은 편이기 때문에 **sonic cementation**이라
고 하는 특수한 방법을 이용하여 복합레진을 cementation시키는 것이 좋다. 이 방법
은 scaler의 진동을 이용하여 점도가 높은 복합레진의 점도를 일시적으로 낮추어서

inlay의 접착을 용이하게 하는 술식인데, scaler tip 대신에 실리콘, 플라스틱 등으로 cover되어 있는 특수한 tip을 사용하여 inlay 표면에 위치시켜서 진동이 내부로 전달되게 하여 내면의 손상을 막는다(**그림 6-1-24**).

　복합레진 cement는 접착제 사용 유무에 따라서 self-adhesive resin cement와 adhesive resin cement로 나눌 수 있으며, adhesive resin cement에는 다시 etch & rinse system을 이용하는 경우와 self-etch system을 이용하는 경우로 나누어 볼 수 있다. 또한 중합 형태에 따라서는 광중합형, 이원중합형, 화학중합형으로 나누어 볼 수 있다. resin inlay, onlay 등은 adhesive resin cement를 사용하는 것이 바람직하다. (〈8장. 간접수복을 위한 cementation〉 참고)

　이상에서와 같이 indirect tooth colored restoration을 접착하는 방법을 dual

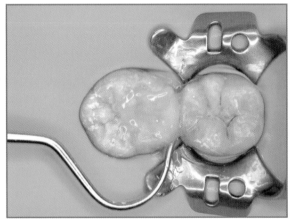

그림 6-1-21
Dual cured resin cement이나 충전용 복합레진 등을 이용하여 복합레진 인레이를 위치시킨 후 여분의 cement를 제거한다.

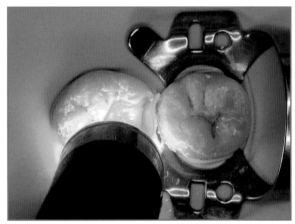

그림 6-1-22
각 면당 1분 이상 충분히 광조사한다.

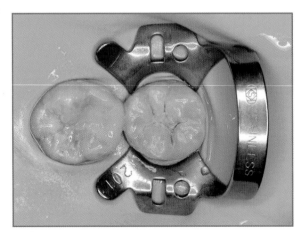

그림 6-1-23
교합을 맞추어 주고 마지막으로 마무리한다.

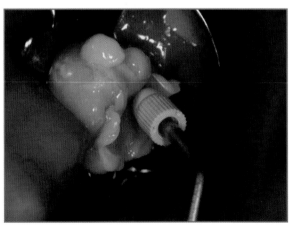

그림 6-1-24
Sonic cementation.

bonding technique이라고 한다(**그림 6-1-6~20**). 비슷한 방법으로 resin coating technique이 있다. 전체 과정을 요약하여 설명하면, 와동 삭제 후, 노출된 상아질을 상아질 접착제를 이용하여 sealing을 한 후(immeidate Dentin sealing) 인상을 채득하고 임시 수복을 한다. 그 후 cementation을 할 때 다시 한 번 접착제를 바르고 cementation을 하는 것이다. 결국 접착제를 2번 바르기 때문에 위와 같이 불리고 있다.

복합레진 또는 세라믹 인레이를 레진 시멘트를 이용하여 합착(cementation) 후 이가 시리고 불편하다고 호소하는 환자들이 많은데, 이러한 문제를 해소할 수 있는 효과적인 방법인 것 같다.

8. Light curing의 중요성

레진시멘트의 접착에 사용하는 이원중합형 레진시멘트에 대하여 치과의사들은 광중합이 충분히 이루어지지 않더라도 결국 화학중합이 충분히 이루어지리라는 환상을 가지고 있다. 하지만 재료마다 약간의 정도 차이는 있지만 대부분의 이원중합 레진시멘트는 광조사를 충분히 받아야 자기의 성능을 완전히 발휘하게 된다. 따라서 광조사 시간을 충분히 확보하는 것이 중요하다. 요즘 출시되는 광조사기는 대부분 1,000 mW/cm^2 이상의 높은 power density를 나타낸다고 선전을 하고 있지만, 이것이 약 2~3 mm 두께의 복합레진이나 세라믹수복물을 통과하고 나면 실제 power density의 1/2~1/3 이하로 기록되는 경우가 대부분이다. 더욱이 세월이 흐르면서 LED type의 광조사기의 power density도 떨어지는 것이 대부분이어서 처음에 구입하였을 때 1,000 mW/cm^2 이상의 높은 power density를 나타내는 경우도, 500~800 mW/cm^2 정도로 낮아진 경우가 많다. 따라서 레진시멘트를 충분히 중합시키기 위해서는 1면당 1분 이상을 충분히 광조사하는 것이 안전하다. 예를 들면, MO나 DO 수복물의 경우는 교합면과 협측인접면 설측인접면을 각각 1분씩 총 3분 광조사시켜주는 것이 안전하다. 광조사 시간이 오래 지속될 경우 치수 내에 과도한 온도상승이 있을 수 있는데, 이는 광조사하면서 air syringe로 치아를 식혀주는 방법으로 충분히 막을 수 있다.

Ⅱ. 임상증례

증례 1: 레진 인레이? 세라믹 인레이? 금 인레이? 〈1〉 (그림 6-2-1∼5)

환자의 주소 (chief complaint): 약 2주 전부터 왼쪽 아래 이가 약간 시큰거리면서 느낌이 이상하다

현증: ice (+), per(−) 치수와 근접하고 인접면에 발생한 치아 우식을 가진 중간 크기의 와동(**그림 6-2-1, 2, 3**). 일반적인 구강 내 관찰에서는 보이지 않았으며, X-ray를 통해서 알 수 있었다.

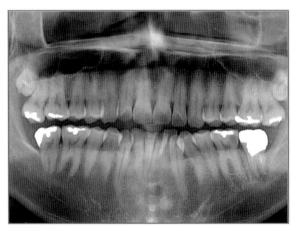

그림 6-2-1
#36 치아에 깊은 우식이 관찰된다.

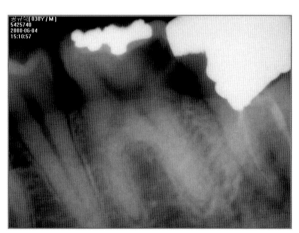

그림 6-2-2
#36 치아에 깊은 우식이 관찰된다.

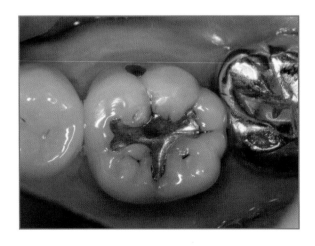

그림 6-2-3
교합면에서 관찰한 사진. 구강 내에서 직접 관찰했을 치아우식은 관찰하기 어려웠다.

치료계획: 글라스아이노머 베이스를 이용한 복합레진 인레이

치료의 진행: 2급 와동 형성 후 글라스아이노머 베이스를 시행하고, 복합레진 인레이를 위한 와동을 형성한 후, 인레이 제작하고(**그림 6-2-4**), cementation을 하였다. Recall check-up에서 환자는 불편감이 없어졌으며 치료상태에 만족하셔서 final polishing을 시행하였다(**그림 6-2-5**).

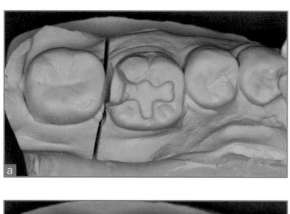
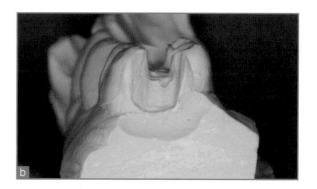
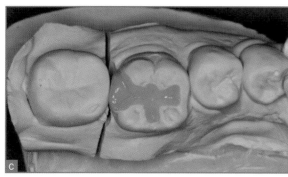
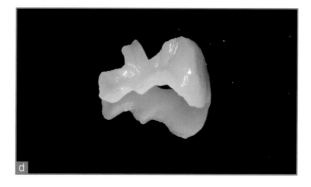

그림 6-2-4
Model과 기공물.

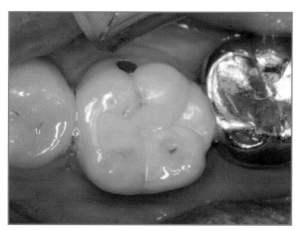

그림 6-2-5
구강 내에 cementation 후.

교훈: 치수와 근접하고 크기가 큰 #36 DO cavity의 2급 와동을 치료할 경우 치과의사들이라면 한 번쯤 고민에 빠지게 된다. 섣불리 복합레진을 이용한 direct restoration을 하게 될 경우, 민감증(와동의 크기가 크고 깊을수록 일반적으로 많이 발생한다)이나 인접면 접촉(proximal contact)을 적절히 형성시켜 주는 것이 쉬운 일은 아니다. Gold restoration이나 ceramic restoration의 경우 기공료도 만만치 않고, 후에 만약 수복치료가 실패했을 경우(endodontic treatment를 결국 하게 되는 경우), 경제적인 문제와 실패에 관한 환자와의 관계 또한 신경 쓰인다. 이럴 경우 복합레진 인레이 수복은 좋은 대안이 될 수 있다. 중합수축에 의해 발생할 수 있는 여러 가지 complication의 가능성이 훨씬 적어지고, 적절한 인접면 접촉도 쉽게 얻을 수 있으며, gold나 ceramic restoration에 대한 기공 비용 부담이나 재치료에 대한 부담도 많은 부분 경감할 수 있다. 단, 와동이 지나치게 큰 경우나, 인접면 부위의 파손이 심한 경우는 금 수복이나 글라스세라믹 수복이 적절한 경우가 많다. 이에 대해서는 글라스세라믹을 이용한 간접수복에서 자세히 설명하도록 한다.

증례 2: 레진 인레이? 세라믹 인레이? 금 인레이? ⟨2⟩ (그림 6-2-6~11)

환자의 주소 (chief complaint): 22세 여자환자로서 교정치료 전 전반적인 충치치료를 위해 내원. 평소 느끼는 불편함은 없다(**그림 6-2-6, 7**).
현증: #14와 #24 치아에 이차 우식이 관찰된다(**그림 6-2-7**).

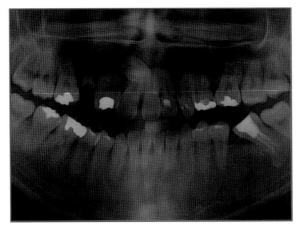

그림 6-2-6
교정치료 전 방사선 사진. #14와 #24의 금속 수복물이 관찰되고, 그 주위로 2차우식이 관찰된다.

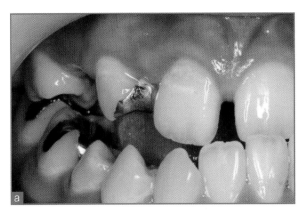
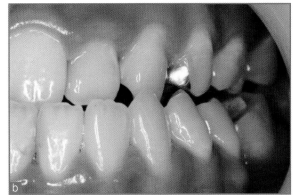
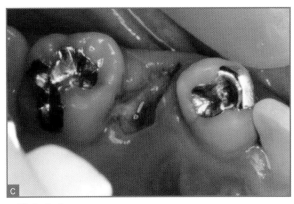
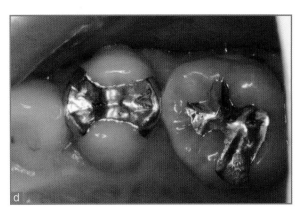

그림 6-2-7
#14, #24 금수복물 주위로 변색된 부위가 관찰된다.

치료계획: 복합레진 인레이

치료의 진행: 금수복물을 제거하고, 이차 우식을 처치하고, 광중합형 글라스아
이노머를 이용하여 base를 형성한 후(**그림 6-2-8**), 복합레진 인레이를 제작하

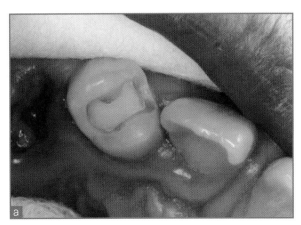
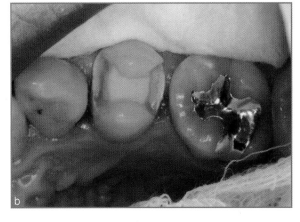

그림 6-2-8
와동 삭제 후 모습.

여(**그림 6-2-9**) cementation시켰다(**그림 6-2-10**). 치료 전, 후의 비교(**그림 6-2-11**).

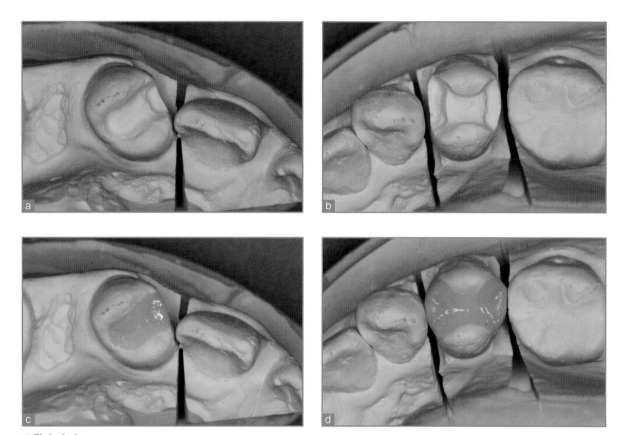

그림 6-2-9
레진 인레이 제작.

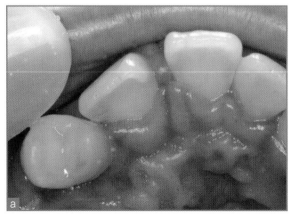

그림 6-2-10
구강 내에 시적한 후 모습.

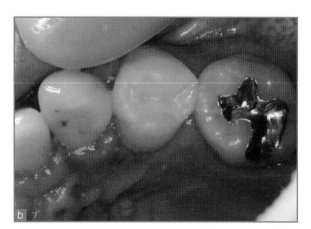

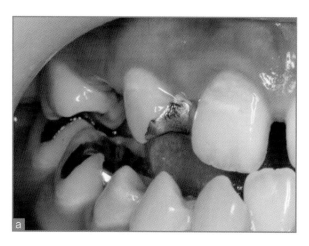
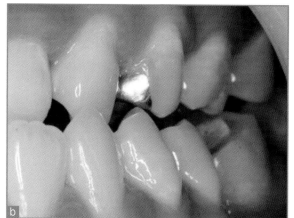
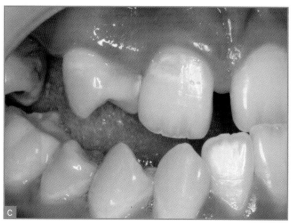
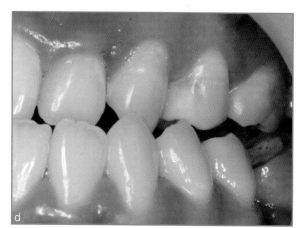

그림 6-2-11
치료 전 후의 비교. 심미적으로 개선된 모습.

교훈: 환자의 나이나 치아의 위치를 고려하면, 금 인레이보다는 복합레진 인레이나, 세라믹 인레이가 적응증이 된다고 하겠다. 이 경우 ceramic inlay보다는 복합레진 인레이가 더 적합하다고 판단한 이유는 치아우식의 재발, repair에 대한 가능성 등 때문이었다. 즉, 교정치료를 거치게 되면 어느 정도의 법랑질 탈회는 매우 빈번하게 일어나고, 환자의 이닦기가 제대로 이루어지지 않을 경우 이차 우식도 자주 발생할 수 있다. 이러한 경우 수복된 치아를 재치료 또는 reapir하게 되는 경우가 많은데, 기존의 수복물이 금이나 세라믹보다는 복합레진으로 되어 있는 경우 repair가 더 쉬울 수 있기 때문이다. 또한 비록 심미적인 입장에서는 세라믹 등에 비하여 다소 불리해도, 소구치이기 때문에 이러한 단점이 크게 드러나지 않는다는 점도 작용했다.

증례 3: 레진 인레이? 세라믹 인레이? 금 인레이? 〈3〉 (그림 6-2-12~16)

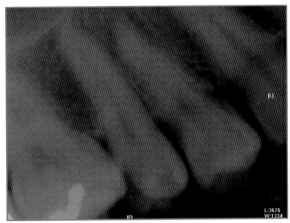

그림 6-2-12
#15 치아의 원심부의 수복물이 탈락되었다.

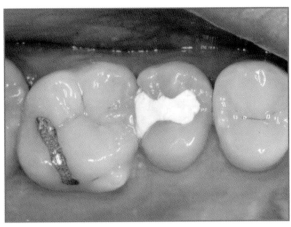

그림 6-2-13
IRM으로 임시수복 상태에서 내원.

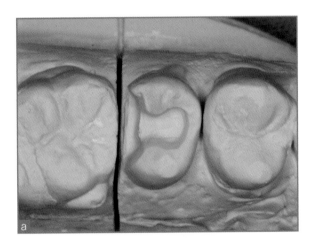

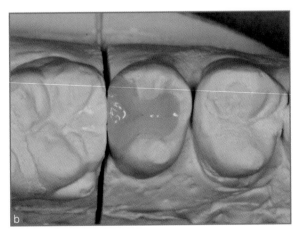

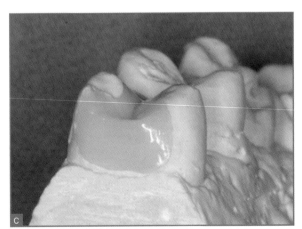

그림 6-2-14
Cast와 제작된 resin inlay.

환자의 주소 (chief complaint): 찬물, 찬음식을 먹을 때 가끔 이가 시리다는 것을 주소로 보철과에서 의뢰됨

현증: 40대 남성환자, 수복물이 탈락된 상태로 이차우식이 진행되어 있었다고 하며(보철과 기록), 임시수복물(IRM)로 충전된 상태로 내원. #15 치아가 냉자극에 대하여 민감한 상태.

치료계획: 복합레진 인레이

치료의 진행: 임시 충전물을 철거하고, 이차 우식을 제거하니 치수가 노출되지는 않았으나 치수와 매우 근접한 양상을 나타냈다. Glass ionomer base 후 복합레진 인레이를 이용하여 수복함.

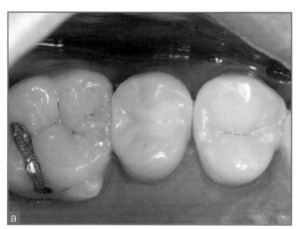 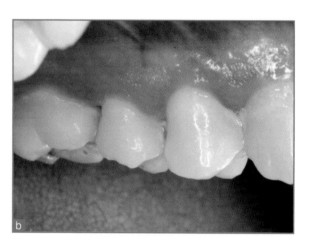

그림 6-2-15
구강 내 접착 후 모습.

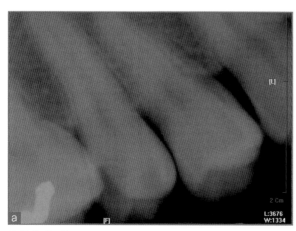 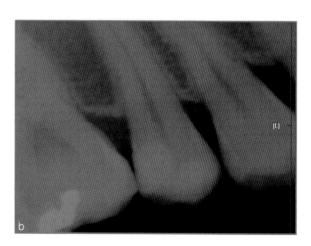

그림 6-2-16
치료 전, 후의 방사선 사진 비교.

287

교훈: 처음 임시수복 상태로 본과에 처음 내원했을 때만 해도 직접법을 이용한 복합레진 수복으로 충분하리라 생각되었으나, 막상 이차 우식을 제거하고 인접면의 변연을 정리하고 보니, 직접법으로 충전하기에는 협설측으로 인접면의 크기가 너무 커진 것 같았고, 남아 있는 상아질과 치수와의 거리도 매우 가깝다고 판단됨. 심미적인 이유로 indirect tooth colored restoration이 고려되었으며, 그 중 후에 혹시 근관치료 등의 가능성이 있기 때문에, porcelain inlay보다는 resin inlay로 치료 후 관찰하도록 함.

증례 4: 레진 간접수복물의 적절한 shade 만들기 (그림 6-40~53)

환자의 주소 (chief complaint): 치아가 부러져서 그 동안 소아치과에서 치료 받았고, 부러진 치아의 수복을 위하여 보존과 내원함(**그림 6-2-17**).

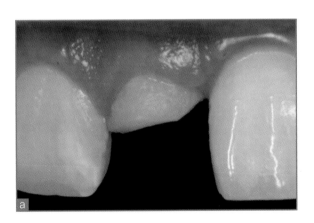

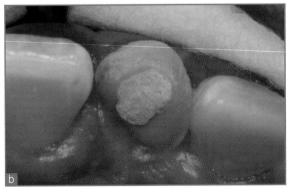

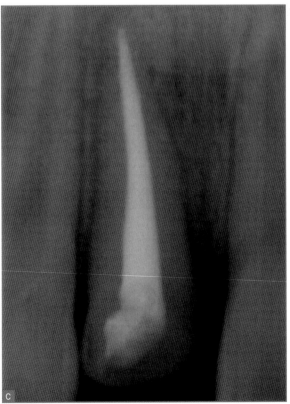

그림 6-2-17
#11 치아가 paste로 filling되고, forced eruption을 이미 시행받은 상태로 소아치과로부터 refer되었다.

현증: 10세 남아로 #11 치아의 3급 치관 파절

과거 치과력: 소아치과에서 #11 치아의 pulpectomy(paste filling state)와 forced eruption 시행함(3개월 전)

치료계획: Fiber post + composite resin core + Composite crown

치료의 진행:

  A. cast 분석

    – 남아 있는 치질의 양이 순측은 2 mm 정도였으며, 전체적으로 유지력을 얻을 수 있는 면적이 매우 적었다(**그림 6-2-18**).

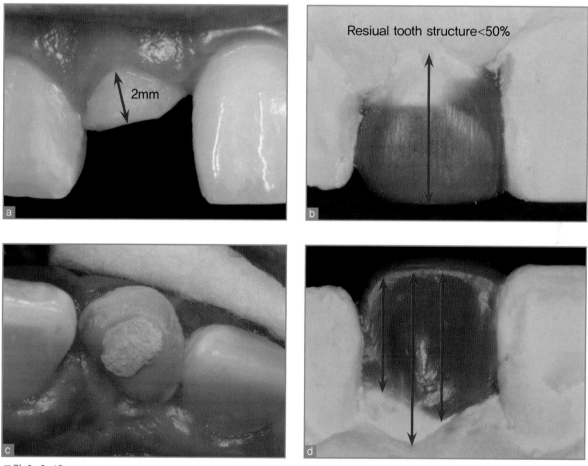

그림 6-2-18
#11 치아는 잔존치질이 순면에서 2 mm 가량 남아 있었으며, 접착을 위한 치면이 부족한 상태였다.

B. 근관치료와 fiber post와 core

 - 근관치료와 fiber post, resin core 시행(**그림 6-2-19**).
 - Fiber post는 치근의 파절 가능성을 최소로 하기 위하여 선택한 치료방법이
   었다.

C. Gingivectomy 시행

 - Gingivectomy를 통하여 인접치아와의 gingival height를 맞추었으며 부족한
   치질의 양을 보충하였다(**그림 6-2-20**).

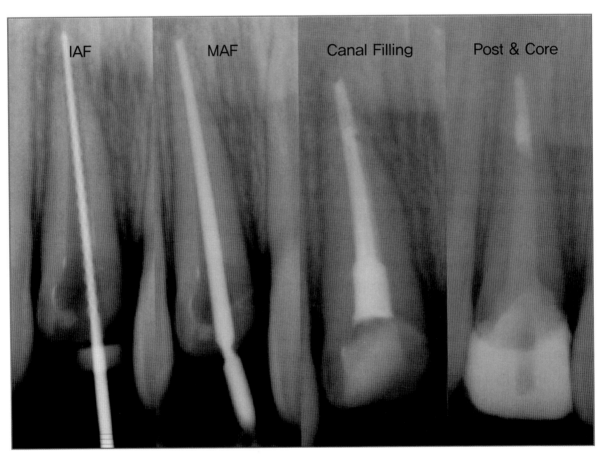

그림 6-2-19
근관치료 후 fiber post와 복합레진을 이용한 core 시행.

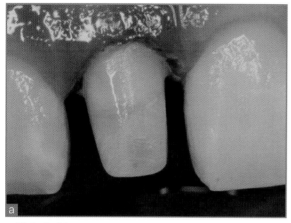

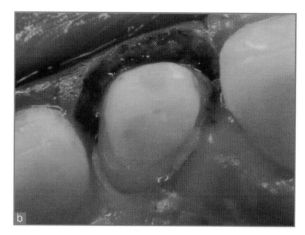

그림 6-2-20
Gingivectomy 시행.

D. Temporary restoration
  - Gingivectomy 후 치은이 치유될 때까지 임시 수복물을 장착하였다.

E. 복합레진을 이용한 crown 제작
  - Shade의 부조화로 재제작 결정. 한 달이 경과한 후 복합레진 crown을 이용한 치아 수복을 하기 위하여 치아의 색조를 분석하여(**그림 6-2-21**) 기공물을 자체 제작하였으나, 색조가 원래 의도하였던 것보다 더 진하고 어둡게 나타났다(**그림 6-2-22**).

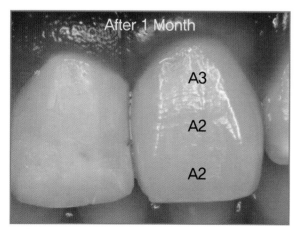

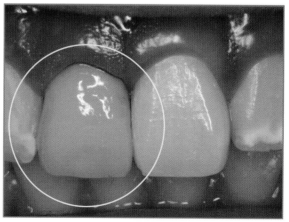

그림 6-2-21
Gingivectomy 후 1달 후 사진. 잇몸의 healing은 잘 이루어졌고, 복합레진을 이용하여 crown을 제작하기 위하여 Easyshade를 이용하여 색조를 측정하였다.

그림 6-2-22
수복물의 색조가 맞지 않는다. 인접치아보다 너무 어둡고 짙다.

F. 복합레진 간접수복물의 색조 분석

– 복합레진을 열중합시킨 후 색조를 분석해보니 처음 의도하였던 색조와는 많이 차이가 나는 것을 볼 수 있었는데, 색조가 더 진하고 어둡게 나타났다(**그림 6-2-23**). 결국 이러한 차이 때문에 기공물의 색조가 원래 의도하였던 것보다 더 짙고 어둡게 나타난 것으로 분석되었으며(**그림 6-2-24**), 이러한 색조의 변화를 감안하여 새로운 색의 복합레진을 이용하기로 하였다(**그림 6-2-25**).

Tescera ATL®의 Shade 변화

	Body A1	Body A2	Body A3
Light cup	A2	B3	B4
Heat cup	A2	B3	B4
	Body A1	Body A2	Body A3
Light cup	B2	A3	A4
Heat cup	B2	A3	A4
	Dentin A1	Dentin A2	Dentin A3
Light cup	B3	A3	A4
Heat cup	B3	A3	A4

그림 6-2-23
실험을 통하여 Body shade A2와 A3, Dentin shade A3의 복합레진을 이용하여 만든 수복물이 열중합 후 원하는 색보다 짙게 변하는 것을 알 수 있었다.

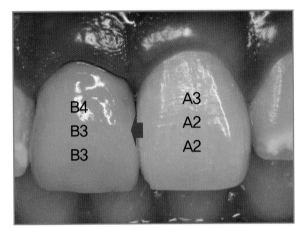

그림 6-2-24
실제로 만들어진 색은 B4, B3, B3였다.

Tescera ATL®의 Shade 변화

	Body A1	Body A2	Body A3
Light cup	A2	B3	B4
Heat cup	A2	B3	B4
	Body A1	Body A2	Body A3
Light cup	B2	A3	A4
Heat cup	B2	A3	A4
	Dentin A1	Dentin A2	Dentin A3
Light cup	B3	A3	A4
Heat cup	B3	A3	A4

그림 6-2-25
원하는 색조의 수복물을 얻으려면 A1, A2 body shade, A2 dentin shade를 이용해야 함을 알 수 있었다.

G. 복합레진을 이용한 crown 재제작

　– 열중합 후 얻어지는 색조를 기초로 하여 새로운 복합레진 crown을 제작하였
　　다. 색조가 많이 개선된 것을 볼 수 있다(**그림 6-2-26**). 치아와 수복물의 효
　　과적인 접착을 위한 과정을 통하여 이원중합형 레진시멘트를 이용하여 접착

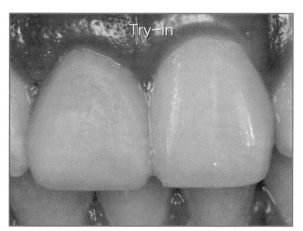

그림 6-2-26
시적한 모습.

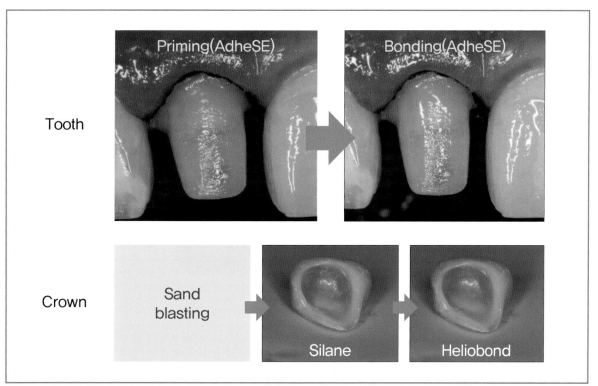

그림 6-2-27
접착의 과정. 이원중합형 레진시멘트를 사용하였다.

시켰다(**그림 6-2-27**). 교합과 기타 기능 시 불편함을 나타내지 않았고(**그림 6-2-28**), 이 후에도 복합레진 표면이 약간 거칠어지는 것 외에는 큰 문제를 보이지 않았다. 복합레진 표면은 주기적인 polishing이 필요하다(**그림 6-2-29**).

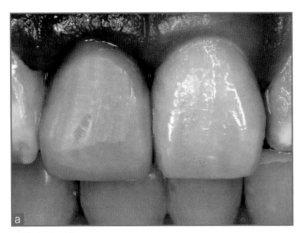 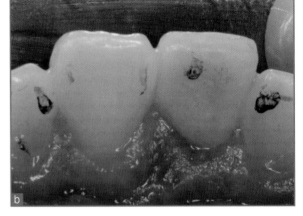

그림 6-2-28
기능 후 교합상태.

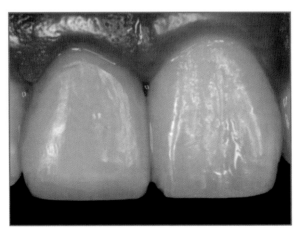

그림 6-2-29
Follow-up.

교훈:

수복방법의 결정과정

- 치료 전 PFG crown, Ceramic Crown, Composite Resin Crown 중 어떤 수복 방법을 택할 지에 대한 분석과정에서 환자의 나이와 남아 있는 치질의 양, 그리고 repair 가능성에 대한 고려가 있었다. 환자의 나이 (10세)를 고려할 때, alveolar bone의 지속적인 성장을 생각하면, PFM crown을 하였을 경우 수복 후 얼마 지나지 않아서 치경부에 나타나게 될 metal margin에 대한 문제가 될 것으로 예상되었다. 남아 있는 치질의 양이 얼마 되지 않는 상황에서 환자의 나이를 고려하면, 어느 정도 성장할 때까지 수복물이 탈락하거나, core 또는 치아의 추가적인 fracture에 의한 수복물의 재제작 가능성이 존재하는데, 이 경우 세라믹 또는 지르코니아를 이용한 수복보다는 복합레진을 이용한 간접수복이 더욱 적절하다고 판단되었다. 한편 fiber post는 치근의 파절 가능성을 최소로 하기 위하여 선택한 치료방법이었다.

색조의 수정 및 결정과정

- 복합레진은 광중합이나 부가적인 열중합을 통하여, 중합 전, 후 어느 정도의 색조 변화를 나타내며, 이러한 색조 변화의 정도는 제품들마다 상이하게 나타난다. 국내에서 많이 사용하는 Tescera 용 복합레진의 경우, 특히 이러한 shade의 변화가 크게 나타나는 것 같다. 예를 들면, 복합레진 shade에는 A2라고 표시되어 있어서 실제로 광중합이나 열중합하여 보면 이번 증례에서 보는 것과 같이 이러한 색조와는 차이가 나는 것을 볼 수 있다. 치과 기공사들은 이미 이러한 사실들을 잘 알고 있어서, 예를 들면 치과의사가 A2를 처방하여도 다른 색조의 복합레진을 이용하여 A2 shade를 만들어 내게 된다. 하지만, 이번 경우에서처럼 기공소에 보내지 않고, 치과의사가 직접 하는 제작하는 경우 매우 주의하여야 할 요소이다. 열중합이 끝난 복합레진의 shade tab을 미리 제작하여 만들어 두고 이것을 기초로 shade를 결정하면 있으면 좋겠지만, 이것이 어려울 경우 복합레진을 직접 광조사하여 색을 결정하는데 참고하는 것이 요령이라고 할 수 있겠다. 왜냐하면 광중합이 끝난 복합레진의 색조와 추가적인 열중합을 한 색조간에는 변화가 크지 않기 때문이다(**그림 6-2-30**).

Tescera ATL®의 Shade 변화			
	Body A2	Body A3	Body A3.5
Light cup	A4	B4	B4
광조사기	A4	B3	B4
	Body B2	Body B3	Body B4
Light cup	B4	A4	A4
광조사기	A4	A4	A4
	Dentin B2	Dentin B3	Dentin B4
Light cup	B4	A4	A4
광조사기	B4	A4	A3.5

그림 6-2-30
Light curing 후와 heat curing 후의 shade 비교. 색조에 있어서 큰 차이는
관찰되지 않는다.

III. 유용한 기구, 재료

Superfloss : 인접면 레진 시멘트를 제거하는데 효과적이다(**그림** 6-3-1).

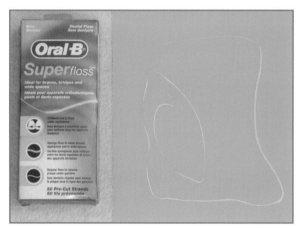

그림 6-3-1

Stik-n- Place: 작은 인레이 등을 잡을 때 효율적이다(**그림** 6-3-2).

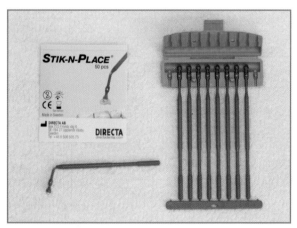

그림 6-3-2

Q 복합레진 간접 수복물은 자꾸 변색되는 것 같아요, 왜 그럴까요, 어떻게 막아주나요?

복합레진의 표면에 수분이 흡수되게 되면, 표면의 filler와 복합레진 matrix 간에 접착을 이루는데 도움을 주었던 silane이 파괴되면서 filler가 복합레진으로부터 떨어져 나오게 됩니다. 그렇게 되면 복합레진 표면이 조금씩 거칠어지고, 변색이 나타나게 됩니다. 이러한 변색은 정기적인 polishing 과정을 통하여 예방해 줄 수 있습니다.

또 다른 변색의 원인으로 수복물의 변연에서의 변색을 볼 수 있습니다. 이것은 resin cement가 wear out되면서 수복물보다 낮아져서(submargination) 생기는 현상입니다. 이러한 현상을 줄여주기 위해서는 무엇보다 cementation의 과정이 중요한데, 이상적으로는 레진시멘트를 사용하는 수복물의 변연은 약간 overfill 상태에서 중합시킨 후 마무리하는 것이 원칙입니다. 왜냐하면 복합레진의 표면은 산소에 의한 현상 때문에 충분히 중합되지 않기 때문에, 이러한 층을 걷어낸 후에야 충분히 중합된 층이 생기게 됩니다. 만약 레진시멘트를 중합시키기 전 overflow되는 레진시멘트를 완전히 제거한 상태에서 중합을 시켜주게 되면, 표면은 중합이 충분히 되지 않는 상태로 굳게 되기 때문에 중합 후 쉽게 갈려 나갈 수 있습니다. 단 cement의 제거가 어려운 인접면의 margin의 경우 레진시멘트가 완전히 굳으면 제거하기가 어렵기 때문에 통상 부분적으로 중합을 시킨 후 제거하는 방법을 사용하고 있습니다. 레진시멘트의 표면을 Oxyguard (Kuralay), Liquid strip (Ivoclarvivadent) 등을 이용하여 덮어주면 oxygen inhibition 층을 막아주는데 도움이 됩니다.

Q 왜 복합레진 간접수복물을 이용해야 하나요? 글라스세라믹이나 지르코늄이 심미적으로나 강도에 있어서 더 우수하지 않나요?

글라스세라믹이 강도나 심미적인 면에서 더 우수한 것은 맞습니다. 하지만, 앞의 증례에서 보여주는 몇 가지 예에서처럼, 심미적으로 아주 critical한 부위가 아니라면, 또 심한 교합압을 지탱해야 하는 부위가 아니라면 복합레진도 훌륭한 대안이 될 수도 있고, 또한 무엇보다도 수복물의 예후가 불투명하거나 아직 나이가 어린 환자의 간접수복, 또 repair를 많이 해야 할 것으로 예측되는 경우 등에서는 훌륭한 선택이 될 수 있을 것입니다.

지르코니아는 강도가 우수한 것은 맞지만, 접착에 있어서는 문제가 있습니다. 즉,

FAQ

레진이나 세라믹 수복물의 경우, 접착의 과정을 이용하기 때문에 적은 치질 삭제를 할 수 있고, 치아에 대한 splinting 작용을 기대할 수 있지만, zirconia의 경우 접착을 이용할 수 없기 때문에 gold restoration에서와 같이 기계적인 retention 만을 기대할 수 있습니다. Crown, bridge 등에 대해서는 장점이 많을 수 있지만, inlay, onlay, laminate 등과 같이 적은 치아면을 이용하여 접착해야 하는 경우는 이상과 같은 득실을 생각해 보아야 합니다.

Q 접착방법이 세라믹과 차이가 있나요?

글라스세라믹은 수복물의 표면을 불산을 이용하여 산 부식시키지만, 복합레진의 경우는 sandblast를 이용하여 내면을 거칠게 한다는 점이 차이가 있습니다.

Chapter

7

글라스세라믹을 이용한 간접수복

(인레이, 온레이, 크라운, 라미네이트)

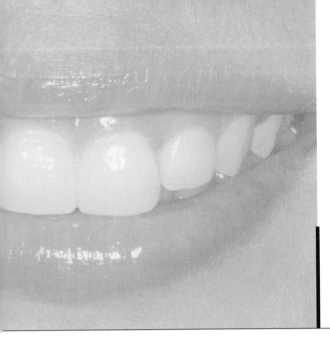

Chapter *7*

글라스세라믹을 이용한 간접수복

(인레이, 온레이, 크라운, 라미네이트)

1. 필수 지식

현재 치의학 영역에서 많이 사용되고 있는 세라믹은 아래와 같이 크게 3가지로 분류할 수 있으며 이러한 분류는 적응증 및 합착(cementation) 방법과도 관련이 있다.

1. 세라믹: Duceram, Degussa Dental Gmbh 등
2. 글라스세라믹
    A. Leucite: IPS Empress (Ivoclar-Vivadent)
    B. Lithium disilicate: IPS Empress II, IPS E.max Press, IPS E.max CAD (Ivoclar-Vivadent), Rosetta(Hass)
    C. Zirconia-reinforced Lithium Silicate : Celtra Duo (Dentsply Sirona), Vita Suprinity PC (Vitazahnfabrik)
3. Oxide ceramic
    A. Glass-infiltrated Aluminum Oxide: In-Ceram Alumina (Vita)
    B. Glass-infiltrated Alumina and magnesium: In-Ceram Spinell (Vita)
    C. Glass-infiltrated Alumina and Zirconia: In-Ceram Zirconia (Vita)
    D. Aluminium Oxide: Procera AllCeram (Nobel Biocare)
    E. Zirconia: NobelProcera Zirconia (Nobel Biocare), Lava/Lava Plus (3M ESPE), In-Ceram YZ (Vita), Katana Zirconia ML (Noritake), Cercon ht (Dentsply), IPS e.max ZirCAD (Ivoclar-Vivadent)

F. Zirconia-toughened alumina

G. Alumina-toughened zirconia

이 중 현재 인레이, 온레이, 라미네이트, 크라운, 짧은 길이의 adhesive bridge에 가장 많이 활용되고 있는 것은 글라스세라믹이다.

한편 구치부 크라운 및 bridge 용도로 많이 사용되고 있는 것이 zirconia이다. 일반적인 물성은 높지만 접착에 대한 관점과 심미적인 면에서는 글라스세라믹에 비하여 불리하기 때문에 인레이, 온레이, 라미네이트, 크라운, 짧은 길이의 adhesive bridge 용도로는 글라스세라믹이 주로 사용된다.

1) 세라믹

전통적으로 PFM 또는 PFG 수복의 facing 역할, 또는 porcelain laminate 용으로 많이 사용되어 왔지만, 지금은 글라스세라믹 또는 지르코니아의 facing 용으로 그 용도가 확장되었다. Feldspar(장석)을 주원료로 하고, 심미적으로는 자연치와 비슷하고 우수하지만 취약하여, 위에서와 같은 재료를 core로 할 경우에 임상적으로 사용이 가능하다.

2) 글라스세라믹

현재 이 분야 수복물의 주종을 이루고 있는 것은 Lithium disilicate를 기반으로 하는 E.max system이다. 이 제품이 나오기 전 가장 많이 사용된 제품은 Leucite를 기반으로 하는 IPS Empress과 Lithium disilicate를 기반으로 하는 IPS Empress II 이었다. 이 세 제품은 모두 같은 회사 제품이다. 수복물의 물성을 평가하는 데 있어서 가장 대표적인 지표라고 할 수 있는 굴곡강도(Flexural strength)가 Leucite는 120 MPa 정도로 인레이, 온레이, 라미네이트, 전치부 크라운 정도였던데 반하여, Lithium disilicate는 250 MPa까지 향상되어, 진료의 범위가 구치부 크라운, 짧은 길이의 adhesive bridge (3 span 이하)까지 확장되었다.

- Press system과 CAD/CAM system

Emax system은 CAD/CAM 기법을 이용하여 수복물을 제작할 수 있는 E.maxCAD system과 Press 기법을 이용하는 E.maxPress system으로 나눌 수 있다.

E.maxCAD system은 chair side에서 와동을 scan한 후, 소위 blue ceramic을 이용하여 milling을 하고, furnace에서 결정화 과정을 거쳐서 수복물을 완성을 할 수 있어서 환자 내원 당일 수복물을 cementation 할 수 있는 장점이 있다(그림 7-1-1~5). 일반적으로 기공물의 색조에 신경을 덜 써도 되는 inlay onlay 구

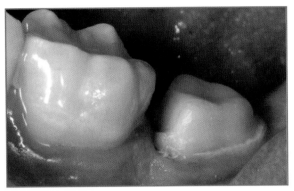
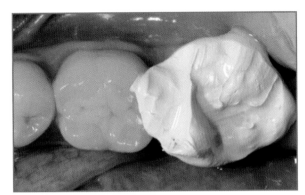

그림 7-1-1
대합치, 교합면, bite 등에 대한 광학인상을 채득한다.

그림 7-1-2
광학인상을 바탕으로 하여 Emax block을 이용하여 milling하여 blue ceramic 상태의 1차 수복물을 완성한다.

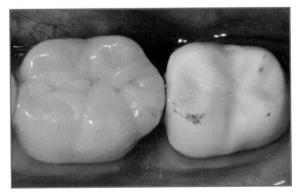

그림 7-1-3
1차로 milling된 blue ceramic 상태의 기공물의 교합 및 contact 상태 등을
검사하여 필요한 수정을 한다.

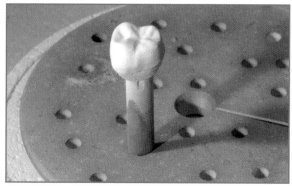
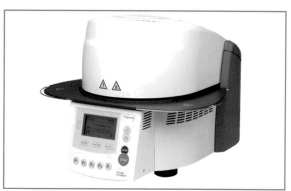

그림 7-1-4
수정이 완료되면 glazing, staining 등을 거쳐 furnace (Programat CS)에 넣어 열처리를 한다.

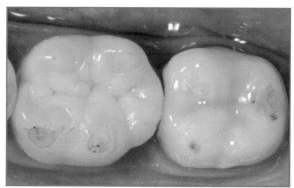

그림 7-1-5
열처리되어 나온 기공물. Blue ceramic은 결정화 과정이 진행되면서 치아
색으로 바뀌게 되고 굴곡강도도 300 MPa 정도로 높아진다.

치부 크라운 등에 사용한다. 진료 시작부터 치료 완료까지 대략 1시간~1시간 30
내외가 소요된다. 하지만 이를 사용할 수 있는 Cerec system이 있어야 하고, 아
직까지 교합을 완전히 조절하기는 힘들다. 약간의 추가적인 색의 조정이 필요한
경우 stain 기법을 이용하여 색조를 조절할 수 있다.

E.maxPress system은 wax carving 후 특수한 매몰재에 넣고, 이를 녹여낸 후
이 공간에 압력과 열을 이용하여 E. maxPress ingot를 녹여 주입함으로서 기
공물이 완성된다(**그림 7-1-6~9**). 전치부와 같이 심미적으로 중요한 부위는
후에 fluorapatite glass ceramic (E.max Ceram)을 올려줘서 기공물을 완성
해야 하기 때문에 cut-back style로 pattern을 형성하고(**그림 7-1-6a**), 구치
부, inlay, onlay 등은 staining 정도로 심미성을 재현해도 큰 무리가 없기 때문
에 full contouring한다(**그림 7-1-6b**). Cut-back style로 완성된 기공물은 일

종의 frame 역학을 하는데, 이 위에 일반적인 porcelain powder 올리는 것처럼 fluorapatite glass ceramic (E.max Ceram)을 올려서 furnace에 구워내어 기공물을 완성하게 된다(**그림 7-1-8**). Full contouring으로 제작된 기공물은 staining 등을 통하여 색조를 조절하게 된다(**그림 7-1-9**).

E.maxPress나 E.maxCAD로 만들어진 기공물 간에 물성의 차이는 거의 없지

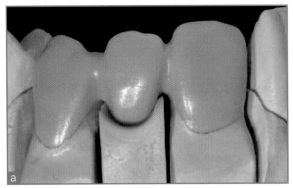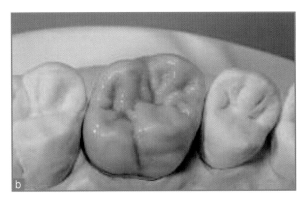

그림 7-1-6
a. cut-back style로 형성된 pattern b. full contouring style로 형성된 pattern

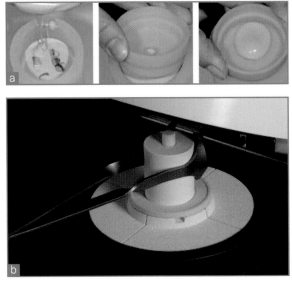

그림 7-1-7
a. Wax pattern의 매몰. b. E.max ingot press를 위한 준비.

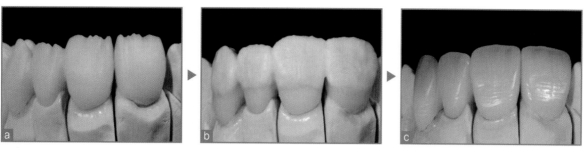

그림 7-1-8
Cut-back style의 framework의 경우 E.max ceramic을 올려서 furnace에 구워내어 기공물을 완성하게 된다.

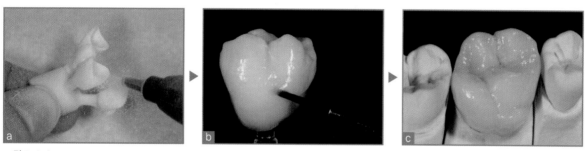

그림 7-1-9
Full contouring으로 제작된 기공물은 staining 등을 통하여 색조를 조절하게 된다.

만, 변연 접합성 면에서는 E.maxPress system으로 제작한 것이 다소 우수하며 심미적인 완성도도 더 높다고 볼 수 있다.

E.maxPress나 E.maxCAD의 특징은 zirconia에 비하여 심미성이 뛰어나고, 뛰어난 접착력을 얻을 수 있다는 점이다. 즉, 불산과 실란(silane)을 이용하여 수복물의 내면 처리를 하고, 일반적인 접착 술식을 치아에 시행한 후 레진시멘트를 이용하여 치아에 합착시킬 수 있다. 즉, 인레이, 온레이, 전치부의 crown 정도라면 물성도 충분하며, 심미성, 접착강도까지 추가적으로 증대시킬 수 있는 glass ceramic system이 더 큰 장점을 갖는다고 할 수 있다.

3) 지르코니아

지르코니아는 현재 개발된 tooth colored restoration 중 물성 면에서는 가장 우수한 재질로서, 글라스세라믹보다 높은 900 MPa 이상의 굴곡강도(flexural strength)를 갖고 있어서 구치부의 long span bridge도 가능하다. 환자의 cast 또는 구강 내의 optical impression data를 처리하여 실제 치아보다 약 20~30% 큰 상태의 model에서 수복물을 1차 완성된 후, 열처리 과정을 통하여 수축하면서 완전히 경화시켜 내면의 core를 형성하는데, 이 과정에서 정밀한 software에 의한 조절이 필요하다. 그 위에 일반적인 ceramic을 veneering을 하여서 수복물을 완성하게 된다. 하지만 지르코니아 core와 그 상부의 veneering과의 경계에서 chipping 현상이 많이 발생되는 단점이 발견되어 최근 이를 개선하기 위하여 porcelain veneering 없이 지르코니아 만으로 수복물을 만드는 제품들이 소개되고 있다.

글라스세라믹보다 수복물의 불투과성이 높아(**그림 7-1-10**) 심미성에서는 떨어지고, 지르코니아 내부의 접착방법이 글라스세라믹보다 불리한 단점이 있지만, 뛰어난 물성 때문에 crown과 bridge 영역에서 porcelain fused to metal crown & bridge의 대안 제품으로 많은 주목을 받고 있다. 하지만 인레이, 온레이, 라미네이트 등 비교적 작은 치아 면적에서 높은 접착력을 필요로 하는 경우에는 접착력과 심미성이 우수한 글라스세라믹 제품들이 더 장점을 갖는다고 할 수 있다.

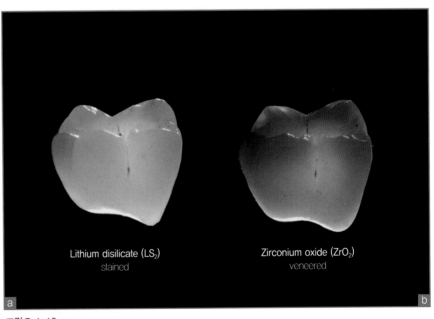

그림 7-1-10
a. Glass ceramic (E.max)와
b. zirconia의 투명도 비교. Zirconia에 비하여 glass ceramic의
   투명도가 우수하다.

이번 장에서는 글라스세라믹을 이용한 수복방법을 중심으로 알아본다.

표 7-1에 글라스세라믹과 지르코니아의 차이를 정리해 놓았다.

표 7-1: 글라스세라믹과 지르코니아 비교

	Empress	Empress II	IPS Emax CAD	IPS Emax Press	Zirconia
Flexural Strength (MPa)	120	350	300~420	400~480	〉900
Fracture Toughness (MPam0.5)	1.3	3.2	2.0~2.5	2.5~3.0	5.5
Abrasion Behaviour	**	**	**	**	*
Processing Temperature ℃					
Pressing	1075, 1180	920		920~925	1500 내외 (제품별로 차이)
Crystallization			850		
Ceramic layering	910	800	750	750	750 내외 (제품별로 차이)
접착방법					
sandblast	×	×	×	×	○
불산(4%)	(60초)	(20초)	(20초)	(20초)	×
실란	○	○	○	○	전용실란
레진시멘트	○	○	○	○	○
적응증					
인레이	○	○	○	○	(○)
온레이	○	○	○	○	(○)
라미네이트)	○	○	○	○	(○)
크라운(전)	○	○	○	○	○
크라운(구)		○	○	○	○
짧은 bridge		(○)	(○)	(○)	○
긴 bridge (3-unit 이상)					○

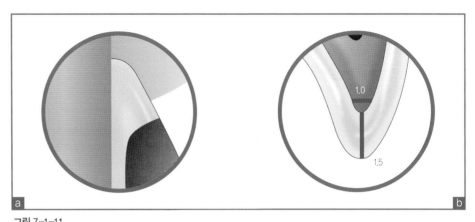

그림 7-1-11
a. Margin의 처리 : chamfer. b. 전치부 치아의 치아형성 (tooth preparation) 후, 절단부 두께 (1 mm)와 삭제량(1.5 mm).

4) 글라스세라믹 수복물의 치아 와동 형성 (그림 7-1-11~17)

결국 접착기법을 이용해야 하기 때문에 와동 형성의 기본은 〈6장 복합레진을 이용한 간접수복〉에서와 동일하니 같이 참고해 주기 바란다. 모든 글라스세라믹 수복물의 와동 삭제에 있어서 다음과 같은 점은 기본이 되는 사항이므로 명심해야 한다.

(1) 와동에 날카로운 선, 각 등이 있어서는 안 된다.
(2) Margin은 round한 inner edge를 갖는 shoulder margin 또는 chamfer로 처리한다(**그림 7-1-11a**).
(3) 와동 형성 후 전치부 Incisal edge 부분은 협설로 적어도 1 mm 는 되어야 하고 수복물의 절단부는 1.5 mm 정도가 확보되어야 한다(**그림 7-1-11b**).

(1) Veneer (그림 7-1-12)

가능한 모든 와동 삭제가 법랑질에서 이루어지도록 한다(0.6~0.7 mm).
Incisal preparation의 margin 부위는 교합이 이루어지지 않는 부위에 위치시킨다.

(2) Anterior crown (그림 7-1-13)

Cervical : circular shoulder 또는 deep chamfer, 1.0 mm
Middle: 1.2 mm
Incisal: 1.5 mm

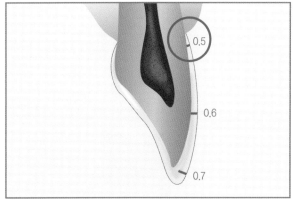

그림 7-1-12
Glass ceramic을 이용한 Veneer restoration을 위한 치아형성(tooth preparation).

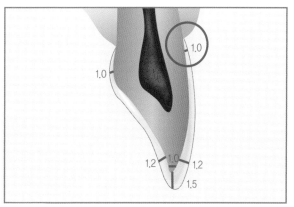

그림 7-1-13
Glass ceramic을 이용한 전치부 crown을 위한 치아형성(tooth preparation).

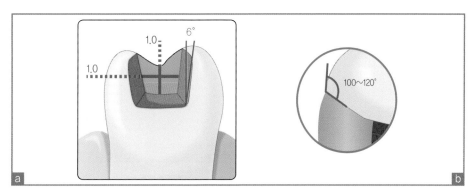

그림 7-1-14
Glass ceramic을 이용한 구치부 inlay 수복을 위한 치아형성(tooth preparation).

(3) Inlay (그림 7-1-14a, b)

최소 깊이: 1 mm

최소 isthmus 넓이: 1.0 mm

와동벽은 6도 정도 바깥쪽으로 벌어지게 한다(**그림 7-1-14a**).

인접면에서 와동벽은 치아 외면과 100~120도 정도가 바람직(**그림 7-1-14b**).

각지지 않고 부드러운 internal line angle.

절대로 slice-cut 또는 얇은 edge (feather-edge)는 만들지 말 것.

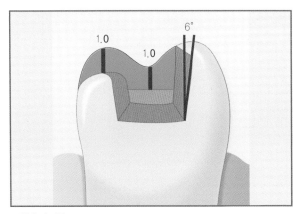

그림 7-1-15
Glass ceramic을 이용한 구치부 cusp capping을 위한 치아형성(tooth preparation).

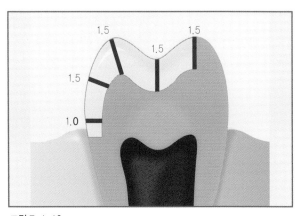

그림 7-1-16
Glass ceramic을 이용한 구치부 onlay, partial crown을 위한 치아형성 (tooth preparation).

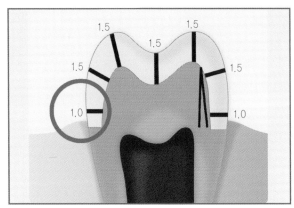

그림 7-1-17
Glass ceramic을 이용한 구치부 crown을 위한 치아형성(tooth preparation).

(4) Cusp capping, onlay, partial crown (그림 7-1-15, 16)

최소 깊이: 1 mm

최소 isthmus 넓이: 1.0 mm

각지지 않고 부드러운 internal line angle

비기능성 교두(non-functional cusp)의 삭제는 최소한 1.0 mm

기능성 교두의 삭제는 최소한 1.5 mm

(5) Posterior crown (그림 7-1-17)

정적, 기능적인 교합을 고려해야 한다.

교합면 삭제: 최소 1.5 mm

Circular shoulder 또는 deep chamfer의 margin

5) 글라스세라믹을 이용한 기공물 제작 시 유의할 점

글라스세라믹의 주종을 이루는 E.max system(E.max Press, E.max CAD)을 중심으로 설명을 하겠다. E.max system에는 열과 압력으로 glass ceramic을 녹여서 mould에 주입하여 기공물을 만들어 내는 E.max Press system이 전통적으로 사용되어 왔다. 그 후, CAD/CAM 기법이 도입되면서, CEREC system에 사용할 수 있게, block을 제작한 E.max CAD system이 도입되었다.

두 system 모두 같은 lithium disilicate glass를 주 원료로 하여 제작된다.

E.max Press system을 이용하여 수복물을 제작할 경우에는 두 가지 방법으로 제작할 수 있다. 즉, 글라스세라믹만으로 제작하던지, 또는 심미적인 면을 보강하기 위하여 글라스세라믹을 코어로 하고, 그 위에 일반 ceramic(E.max Ceram)을 layering 하여 제작할 수 있다는 것을 알아야 한다. 전자의 경우는 인레이, 온레이, 라미네이트 등에 주로 사용하며, 심미성을 증진시키기 위하여 stain을 추가로 시행하기도 한다. 후자의 경우 대개 전치부 3-unit 이하의 전치부 bridge, 크라운 간혹 라미네이트 등에 사용되는데, 이 때 수복물의 전체 두께 중 적어도 절반 이상을 글라스세라믹 코어(E.max Press, E.max CAD)에 할애해야 하고, 나머지를 세라믹(E.max Ceram)에 할애해야 한다는 점이다. 예를 들면 수복물의 두께가 2.0 mm라고 하면 적어도 1.1 mm를 글라스세라믹 코어에 할애해야 하고, 나머지 0.9 mm를 세라믹(E.max Ceram)에 할애해야 한다는 점이다. E.max CAD system을 이용할 경우에는 수복물을 바로 milling하여 사용하기 때문에 일반적으로 추가적인 layering 등은 하지 않는다.

6) 치수의 보호와 인상채득, 임시수복

〈7장 복합레진을 이용한 간접수복〉에서와 동일하므로 7장을 참고하기 바란다.

특히 치수를 보호하기 위한 **immediate dentin sealing** 방법에 대해 숙지하기 바란다.

7) Glass ceramic system의 합착의 과정 (그림 7-1-18~28)

Glass ceramic system의 위한 합착의 과정은 수복물의 내면을 불산을 이용하여 산 처리시킨다는 것을 제외하면 〈6장 복합레진을 이용한 간접수복〉에서와 매우 흡사하므로 이를 꼭 같이 참고해 주시기 바란다. 그림 6-1-17에 합착의 과정이 요약되어 있다. Resin cement에 관한 재료학적인 보다 구체적인 사항은 〈8장 간접수복을 위한 cementation〉편을 참고해 주기 바란다.

(1) 시적

수복물을 와동에 시적한다. 변연 접합성, 색의 조화, 인접면 접촉 등을 검사한다.

E.max CAD system으로 제작 시에는 중간 단계의 blue ceramic 수복물을 이용하여 교합 인접면 접촉 등을 검사한다. 이때 환자가 너무 세게 교합을 하

게 되면 중간단계의 수복물이 파손될 수 있으니, 미리 주의를 주고 연습을 시킨 후 교합을 check하도록 한다. 기공소로부터 E.max press system을 이용하여 완성된 수복물을 받았을 경우에는, 교합에 대한 검사는 이 때 시행하지 않고, cementation이 완전히 끝난 후에 시행하는 것이 바람직하다.

(2) 수복물의 내면 처리 (그림 7-1-18~20)

Glass ceramic은 사용하는 종류에 따라 불산을 이용하여 부식시키는 시간이 다르다. Empress system은 60초, Empress II, E.max system은 20~30초, 일반적인 feldspatic ceramic은 3분 이상이 적절하다(**그림 7-1-18**).

실란은 통상 60초 이상 처리해 주도록 하며, 처리 후에는 완전히 건조시킨다. Hair dryer 등을 이용하여 건조시키면 더 효과적이라는 보고도 있다(**그림 7-1-19**). 그 후 수복물의 내면에는 접착제를 도포하고, 일반 실내조명, 빛 등에 의해 중합되지 않게 주의한다(**그림 7-1-20**).

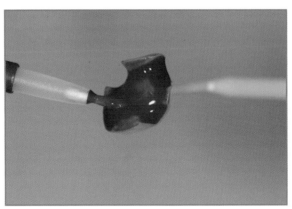

그림 7-1-18
Ceramic 내면의 불산 처리. Empress system은 60초, Empress II, E.max system은 20~30초, 일반적인 feldspatic ceramic은 3분 이상이 적절하다.

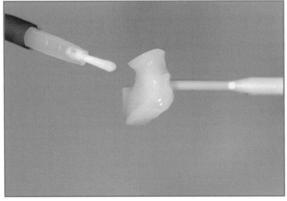

그림 7-1-19
Silane 처리. 60 이상 처리 후 철저히 건조.

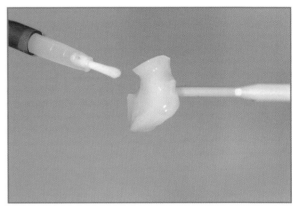

그림 7-1-20
접착제(bonding agent) 도포.

(3) 치아의 내면처리

Assist가 기공물에 대한 처리를 하는 동안 통상 술자는 치아에 대한 처리를 한다. 먼저 임시수복재를 제거한다. 이 때 치아는 노출된 상아질이 이미 상아질 접착제로 처리된 상태이다(Immediate dentin sealing 상태).

치아는 rubber dam으로 격리하고(**그림 7-1-21**), 치아 변연부를 40 um 이하의 fine diamond bur와 불소가 함유되어 있지 않은 pumice 등을 이용하여 깨끗하게 정리한다. 이 과정에서, immediate dentin sealing 과정에서 도포되었던 상아질 접착제의 일부가 치아 변연부에서 제거가 되며, 이 과정을 변연부의 활성화(activation)라고 한다.

그 후 접착의 과정에 들어가는데, 치아의 법랑질은 30% 이상의 인산을 이용하여 산처리하는 것이 바람직하고(**그림 7-1-22**), 상아질은 술자가 익숙한 etch & rinse system이나 self-etching system을 사용한다(**그림 7-1-23, 24**).

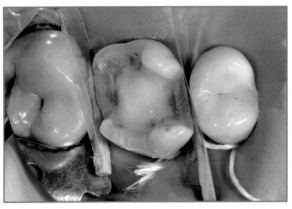

그림 7-1-21
Rubber dam으로 격리.

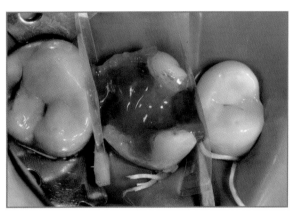

그림 7-1-22
Total etching 또는 self etching + enamel etching.

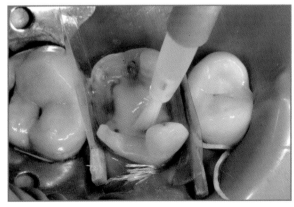

그림 7-1-23
Primer 도포.

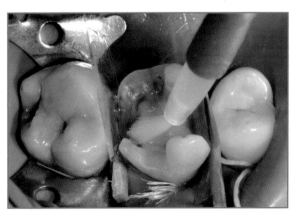

그림 7-1-24
접착제 도포.

3-step etch & rinse system을 사용하는 경우, 법랑질을 먼저 20초 정도 산 부식 후 노출된 상아질 변연(예: margin activation 과정에서 인접면의 치경부 변연에서 주로 생긴다)에 산 부식제를 위치시켜 10초 정도 산을 추가로 적용하고 법랑질과 상아질을 같이 수세한다. 그 후 상아질 변연에 primer를 바르고 건조시킨 후 bonding agent를 치아 변연을 포함한 모든 와동 내에 도포한 후 광조사한다.

2-step self-etching system을 사용하는 경우는, 먼저 법랑질은 따로 인산을 이용하여 산 부식시킨 후(약 30초) 치아를 수세 및 건조한다. 그 후 self etching primer를 상아질 변연에 적용 후(20~30초) 건조시키고, bonding agent를 전체적으로 발라주고 광조사시키면 된다.

접착제(bonding agent)를 광조사시키는 과정에서 접착제가 두꺼워지지 않게 brush 등을 이용하여 충분히 얇게 하도록 노력한 뒤 광조사시키는 것을 명심하여야 한다. 만약 사용하는 bonding agent 등이 두꺼워 광조사 후 inlay를 위치시킬 때 잘 들어가지 않을 우려가 클 경우에는 접착제에 self-cure activator를 혼합하여 와동에 도포하고(광중합시키지 않고), 바로 cementation을 한 후에 함께 광조사시키는 방법을 사용할 수 있다. 차선책으로, self-cure activator 사용하지 않으면서 cementation과정에서 bonding agent를 resin cement와 같이 광조사시키기도 하는데, 이 때 꼭 필요한 전제조건은 치아는 반드시 immediate dentin sealing이 되어 있어야 한다는 점이다. 그렇지 않을 경우 술 후 hypersensitivity 등이 발생하는 경우가 많이 있다(〈2장 5. 상아질접착제, 8장 간접수복을 위한 cementation〉 참고).

일반적으로 1-step self etching system의 산성 성분이 이원중합 레진시멘트 또는 화학중합 레진시멘트의 아민 성분과 산염기 반응을 일으켜 적절한 중합을 방해하기 때문에 권하고 있지 않지만, 최근 시판되고 있는 레진시멘트 중 amine free system들은 이러한 영향을 받지 않는다고 알려져 있다. 이에 해당되는 제품에 대한 구체적인 정보는 〈8장 간접수복을 위한 cementation〉을 참고해 주기 바란다.

이상에서와 같이 indirect tooth colored restoration을 접착하는 방법을 Dual bonding technique이라고 한다. 비슷한 방법으로 resin coating technique이 있다.

전체 과정을 요약하여 설명하면, 와동 삭제 후 노출된 상아질을 상아질 접착제를 이용하여 sealing을 한 다음(**immeidate Dentin sealing**) 인상을 채득하고, 임시 수복을 한다. 그 후 cementation을 할 때 다시 한 번 상아질 접착제를 처리하고 합착(cementation)을 하는 것이다. 결국 접착제를 2번 바르기 때문에 위와 같이 불리고 있다. **〈6장 복합레진을 이용한 간접수복〉**의 내용과 **그림 6-1-6~15, 그림 6-1-18~24**을 참고하기 바란다.

복합레진 또는 세라믹 인레이를 레진시멘트를 이용하여 합착(cementation) 후 이가 시리고 불편하다고 호소하는 환자들이 많은데, 이러한 문제를 해소할 수 있는 효과적인 방법인 것 같다.

(4) 합착 (cementation).

레진시멘트는 접착제 사용 유무에 따라서 self-adhesive resin cement와 adhesive resin cement로 나눌 수 있으며, adhesive resin cement에는 다시 etch & rinse system을 이용하는 경우와 self-etching system을 이용하는 경우로 나누어 볼 수 있다. 또한 중합 형태에 따라서는 광중합형, 이원중합형, 화학중합형으로 나누어 볼 수 있다.

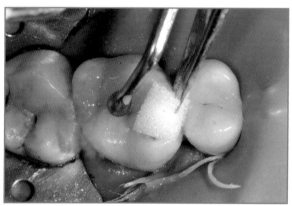

그림 7-1-25
Dual-cured resin cement 도포, 잉여 시멘트 제거.

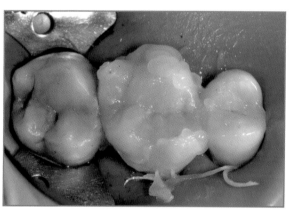

그림 7-1-26
노출된 레진시멘트의 변연에 산소방해층(oxygen inhibition zone)이 형성되는 것을 막기 위하여 glycerin gel (예: Oxyguard, Liquid strip)을 도포한다(선택).

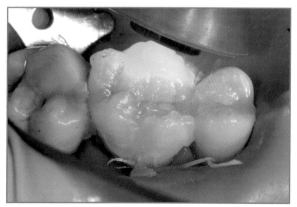

그림 7-1-27
광중합(한 면당 1분 이상).

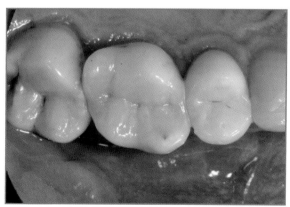

그림 7-1-28
술후 사진.

접착제로 처리된 치아에 이원중합 레진시멘트, 화학중합 레진시멘트 등을 이용하여 기공물을 합착시킨다(**그림 7-1-25**).

Glycerine 등을 margin 부위에 도포하여 oxygen-inhibition을 방지해 주고 (**그림 7-1-26**), 한 면당 1분 이상 충분한 시간을 할애하여 광조사한 후(**그림 7-1-27**) 남아 있는 resin cement가 없도록 마무리 한다(**그림 7-1-28**). Crown 등에 많이 사용하는 self-adhesive resin cement 등은 치아에 대한 접착 강도 등에서 접착제를 사용하는 system보다 떨어진다. 따라서 inlay, onlay, laminate 등에는 바람직하지 않다.

2. 임상증례

증례 1: laminate를 이용하여 견치를 측절치처럼 보이게 하기 (그림 7-1-29~41)

환자의 주소: 견치를 측절치처럼 보이게 하고 싶다.

과거 치과 치료 경력: 교정치료 (15년), 최근까지 재치료

현증: (**그림 7-1-29**)

① #12,22 측절치의 congenital missing

② class I crown fracture #11

Treatment Plan:

① Ceramic laminate on #13, 23 (IPS Empress)

② Class IV resin filling on #11

치료 경과:

① Wax carving 을 통한 분석과 상담(**그림 7-1-30**)

② 치아형성 : Window preparation(**그림 7-1-31, 32**)

　　　　　　　법랑질에 국한되게 와동 삭제를 하도록 하였다.

③ 미리 준비해 둔 putty index를 이용하여(**그림 7-1-33**)

　　Temporary Crown을 제작하였다(**그림 7-1-34**)

④ Preparation된 cast(**그림 7-1-35**). 측방운동시 견치가 guide되어 절면(incisal surface)에 교모가 진행된 모습을 볼 수 있다.

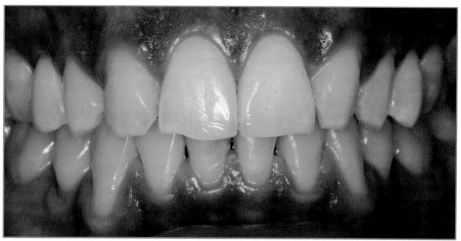

그림 7-1-29
초진사진. #12, 22 측절치의 congenital missing, class I crown fracture #11.

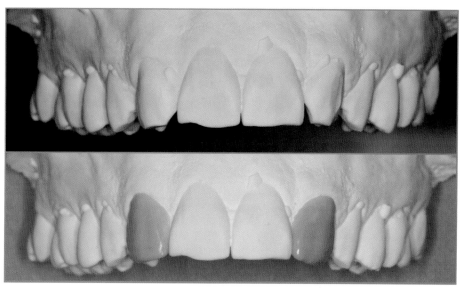

그림 7-1-30
진단용 wax-up 제작.

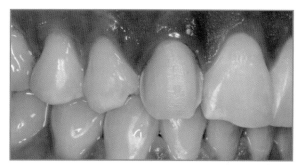

그림 7-1-31
치아형성 #13 (window preparation).

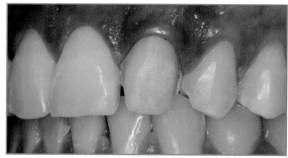

그림 7-1-32
치아형성 #23 window preparation.

319

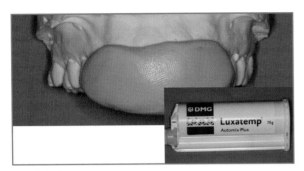

그림 7-1-33
Temporary restoration을 제작하기 위하여 미리 만들어 둔 putty index 이용.

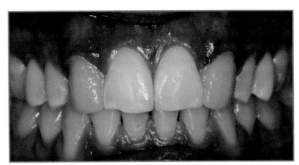

그림 7-1-34
Putty index를 이용하여 만들어진 temporary restoration (#13,#23).

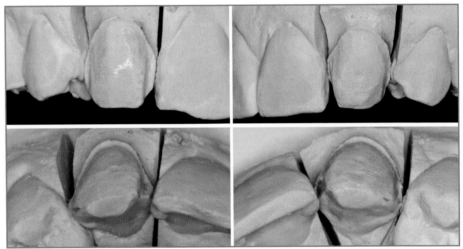

그림 7-1-35
Preparation된 cast. 측방운동 시 견치가 guide되어 절면(incisal surface)에 교모가 진행된 모습을 볼 수 있다.

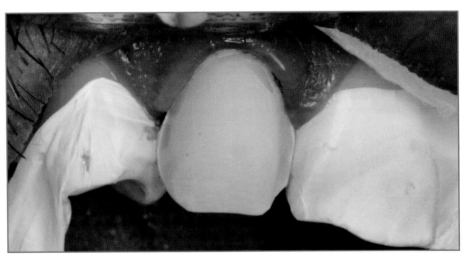

그림 7-1-36
Adhesive cementation을 하기 전, 테프론 테이프를 이용하여 인접치아를 격리하고 있다.

⑤ Adhesive cementation을 하기 전, 테프론 테이프를 이용하여 인접치아를 격
리하고 있다 (**그림 7-1-36**).

2-step etch & rinse system과 resin cement (light cure type) 사용하여
cementation 하였다.

⑥ Cementation 후의 모습, 정면 (**그림 7-1-37**), 측면 (**그림 7-1-38**).

⑦ 교합 상태 (**그림 7-1-39**), margin 부위와 교합이 일어나는 부위가 떨어져 있
는 것을 알 수 있다

⑧ 치료 전(위)과 후(아래) 비교 (**그림 7-1-40**), #11은 복합레진 시행.

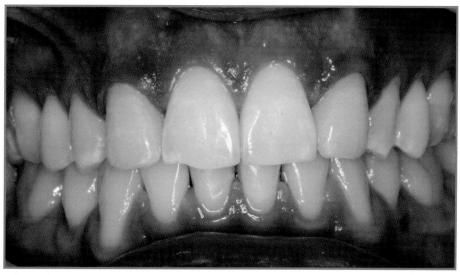

그림 7-1-37
Cementation 후의 모습, 정면.

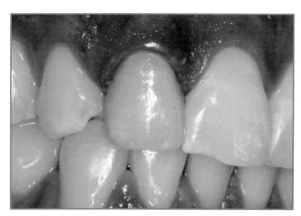

그림 7-1-38
Cementation 후의 모습, 측면.

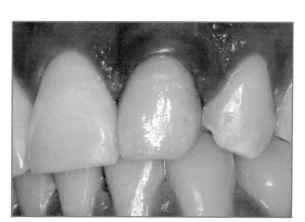

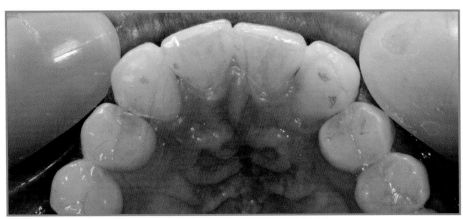

그림 7-1-39
교합 상태. Margin 부위와 교합이 일어나는 부위가 떨어져 있는 것을 알 수 있다.

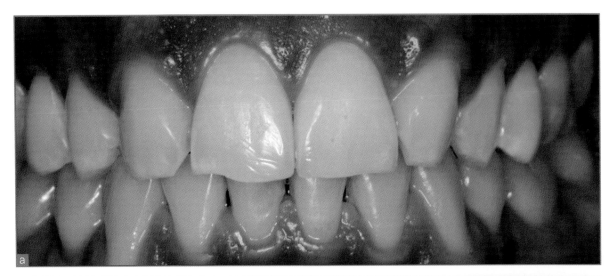

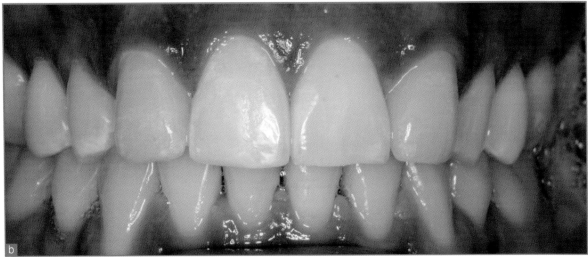

그림 7-1-40
치료 전(a)과 후(b) 비교. #11은 복합레진 시행.

교훈: 한국인에게서 결손치가 나타나는 빈도는 약 11% 내외라고 하며, 측절치에서 결손되는 경우가 전체 결손의 약 10% 내외라고 한다.

이 증례의 경우 과거 교정치료 과정에서 결손된 측절치의 공간으로 견치를 성공적으로 이동시키는데까지는 성공하였지만, 견치 자체의 모습을 변화시키지는 않았기 때문에 환자가 이를 해소하기 위하여 내원하였다. 이 치료에 있어서 가장 핵심이 되는 상황은 환자의 교합상태와 이에 따른 치아형성의 design이었다.

이 환자의 경우 측방 운송 시 견치에 의한 유도가 확실하게 이루어져, 절면(incisal surface)에 이에 의한 교모현상이 확실하게 관찰되는 만큼, 치아 삭제는 치아의 순면에 국한하는 window preparation을 시행하였다. 이런 경우 만약 incisal overlap시키거나, 절면 근접하게 margin이 형성되면, 자칫 laminate의 fracture 등을 초래할 가능성이 더 높아질 수 있을 것이다.

한가지 아쉬운 것은 견치의 근심 치경부 쪽에 약간의 gingivectomy 등을 시행하였더라면 좀 더 측절치의 모습에 가깝게 재현할 수 있었을 것이다.

증례 2: laminate 수복에서 index를 이용한 치아 삭제량 조절, black triangle
(그림 7-1-41~59)

환자의 주소: 치아 모양이 이상하여 이를 수정하고 싶다.

현증:

① 중절치의 약간의 회전(**그림 7-1-41**).

② 12,11,21,22 사이의 간격(**그림 7-1-42, 43**).

③ 치주 상태: 정상(**그림 7-1-41~44**).

Treatment Plan:

① Porcelain Laminate on #11, 21.

② Composite resin filling #13 (mesial), #12 (distal), #22 (distal).

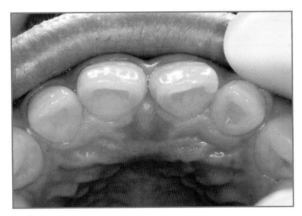

그림 7-1-41
초진사진, 교합면.

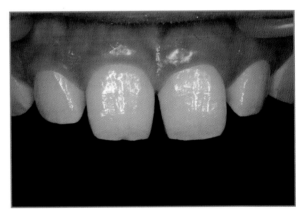

그림 7-1-42
초진사진, 순면.

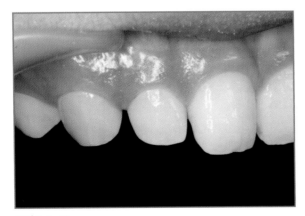

그림 7-1-43
초진사진. 우측면.

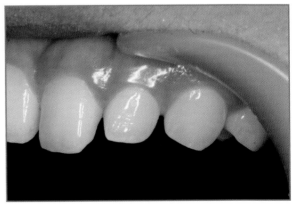

그림 7-1-44
초진사진. 좌측면.

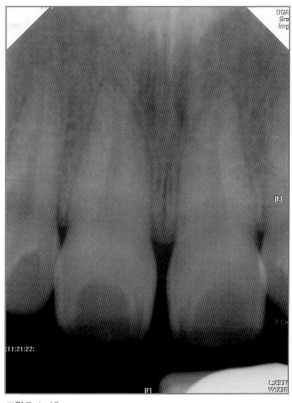

그림 7-1-45
방사선 초진사진.

치료 경과:

① 모델분석: rotation된 부위의 치아 삭제량을 0.5 mm로 하고, incisal edge를 삭제하는 overlap design으로 결정함(**그림 7-1-46**).

② 치료 결과를 환자에 설명해 줄 수 있고, 임시치아 제작과 치아의 삭제량 검사를 위한 silicone index를 제작하기 위한 wax carving(**그림 7-1-47**).

③ 치아의 삭제량 검사를 위한 silicone index. 높이에 따라 여러 층으로 나누어 필요한 치아 삭제량 분석이 용이함(**그림 7-1-48~50**).

④ Shade 선택(**그림 7-1-51**).

⑤ Silicone index를 이용한 치아 삭제량 검사(**그림 7-1-52, 53**).

⑥ 임시 수복물 장착(**그림 7-1-54**).

⑦ 기공물 (#11, #21) (**그림 7-1-55**).

⑧ Cementation 후 임상사진(**그림 7-1-56**)과 X-ray(**그림 7-1-57**).

⑨ 1달 follow-up (**그림 7-1-58**).

⑩ 1년 follow-up (**그림 7-1-59, 60**).

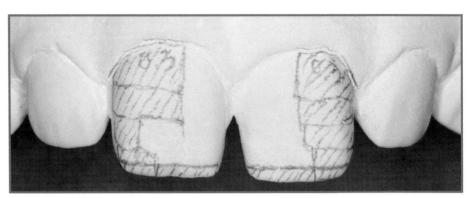

그림 7-1-46
모델분석, 삭제부위.

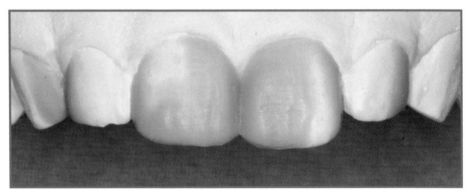

그림 7-1-47
Wax carving(#13, 12, #11,21, 22).

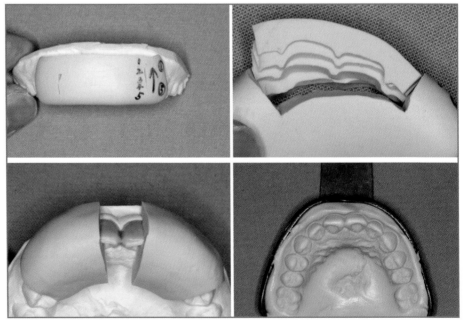

그림 7-1-48
Silicone Index 제작 (1): crown의 높이에 따라 3∼4개의 층으로 제작.

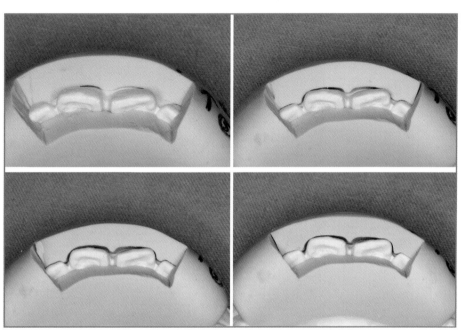

그림 7-1-49
Silicone Index 제작 (2): 높이에 따라 silicone index를 위치시켜서 분석하는 모습.

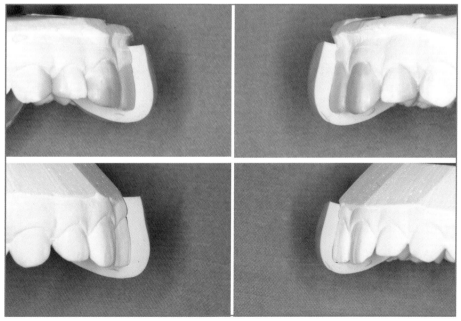

그림 7-1-50
Silicone Index 제작 (3) : 종으로도 잘라서 분석이 가능.

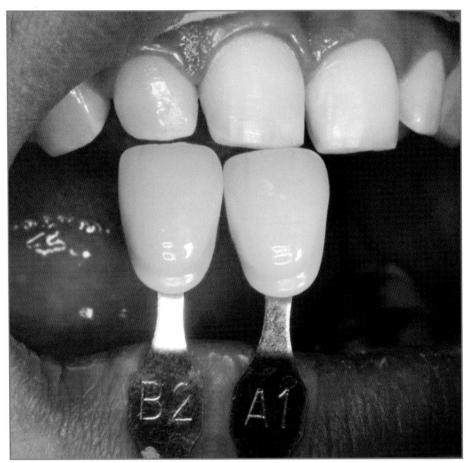

그림 7-1-51
Shade 선택.

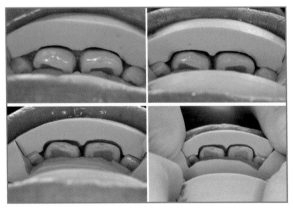

그림 7-1-52
Silicone index를 이용한 치아 삭제량 검사 (1).

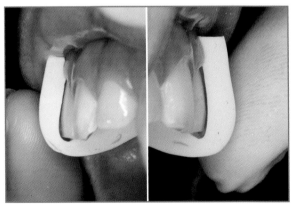

그림 7-1-53
Silicone index를 이용한 치아 삭제량 검사.

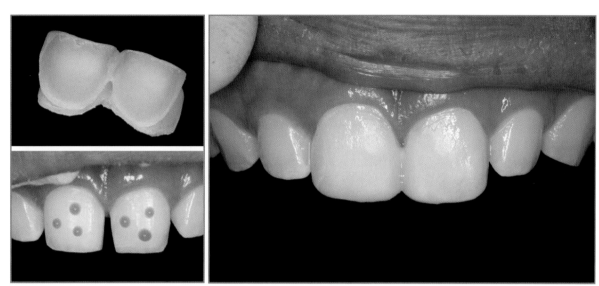

그림 7-1-54
임시 수복물 장착(치아의 아주 작은 부분에 국한하여 etching과 접착을 시행함).

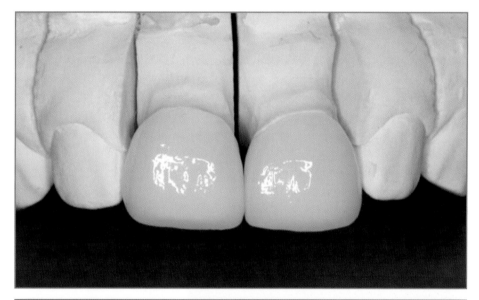

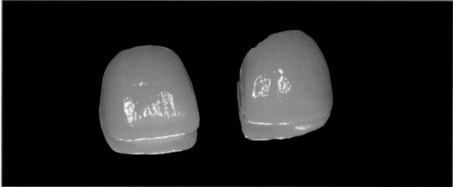

그림 7-1-55
기공물.

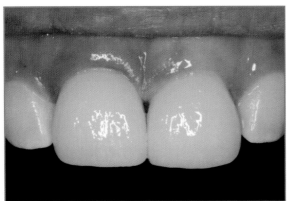

그림 7-1-56
Cementation 후 임상사진. 중앙부위의 black triangle 부위가 보인다.

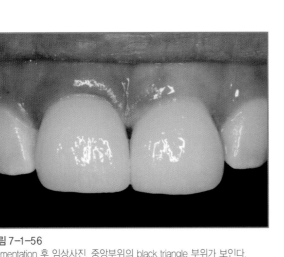

그림 7-1-57
Cementation 후 X-ray . 원하지 않는 부위에 cement 등이 흘러 들어갔는지 검사.

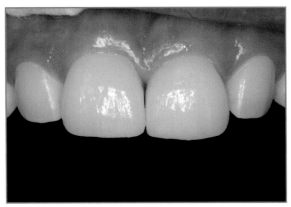

그림 7-1-58
치료 후 1달. Black triangle은 많이 감소하였다.

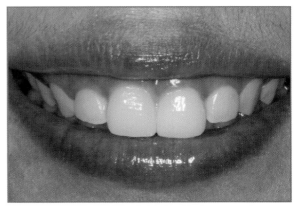

그림 7-1-59
치료 후 1년.

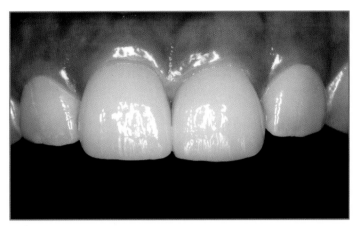

그림 7-1-60
치료 후 1년. Black triangle은 보이지 않고 환자는 치료결과에 만족.

교훈: 포세린라미네이트 기법이 처음 소개되었을 때에는 반드시 법랑질 상에 preparation해야 한다는 철저한 원칙이 강조되었다. 하지만 상아질 접착제들이 많이 발전되면서 이러한 개념이 전보다 많이 퇴색한 것도 사실이다. 하지만 임상에서 환자들을 접하며 새삼 느끼는 것은 아직 어느 상아질 접착제도 법랑질 접착만큼 효과적이지 않다는 사실이다.

이 환자의 경우처럼 rotation되어 있는 치아의 경우 과도한 삭제가 일어날 가능성이 매우 크며, 이는 결국 상아질을 노출시켜서 수복물의 수명을 단축시킬 수 있는 중요한 요소가 될 것이다. 이런 경우 silicone key index의 활용은 과도한 억제를 막을 수 있는 좋은 방법이 될 수 있을 것이다.

측절치 부위에 복합레진을 이용하여 space closure를 한 것은 환자의 치질 삭제를 줄일 수 있는 좋은 방법으로 생각된다.

합착한 날 보였던 black triangle은 1달 만에 많이 없어졌으며, 1년 후 사진에서는 더 이상 보이지 않았다. 이는 alveolar bone 상방에서 contact point까지의 거리가 5 mm 이하로 환자의 치주 상태가 좋게 유지될 때 나타나는 현상으로 이러한 예측을 위해 치료 전, 후방사선 사진을 통하여 정보를 습득하는 것이 중요하다. Alveolar bone이 흡수되어 contact point와의 사이가 5 mm 이상으로 먼 경우, black triangle은 없어지지 않고 남게 되는 경우가 많으며, 최대한 contact을 낮추어 주어 black triangle이 적게 보이게 하고, 환자에게는 미리 이러한 문제점에 대해 이야기 하여 협조를 구하는 것이 중요하다.

증례 3: Ceramic restoration에서의 와동 형태의 단순화, gingivectomy
(그림 7-1-61~66).

환자의 주소: 불편한 곳은 없다. (치주과에서 치아 우식 치료를 위해 refer 됨).

현증: #46 :

   ① 아말감이 수복되어 있음 (BO)(**그림 7-1-61, 62**).

   ② 근심측의 치아우식.

   ③ Ice (+), Per(−), 치아동요도(정상).

Treatment Plan: Ceramic Inlay(E.max Press).

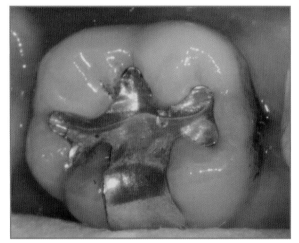

그림 7-1-61
아말감 수복과 치은 연하로 근심 측의 치아 우식이 관찰된다.

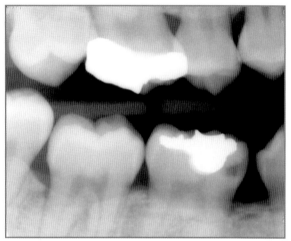

그림 7-1-62
X-ray 근심 측의 우식이 marginal ridge 아래로 확장된 것을 볼 수 있다.

치료 경과:

   ① 기존의 아말감과 치아 우식 제거(**그림 7-1-63**).

     Electrosurgery를 이용하여 근심 측의 gingiva를 일부 잘라내고, 치아 우식을 제거함. 기존의 아말감을 제거하는 과정에서 근심부와 연결함. MB 교두가 매우 빈약한 상태이고, 근심 와동의 협측과 설측의 변연이 치아 외형과 거의 90도를 이루고 있어서, 세라믹 수복을 위해서는 추가적인 와동의 수정이 필요함.

   ② 와동의 단순화 및 base(**그림 7-1-64**)

     MB cusp를 추가적으로 삭제하고, 근심 변연부위를 ceramic 와동에 적합한 형태로 수정함. 전체 와동의 노출된 상아질을 상아질 접착제를 이용하여 처리하고(immediate dentine sealinf), 협측 및 근심 측의 깊은 부위는 flowable resin을 충전하여 치수를 보호하고 undercut을 제거하는 base의 역할을 부여함.

③ 기공물(**그림 7-1-65**).

④ Cementation 완료 후(**그림 7-1-66**).

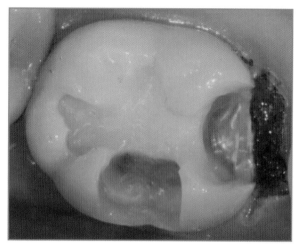

그림 7-1-63
기존의 아말감과 치아 우식 제거.

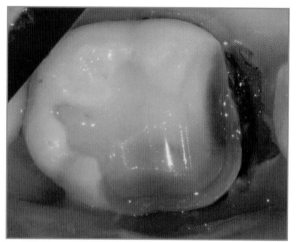

그림 7-1-64
와동의 단순화 및 base.

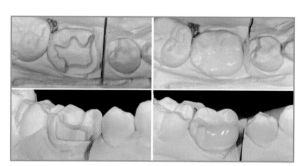

그림 7-1-65
기공물.

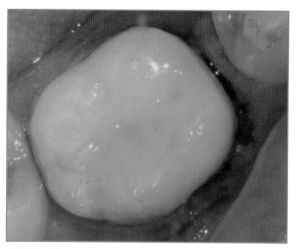

그림 7-1-66
Cementation 완료 후.

교훈: 직접법에 의한 수복 방법이나 금 인레이 등의 간접 수복방법을 이용할 때보다. Ceramic을 이용한 간접수복물은 되도록 와동의 design을 단순화시키는 것이 좋다. 금 인레이에 익숙한 분들이 처음 세라믹 인레이 등을 치아에 시적할 때 금 인레이에 비하여 와동에 대한 적합도가 많이 떨어지는 것을 알고는 당황해 하시는 분들이 많다. 실제로 잘 만들어진 금 인레이의 경우 치아와의 간격이 30 um 내외지만, 세라믹 인레이의 경우는 100~200 um 정도로 많이 떨어지는 편이다. 와동이 복잡해질수록 정밀도는 더 떨어지며, Press 기법으로 기공물을 제작하는 경우보다(E.max Press) CAD/CAM 기법으로 제작하는 경우(E.max CAD)의 정밀도가 더 떨어진다. 이번 증례에서는 약해진 MB cusp를 capping하면서 flowable resin으로 base를 형성하면서 와동의 모양을 단순화시켜 주었으며, 변연의 형태도 glass ceramic 수복물에 맞게 적절히 변형하였다고 볼 수 있다.

Indirect tooth colored restoration에 있어서 가장 중요한 철칙 중의 하나는 반드시 rubber dam 하에서 cementation을 할 수 있어야 한다는 점이고, 이를 위해서는 margin이 치은의 상부에 위치해서 접착 술식이 용이하게 시도되어야 한다는 점이다. 이 환자의 경우 x-ray 사진에서 치조골로부터 우식 부위가 상당한 거리가 있어서 electrosurgery를 통한 gingivectomy 만으로도 caries 부위를 완전히 노출시킬 수가 있었다. 만약 치조골 가까이까지 치아 우식이 진행되어 있었다면 추가적인 치조골 수술을 동반한 crown lengthening 치료가 필요할 수 있었다.

증례 4: 기존 수복물을 이용한 CAD/CAM restoration(그림 7-1-67~74).

환자의 주소: 일주일 전쯤 금 수복물이 떨어졌다. 아프지는 않다.

현증: 1. #45 gold inlay 탈락과 이차 우식(gold inlay 가지고 옴)(**그림 7-1-67, 68**).

과거치과병력: #45: 2년 전 개인치과의원에서 gold inlay 수복.

Treatment Plan: Ceramic inlay(Cerec system 이용), 기존의 gold inlay restoration을 이용한 교합면 설정.

치료 경과:

① 와동 형성(**그림 7-1-69**).

② 와동 scan(**그림 7-1-70**).

③ 기존의 금 인레이를 이용하여 교합면을 형성하기로 하고, 금 인레이를 장착한

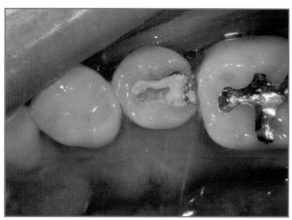

그림 7-1-67
초진 사진. 금 인레이가 탈락된 상태로 내원. 협측와동벽 부위의 약간의
이차우식이 발견된다. 치수반응은 정상이었다.

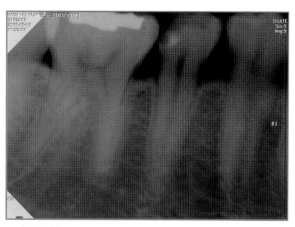

그림 7-1-68
초진 방사선 사진. 와동과 치수와는 상당한 거리를 나타내며, 치근단 부위
도 정상적인 모습을 나타냄.

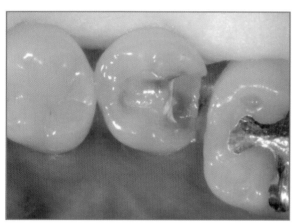

그림 7-1-69
이차우식을 제거하고 와동을 형성함.

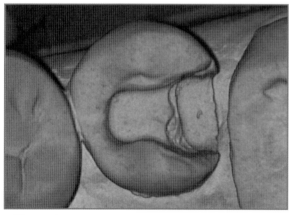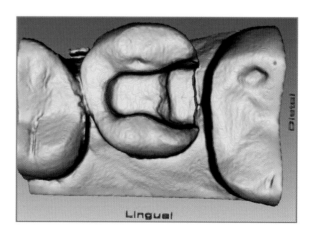

그림 7-1-70
Cerec system을 이용하여 와동을 scan하고 변연을 marking하고 있는 모습.

상태에서 다시 scan을 함(**그림 7-1-71**). 이 때 inlay와 새로 형성한 와동과의 간격은 wax 등을 이용하여 임시로 메우고 scan 시행.

④ Cerec system의 correlation mode를 이용하여 기공물을 제작. 교합면은 기존 수복물을 그대로 참조하였고, 인접면은 기존 gold inlay의 형태가 부적절하게 형성되어 있어 새롭게 수정함(**그림 7-1-72**).

⑤ 접착의 과정을 통하여 구강 내에 장착. 법랑질에 인산으로 산 부식하고, 상아질 접착제(Adhese, Ivoclar Vivadent) 도포 후 충전용 레진을 이용하여 sonic cementation 시행(**그림 7-1-73**)(**sonic cementation : 6 복합레진을 이용한 간접수복의 I-4, 합착 참고**).

⑥ 치료 후 X-ray 사진. 글라스세라믹과 복합레진의 잘 구별된다. 복합레진 부위의 두께를 참고하면 수복물과 치아 와동 간의 간격을 잘 알 수 있다(**그림 7-1-74**).

 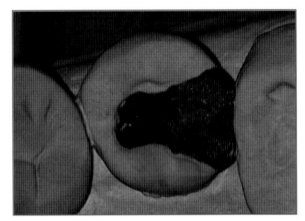

그림 7-1-71
기존의 금 인레이를 이용하여 교합면을 형성하기로 하고, 금 인레이를 장착한 상태에서 다시 scan을 함(correlation mode). 먼저 model 상에 gold를 위치시킨 뒤, prep 후 생긴 틈을 왁스로 메꾼 후 correlation mode를 이용하여 제작.

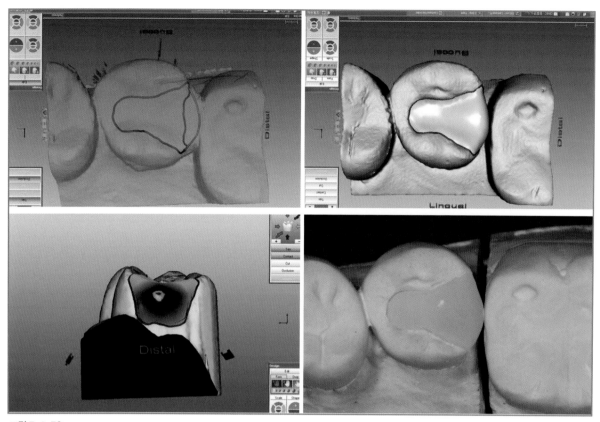

그림 7-1-72
Cerec system의 correlation mode를 이용하여 기공물을 제작. 교합면은 기존 수복물을 그대로 참조하였고, 인접면은 기존 gold inlay의 형태가 부적절하게 형성되어 있어 새롭게 수정함.

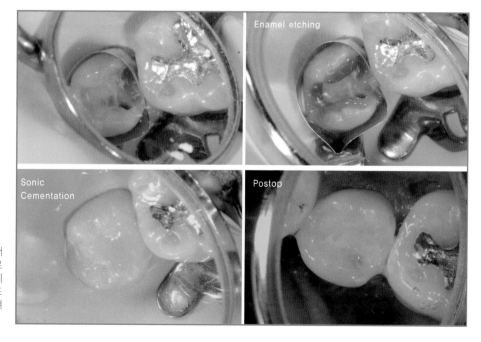

그림 7-1-73
접착의 과정을 통하여 구강 내에 장착. 법랑질에 인산으로 산 부식하고, 상아질 접착제 (Adhese, Ivoclar Vivadent) 도포 후 충전용 레진을 이용하여 sonic cementation 시행.

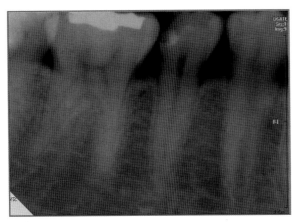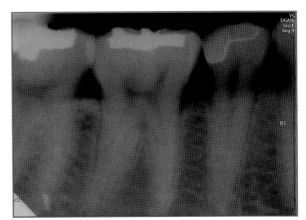

그림 7-1-71
치료 전후 X-ray 사진.

교훈: 이 환자는 gold inlay 수복 후 2년 만에 탈락되어 본 과로 내원한 환자이다. 소구치 부위는 치아의 크기가 상대적으로 작아 gold inlay의 경우 와동 삭제를 웬만큼 잘 하지 않고는, 이번 경우에서 보는 바와 같이 수복물이 빨리 탈락하게 되는 경우를 자주 경험한다. 따라서 gold inlay보다는 adhesive cementation에 의한 추가적인 접착력을 더 얻을 수 있는 ceramic inlay를 선택하는 것이 더 합리적이라고 생각된다.

CAD/CAM system이 많이 발전하였지만 아직 교합 문제를 속 시원히 해결해 주지는 못 하고 있다. 그런 의미에서 비록 탈락은 했지만 그 동안 편하게 상용해온 기존 수복물의 교합관계를 참고하여 수복물을 제작한다는 것은 좋은 방법이다.

이번 증례에서는 correlation mode를 이용하여 기존 수복물의 교합관계를 이용하면서 부적절한 인접면 부위는 새롭게 수정하였다.

그림 7-1-74을 보면 세라믹 인레이에서 복합레진이 차지하는 공간이 얼마나 큰지 잘 볼 수 있다. 특히 CAD/CAM restoration은 이 간격이 넓은 편이어서 치면에 대한 접착의 술식과 합착의 과정에 많은 주의를 기울여야 한다. 충분한 광중합 시간을 할애해야 함은 필수이다. 이 증례에서 환자는 특별한 불편을 호소하지는 않았지만 인접면 접촉을 조금 더 넓게 형성해 주었으면 더 좋았을 것 같은 아쉬움이 남는다.

증례 5: CAD/CAM을 이용하여 하루에 치료 끝내기. 교합에 대한 주의 (그림 7-1-75~84).

환자의 주소: 특별히 불편하지는 않다. 보철과에서 충치가 있어서 보존과로 가 보라고 했다.

현증: #17 부위의 치아우식 (근심면 및 원심면 치경부, 교합면의 치아우식)(**그림 7-1-75, 76**).

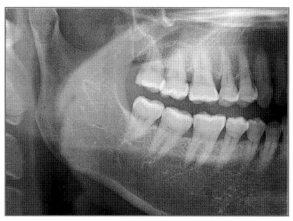

그림 7-1-75
#17의 근심면과 원심면의 치경부에 치아우식이 존재한다.

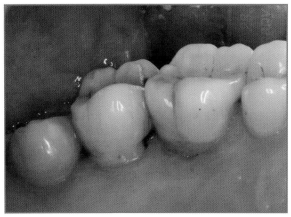

그림 7-1-76
구개측 모습. #17 치아의 근심면과 원심면의 치경부, 그리고 교합면에서 치아 우식이 관찰된다.

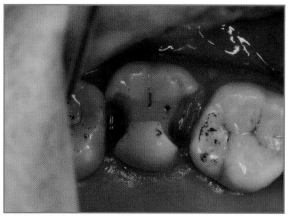

그림 7-1-77
와동 형성을 한 후 당일 Cerec system을 이용하여 optical impression을 채득하였다.

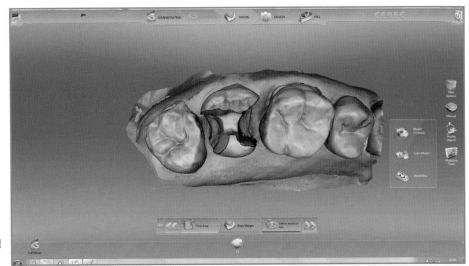

그림 7-1-78
Cerec system에서 Margin 설정
모습.

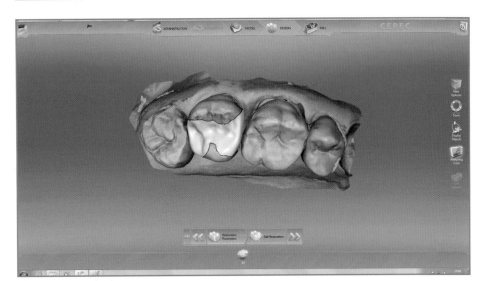

그림 7-1-79
Cerec system에서 보철물
design.

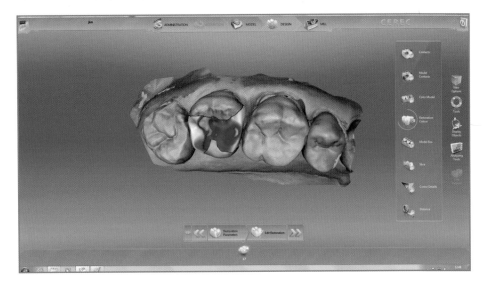

그림 7-1-80
Cerec system에서 교합부위
확인.

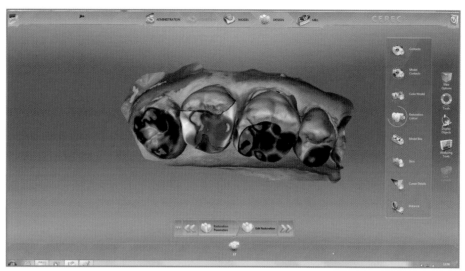

그림 7-1-81
Cerec system에서 수복물을 비롯한 인접치아의 교합부위 확인.

Treatment Plan: E.Max CAD와 Cerec system을 이용한 MOD inlay(당일 완성).
치료 경과:

  ① 와동 형성(**그림 7-1-77**).

  ② Cerec system을 이용하여 optical impression을 채득한 후 만들어진 화면에서 margin을 형성하고 있는 모습(**그림 7-1-78**).

  ③ Margin 형성 후 보철물이 design되고 있는 모습(**그림 7-1-79**).

  ④ 수복물의 교합을 조절하는 모습(**그림 7-1-80**).

  ⑤ 수복물을 비롯하여 인접치아 부위의 교합을 확인하는 모습(**그림 7-1-81**).

  ⑥ 중간단계의 blue ceramic으로 milling된 보철물을 와동 내에 시적해 보고 적합도 인접면접촉 등의 상태를 검사하고, 교합을 조절한다(**그림 7-1-82**).

  ⑦ Cementation이 완료된 상태(**그림 7-1-83**).

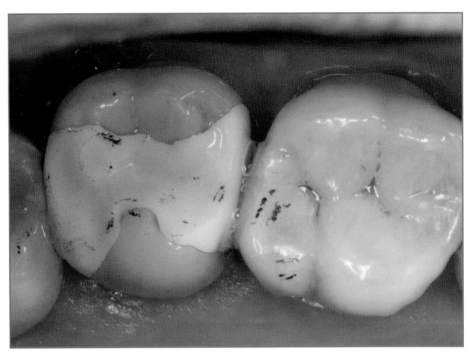

그림 7-1-82
Blue ceramic을 와동 내에 위치시킨 후 교합과 인접면 접촉 상태를 check하였다. 원하는 접촉부위 이외에 수복물의 margin에 교합이 되는 경우는 이 단계에서 가능한 접촉이 되지 않게 조절해 주어야 한다. 이 증례에서도 수복물의 협측변연과 설측변연에서 이와 같은 접촉이 나타나는 것을 볼 수 있다.

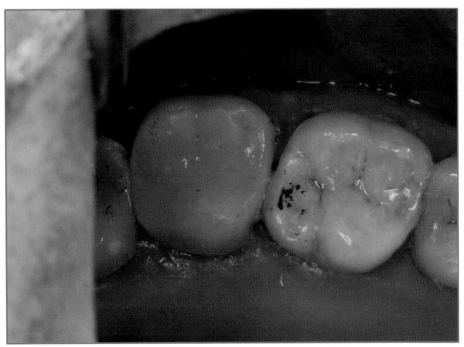

그림 7-1-83
최종 마무리 상태.

교훈: Cerec system의 가장 큰 장점은 당일 진료로 ceramic 수복물을 완성할 수 있다는 것이다. 하지만 실제로 이 기법을 사용해본 분들은 이것이 우리나라 현실에서 결코 쉽지 않다는 것을 느꼈을 것이다. 그 이유는 진료 시작부터 치료 완성까지 적어도 1시간 30분 정도의 시간을 할애하여야 한다는 점 때문일 것이다. 중간 과정에서 실수라도 하면 시간이 훨씬 더 길어질 수 있다. 그럼에도 불구하고 이 기법의 진정한 장점을 하나 더 고르라면 temporary restoration과 관계된 많은 문제를 해결해 줄 수 있다는 점을 들고 싶다. 간접수복물에서 나타날 수 있는 민감증의 많은 부분이 부적절한 temporary restoration과 관계가 있으며, 이것을 예방하기 위하여 immediate dentin sealin 기법과 같은 기법을 이미 설명한 바 있다. 하루 만에 수복물을 완성할 수 있으면 이러한 문제를 해결할 수 있다. 그리고 전체적인 시간문제를 따져보면 하루에 모든 것을 하려고 하니 부담은 되지만, 전체적인 chair time은 두 번에 나누어 할 때보다 오히려 줄어들 수 있다. 이 증례에서는 blue ceramic을 이용하여 교합을 미리 조정하고 이를 다시 완전히 curing한 후 cementation을 하였지만, blue ceramic의 과정을 생략하고 바로 ceramic을 만들어 내면, cementation 후의 교합 조정 과정에는 시간이 더 필요하겠지만 전체적인 진료시간을 조금 더 줄일 수 있다.

모든 환자를 이렇게 치료하기는 힘들어도 환자가 특별한 사정이 있을 경우 이러한 치료가 적극적으로 활용될 수 있을 것이다.

또 한가지 이번 증례에서 다루고자 하는 것이 교합에 관한 문제이다. 구치부 세라믹 수복에서, 환자의 교합상태를 면밀히 검토하여 이를 수복물에 반영시켜 주는 것이 중요하다. 이 환자에서는 와동 수복 전의 교합상태(**그림 7-1-77**)를 환자의 수복물 제작과정에서 최대한 반영하도록 노력하였고(**그림 7-1-80, 81**), 중간단계의 blue ceramic 수복물을 구강 내에 장착하여 교합을 조절할 때에도 이를 참고하여 환자의 원래 교합 상태에 되도록 근접하도록 노력하였다(**그림 7-1-82**). 또한 최종 수복물을 구강 내에 접착한 후에도 이러한 관계가 잘 재현된 것을 확인할 수 있었다(**그림 7-1-83**).

Blue ceramic을 시적한 단계에서 교합을 조절할 때 눈여겨 보아야 할 것 중의 하나가 수복물의 변연부에 교합이 되도록 닿지 않도록 확인하는 것인데, 이 증례의 경우 실제로 변연부에 교합되는 부위가 관찰이 되어(**그림 7-1-82**), 이를 조절할 수 있었다. Blue ceramic 표면에서 교합되는 부위가 잘 나타나기 때문에 이 단계에서 교합을 조절하는 것이 여러 가지로 편리하고 유리한 것 같다.

CAD/CAM system이 아직까지는 환자의 교합상태를 완전히 재현하지는 못하기 때문에 이와 같은 노력을 통하여 교합을 재현하는 것이 중요한 것 같다.

3. 유용한 기구 및 재료

1) 인접면 수복을 위한 ultrasonic tip (그림 7-1-84, 85).

CAD/CAM restoration은 위한 와동은 특히 변연이 깨끗하고 design이 단순해야 좋은 결과를 얻을 수 있다. 인접면 와동 삭제를 위하여 bur를 이용하는 것이 일반적이지만, preparation 후의 결과를 보면 아쉬울 때가 적지 않다. **그림 7-1-84**와 같은 ultrasonic tip들은 이러한 문제를 상당 부분 해결해 준다. 특히 인접치아를 손상시키지 않고, 비교적 정확한 인접면 삭제를 할 수 있다. 이를 위해서 추가적인 핸드피스와 tip을 구입하여야 하는 것이 단점이긴 하지만, 인접면의 정확한 와동 삭제를 위하여 많은 도움이 되는 기구이다. 현재 국내에는 KaVo(오스템 공급)와 Komet(Brassler)(신흥 공급)에 관련 제품이 있다.

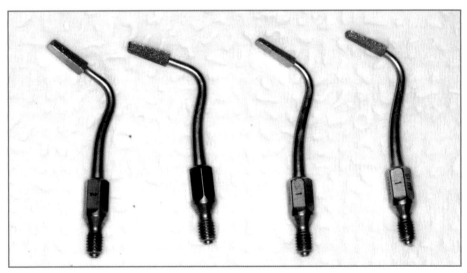

그림 7-1-84
인접면 수복을 위한 ultrasonic tip.

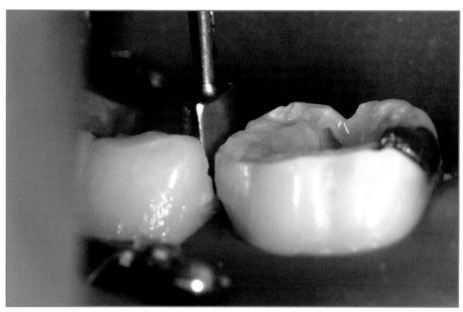

그림 7-1-85
인접면 수복을 위한 ultrasonic tip 적용 모습. 인접치질이 삭제될 염려 없이, 비교적 정확한 인접면 치아형성을 할 수 있다.

2) **Superfloss** : 인접면 레진 시멘트를 제거하는데 효과적이다(〈6장 **복합레진을 이용한 간접수복**〉 그림 6-3-1 참조).

3) **Stik-n-Place:** 작은 인레이 등을 잡을 때 효율적이다(〈6장 **복합레진을 이용한 간접수복**〉 그림 6-3-2 참조).

FAQ

Q 글라스세라믹과 지르코니아의 적용증은 어떻게 구별하나요?

지르코니아는 글라스세라믹보다 수복물의 불투과성이 높아(그림 7-10) 심미성에서는 떨어지고, 지르코니아 내부의 접착방법이 글라스세라믹보다 불리한 단점이 있지만, 뛰어난 물성 때문에 crown과 bridge 영역에서 porcelain fused to metal crown & bridge의 대안 제품으로 많은 주목을 받고 있습니다. 하지만 인레이, 온레이, 라미네이트 등 비교적 작은 치아 면적에서 높은 접착력을 필요로 하는 경우에는 접착력과 심미성이 우수한 글라스세라믹 제품들이 더 장점을 갖는다고 할 수 있습니다.

Q 글라스세라믹과 지르코니아의 접착방법은 어떻게 다른가요?

기본적으로는 글라스세라믹은 불산을 이용하여 수복물 내면을 처리한 후, silane과 합착제를 이용하여, 접착제로 처리된 치아와 adhesive cementation이 가능해서, 비교적 높은 접착강도를 얻을 수 있었습니다.

그에 반하여 지르코니아는 내면을 불산 처리할 수 없고, 기존의 silane과도 반응을 하지 않아 원래는 ZPC, glass ionomer 등을 이용한 conventional cementation이 추천되었으며, 10-MDP 성분을 포함하고 있는 일부 레진시멘트에서 한정정인 화학반응을 나타내어 유지력이 부족한 경우 특별히 사용될 수 있다고 추천되었습니다. 하지만 MDP를 함유한 지르코니아 전용 프라이머들이 개발되어 시판되어 나오기 있기 때문에 여건이 예전보다 좋아졌고, self-adhesive resin cement들도 지르코니아와 사용이 가능해졌습니다.

하지만 아직까지는 지르코니아를 통한 접착은 글라스세라믹에 비하여 많이 부족합니다. 따라서 인레이, 온레이, 라미네이트 등 비교적 작은 치아 면적에서 높은 접착력을 필요로 하는 경우에는 접착력과 심미성이 우수한 글라스세라믹 제품들이 더 장점을 갖는다고 할 수 있습니다.

현재 지르코니아 접착을 위해서 추천되는 방법은

① 수복물 내면의 타액, 유기물 제거: Ivoclean(Ivoclar vivadent)을 이용합니다. 인산 등을 이용하면 안 됩니다.

② Sandblast: Chair side에서는 Cojet 등을 이용합니다. 지르코니아 표면에 거친 면을 만들기 위함이 아니고, 표면을 activation하여 접착에 유리한 환경을 만들기 위함입니다. 가볍게 처리합니다.

③ Zirconia 전용 primer 적용: 만약 전용 primer가 없다면 MDP 계열의 레진시멘트 (Kuraray 사 제품군)

④ 레진시멘트를 이용한 접착: Adhesive 또는 self adhesive resin cement를 이용하여 접착합니다.

〈8장. 간접수복을 위한 cementation, 표 8-2-1, 7장. 글라스세라믹을 이용한 간접수복〉 참조

Q 복합레진 인레이와 세라믹 인레이를 비교하면?

글라스세라믹, 특히 가장 많이 사용되고 있는 E.max system을 예로 들면 접착강도, 심미성, 물리적인 강도 모두 세라믹을 이용한 인레이가 복합레진을 이용한 인레이보다 우수합니다. 최근 CAD/CAM 용으로 기존의 열중합 시스템보다 물성을 향상시킨 복합레진 block이 나오고 있는데(회사들은 hybrid ceramic, nanoceramic 등으로 이름을 붙여서 복합레진이 아닌 것처럼 하고 있는데 결국은 물성이 강화된 복합레진입니다), 이에 대한 장기적인 결과는 좀 더 지켜봐야 할 것 같습니다. 하지만 심미적으로 아주 critical한 부위가 아니라면, 또 심한 교합압을 지탱해야 하는 부위가 아니라면, 복합레진을 이용한 간접수복물도 훌륭한 대안이 될 수도 있고, 또한 무엇보다도 수복물의 예후가 불투명하거나, 아직 나이가 어린 환자의 간접수복, 또 repair 를 많이 해야 할 것으로 예측되는 경우 등에서는 훌륭한 선택이 될 수 있을 것입니다.

Q 와동 내에 바른 접착제를 광조사시킨 후 합착시키려면 접착제의 두께 때문에 높아진 느낌을 많이 받아서 접착제를 중합시키지 않고 cementation했더니, 환자가 자꾸 시려하는 것 같습니다, 어떻게 해야 하나요?

수복물 내면에 바른 접착제에는 절대 광조사시키면 안 됩니다.

와동 내에 바른 접착제는 두꺼운 부위가 생기지 않게 brush를 이용하여 가능한 골고루 펴 주도록 하고 광조사를 합니다.

근래 판매되고 있는 universal bonding system 중 Allbond Universal(Bisco Optibond Versa(kerr))과 Tetric n-bond Universal(Ivoclar Vivadent)은 접착제의 두

FAQ

께가 기존의 접착제보다 얇아, 이러한 문제 해결에 도움을 줍니다. 만약 사용하는 bonding agent 등이 두꺼워 광조사 후 inlay를 위치시킬 때 잘 들어가지 않을 우려가 클 경우에는 접착제에 self-cure activator를 혼합하여 와동에 도포하고(광중합시키지 않고), 합착 후 resin cement와 함께 광조사시키는 방법을 사용할 수 있습니다 (〈2장 5. 상아질접착제, 8장 간접수복을 위한 cementation〉 참고). 최근에 출시된 universal bonding system의 하나인 Singlebond Universal(3M ESPE)은 자사의 레진시멘트인 Ultimate와 같이 접착을 시킬 경우에는 self-cure activator를 별도로 혼합하여 사용하지 않고도 같은 효과를 얻을 수 있어서 편합니다.

Q 최근 글라스세라믹과 지르코니아의 장점을 모두 가졌다는 새로운 제품이 출시되었다고 하는데, 어떤 제품인가요? 그리고 접착은 어떻게 하나요?

Celtra Duo (Dentsply Sirona), Vita Suprinity (Vita Zahnfabrik)의 제품이 있습니다. Lithium Silicate를 바탕으로 하고 Zirconia 성분이 무게비로 10% 정도 함유되었으며, 물성은 기존의 E.max와 크게 다르지 않습니다. Lithium disilicate인 E.max에 비하면 산에 대한 저항성이 조금 더 높으므로, 불산의 적용시간을 40~60초로 더 늘려주는것이 바람직하며, 나머지 접착의 술식은 기존의 glass ceramic과 동일합니다.

Chapter

8

간접수복을 위한 cementation

Chapter 8

간접수복을 위한 cementation

I. Adhesive cementation에 관한 필수 지식

기존에 사용하였던 zinc phosphate cement (ZPC), polycarboxilate cement, glass ionomer cement을 이용한 합착 방법을 conventional cementation이라고 하고, 이와 대비해 resin cement을 이용하는 합착 방법을 adhesive cementation이라고 했다. 그런데 지금은 ZPC나 polycarboxylate cement를 심미적 수복물의 위한 cementation 용도를 사용하는 일은 것의 없기 때문에 glass ionomer cement을 이용한 합착 방법을 conventional cementation이라고 부르고 있다. Adhesive cementation을 위해서는 rubber dam을 이용한 치아의 격리가 필수적인데, 이는 타액이나 오염물에 의한 영향이 치명적일 수 있기 때문이다. Conventional cementation 방법은 adhesive cementation에 비하여 접착강도는 낮지만, 수분이나 오염물에 대한 영향이 더 적기 때문에 rubber dam 등을 이용한 치아의 격리가 어려운 특별한 상황에서는 오히려 conventional cementation 방법이 추천될 수 있다. 이것에 대한 판단이 cement의 종류를 선택하는데 가장 기본이 되는 요소이다.

1. 종류 및 용도

매우 중요한 문제인데 경시되고 있는 경향이 있다. 약간 복잡하더라도 잘 이해하면 큰 도움이 되겠다. **표 8-2-1**을 같이 참조하기 바란다.

Adhesive resin cementation 방법에는 접착제를 사용하는 adhesive resin cement을 이용하는 방법과 접착제가 포함되어 있지 않은 self-adhesive resin cement을 이용하는 방법이 있다.

Adhesive resin cement은 self-adhesive resin cement에 비하여 일반적으로 접착강도가 훨씬 높다. 이에 반하여 self-adhesive resin cement은 복잡한 접착의 과정 없이 비교적 매우 간단하게 수복물을 치아에 합착시킬 수 있다. 따라서 치아의 접착면적이 적은 laminate, inlay, onlay 등을 수복할 때는 adhesive cement을 사용하는 것이 바람직하다. Self-adhesive resin cement은 치아의 접착 면적이 넓은 crown, bridge 등에 적합하다. 하지만 crown 또는 bridge라고 할 지라도 유지력이 떨어진다고 판단될 경우에는 adhesive resin cement을 사용하는 것이 바람직하다.

Adhesive resin cement은 self-adhesive resin cement에 비하여 일반적으로 다양한 색조의 레진을 가지고 있어서 심미적 수복에 유리한 경우가 많다. 접착방법에 따라 etch & rinse system을 기반으로 하는 것과 self-etch system을 기반으로 하는 것으로 나눌 수 있으며, cement의 중합방법에 따라 광중합형, 이원중합형, 화학중합형으로 나눌 수 있다. Etch & rinse system은 법랑질이 많이 남아 있는 경우의 수복에 유리하며, self-etch system은 상대적으로 상아질이 많이 남아 있는 경우에 편리하게 사용할 수 있다.

이원중합형이나 화학중합형 레진시멘트는 광중합형에 비하여 시간이 지나면서 변색이 되는 경향이 있기 때문에 전치부 수복물에 광중합형 레진시멘트가 적절하다고 할 수 있는데, 단, 수복물을 통하여 빛이 통과해야 하기 때문에 수복물의 두께가 얇은 laminate 등의 합착에 특히 유용하다. 최근에 개발된 이원중합 레진시멘트 중에서 변색의 원인이 되는 3급 아민 대신 다른 재료를 사용함으로서 변색의 위험을 줄였다고 주장하는 제품들이 나오기 시작했다(예: Rely X Ultimate, NX3, G-CemLinkAce, MaxcemElite).

2. 중합과 관련된 특징

대부분의 치과의사들은 이원중합 레진시멘트는 광중합을 하지 않더라도 화학중합이 그만큼 보상적으로 이루어져서 전체적인 중합은 정상적으로 이루어지는 것으로 잘못 알고 있다. 하지만 사실 이원중합형 레진시멘트도 광중합에 의한 영향을 많이 받는다. 즉, 광중합이 충분치 못할 경우에는 이원중합형 레진시멘트는 제 성능을 100% 발휘할 수 없다. 만약 800~1000 mW/cm²의 광도의 광조사기를 사용하고, 세라믹 수복의 두께가 2~3 mm 정도라면 치아 한 면당 적어도 1분 이상의 광조사 시간을 갖는 것이 바람직하다. 여분의 레진시멘트를 제거하기 용이하게 하려면 광중합을 시행하는 경우, 우선 5초 이내로 짧게 광조사하여 레진시멘트를 약간 중합시킨 상태에서 제거한 다음 충분한 광조사를 해야 한다.

화학중합형 레진시멘트는 순수한 화학중합형 레진시멘트로 출시되는 것과 광중합이 선택사항인 형태가 있다. 특별히 광중합이 적용되기 힘든 금속수복물, 지르코니아의 수복 등에 유용하게 사용될 수 있다

3. 접착과 관련된 특징

일반적으로 1-step self-etch system은 화학중합형, 또는 이원중합형 레진시멘트와 같이 사용할 경우 접착에 문제가 생긴다는 것으로 알려져 왔다. 즉, 1-step self-etch system의 산성성분이 화학중합형, 또는 이원중합형 레진시멘트에서 화학적인 중합에 관여하는 3급아민 성분과 반응을 하여 산-염기 반응을 일으키고, 이것이 중합반응을 방해해서 레진시멘트 간의 접착에 문제를 일으킨다는 이유 때문이었다.

그런데 최근 몇몇의 제품에서 이러한 문제에 대한 해결책을 내놓고 있다.

첫째, 특수한 self-cure activator(예: sodium benzene sulfinate, SBS)의 사용.

SBS를 같이 사용하면 이원중합 또는 화학중합레진과의 접착에서 추가적인 중합이 이루어져 위에서 언급한 문제를 해결할 수 있다. 하지만 이 경우 별도의 activator를 구입하여 사용해야 한다는 번거로움이 있다.

둘째, 산성도가 적은 (pH가 비교적 높은) 1-step self-etching system을 사용.

최근 출시되고 있는 universal bonding system(예: All-bond Universal, Single bond Universal, Tetric n-bond Universal)들은 이름은 바뀌었지만 구성성분을 보면 근본적으로는 MDP를 기본으로 하고 있는 1-step self-etch system과 유사한 점이 많다. 비록 산성을 나타내고는 있지만, 이 제품들은 pH가 통상 2.5 정도를 넘고 있어서 위에서 언급한 문제를 일으킬 가능성이 훨씬 줄어들었다고 한다.

셋째, 3급 아민이 없는 resin cement의 개발.

비록 접착제가 산성을 나타내도 resin cement에 이와 반응을 할 아민이 없으면 위와 같은 문제를 일으킬 우려가 없다. 현재 국내 시장에서 아민이 들어가 있지 않은 레진시멘트는 Rely X Ultimate (3M ESPE), NX3 (Kerr), Maxcem Elite (Kerr), G-CemLinkAce (GC) 등 이다. (**표 8-2-1** 참조)

II. Cement의 종류, 용도, 특성

표 8-2-1.

A. Adhesive Resin Cement		
	Etch & Rinse system	Self Etch system	Self Etch system + 선택적 법랑질 Etching
광중합형	– RelyX Veneer(3M ESPE) – NX3 (Kerr)[†]		
화학중합형		– Multilink N (Ivoclar Vivadent)# – Panavia 21 (Kuralay)*	
이원중합형	Calibra (Dentsply)[3][†] Duo–link (Bisco)[5][†] Choice 2 (Bisco)[†] Variolink II (Ivoclar Vivadent)[7]	– NX3 (Kerr)[2]★ – Calibra (Dentsply)[4][†] – Clearfil Esthetic Cement EX (Kuralay) Panavia F2.0 (Kuralay)	Rely X Ultimate (3M ESPE)★[§] Duo–link (Bisco)[6] Variolink II (Ivoclar Vivadent)[8]

B. Self- Adhesive Resin Cement
Rely X Unicem (3M ESPE), RelyX U–200 (3M ESPE),   Permacem 2.0 (DMG), Smartcem2 (Dentsply),   G–Cem LinkAce (GC)★, Maxcem Elite (Kerr)★,   Panavia SA cement (Kuralay), Multilink Speed (Ivoclar Vivadent)#

C. Glass ionomer Cement
Fuji CEM (GC) Rely X luting cement (3M ESPE), Nexux RMGI (Kerr)

D. Conventional Cement
ZPC, Polycarboxylate cement

1: with Optibond Solo Plus 2: with Optibond XTR 3: with Prime & bond NT
4: with Xeno IV 5: with One–step plus 6: with All–bond Universal
7: with Syntac classic system 8: with Tetric n bond Universal
#: 광중합이 선택사항인 화학중합형 *순수화학중합형 ★3급 아민이 들어가 있지 않음
[†]: self cure activator 사용가능
[§]: Single Bond Universal과 같이 사용할 경우, self cure activator를 별도로 사용하지 않고도 Single Bond Universal에 이원중합 기능을 부여함.

FAQ

Q **글라스세라믹을 합착시킬 때 어떤 시멘트를 사용하는 것이 좋은가요?**

글라스세라믹은 주로 인레이, 라미네이트, 온레이 크라운 용도로 주로 사용하게 됩니다. 작은 치아 면적을 이용하여 접착해야 하므로 self adhesive resin cement보다는 adhesive resin cement를 사용하는 것이 바람직합니다. 인상 상황에 맞추어, 사용할 수 있는 레진시멘트도 달라질 것입니다.

법랑질이 거의 없이, 상아질 접착에 의존해야 하는 경우에는, self etch system을 기반으로 하는 adhesive resin cement을 사용하는 것이 complication 없이 편하게 사용할 수 있을 것입니다. 이 때는 되도록 2-step self etch system을 기반으로 하는 것을 사용하는 것이 resin cement과의 incompatibility 문제가 없이 사용할 수 있습니다.

법랑질이 많은 경우는 etch & rinse system을 기반으로 하는 adhesive resin cement을 사용하는 것이 유리합니다. 만약 self etch system을 기반으로하는 adhesive resin cement 사용하고자 할 경우에는 법랑질 부위만 인산으로 산 부식시킨 후 상아질 부위는 primer로 처리하고, 법랑질과 상아질 전부를 접착제로 도포하고 광조사한 후, cementation하면 됩니다.

위의 두 경우 모두, 접착제를 치아에 바른 후, 반드시 먼저 광조사한 후 cementation을 해야 하는데, 이 과정에서 bonding agent가 너무 두껍게 발라지면, 보철물의 합착 시에 완전히 들어가지 않는 문제가 생겨 주의해야 합니다. 이것이 부담스러운 분들은 아래 4번째 FAQ를 참고해 주세요.

본문에 위에 대한 자세한 내용을 기재하였으니, 참고해 주세요.

Q **라미네이트 수복 후 시간이 지나면서 수복물 색이 변했다고 불평을 하는 환자들이 있습니다, 시멘트의 문제인가요?**

Laminate 등을 합착할 때 이원중합형 또는 화학중합형 레진시멘트를 사용하는 것은 좋은 방법이 아닙니다. 왜냐하면 화학중합에 관여하는 3급 아민이 이들 시멘트에 포함되어 있는데, 이것이 시간이 흐르면서 변색을 일으키기 때문입니다. 따라서 광중합형의 레진시멘트를 사용하는 것이 바람직합니다. 한편 요즘 시판되고 있는 이원중합형의 레진시멘트 중에 3급 아민이 포함되어 있지 않은 것들이 출시되고 있는데, 이러한 이원중합형의 레진시멘트를 사용하시는 것도 한 방법입니다. 8장 본

문과 표 8-2-1, 그리고 〈7장. 글라스세라믹을 이용한 간접수복〉을 참고해 주세요.

Q Zirconia를 합착시킬 때 어떤 시멘트를 사용해야 하나요?

Zirconia는 굴곡강도 900 MPa 이상을 가지고 있기 때문에, 구치부 crown, bridge 등에 많이 사용되고 있습니다. 유지력에 큰 문제가 없는 crown, bridge 등에 사용될 경우에는 conventional cement(ZPC 등)나 glass ionomer cement 어느 것이나 사용 가능합니다. 굳이 좋다고 하는 레진시멘트를 사용하지 않는 이유는 레진시멘트를 사용하여도 글라스세라믹에서와 같은 높은 접착력 증가는 얻을 수 없기 때문입니다.

하지만 유지력에 문제가 생길 수 있는 crown이나 bridge에 Zirconia를 이용하여 수복하고자 할 경우에는, 레진시멘트를 이용하여야 하며, 이 때는 다음과 같은 적절한 절차를 거쳐야 합니다.

① 수복물 내면의 타액, 유기물 제거: Ivoclean(Ivoclar vivadent)을 이용합니다. 인산 등을 이용하면 안 됩니다.

② Sandblast: Chair side에서는 Cojet 등을 이용합니다. 지르코니아 표면에 거친 면을 만들기 위함이 아니고, 표면을 activation하여 접착에 유리한 환경을 만들기 위함입니다. 가볍게 처리합니다.

③ Zirconia 전용 primer 적용: 만약 전용 primer가 없다면 MDP 계열의 레진시멘트 (Kuraray 사 제품군)

④ 레진시멘트를 이용한 접착: Adhesive 또는 self adhesive resin cement를 이용하여 접착합니다.

〈8장. 간접수복을 위한 cementation, 표 8-2-1, 7장. 글라스세라믹을 이용한 간접수복〉 참조

Q 와동 내에 바른 접착제를 광조사시킨 후 합착시키려면 접착제의 두께 때문에 높아진 느낌을 많이 받아서 접착제를 중합시키지 않고 cementation했더니, 환자가 자꾸 시려하는 것 같습니다. 어떻게 해야 하나요?

수복물 내면에 바른 접착제에는 절대 광조사시키면 안 됩니다.

와동 내에 바른 접착제는 두꺼운 부위가 생기지 않게 brush를 이용하여 가능한 골고루 펴 주도록 하고 광조사를 합니다.

근래 판매되고 있는 universal bonding system 중 Allbond Universal(Bisco Optibond Versa(kerr))과 Tetric n-bond Universal(Ivoclar Vivadent)은 접착제의 두께가 기존의 접착제보다 얇아, 이러한 문제 해결에 도움을 줍니다. 만약 사용하는 bonding agent 등이 두꺼워 광조사 후 inlay를 위치시킬 때 잘 들어가지 않을 우려가 클 경우에는 접착제에 self-cure activator를 혼합하여 와동에 도포하고(광중합시키지 않고), 합착 후 resin cement와 함께 광조사시키는 방법을 사용할 수 있습니다 (〈2장 5. 상아질접착제, 8장 간접수복을 위한 cementation〉 참고). 최근에 출시된 universal bonding system의 하나인 Singlebond Universal(3M ESPE)은 자사의 레진시멘트인 Ultimate와 같이 접착을 시킬 경우에는 self-cure activator를 별도로 혼합하여 사용하지 않고도 같은 효과를 얻을 수 있어서 편합니다.

Chapter 9

직・간접 수복 후 발생하는 민감성의 원인과 예방

I 필수지식

- FAQ

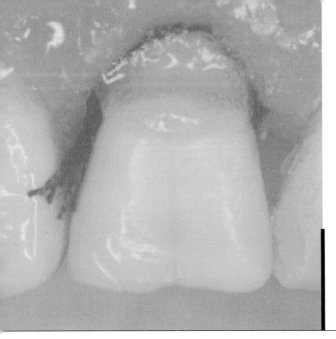

직,간접 수복 후 발생하는 민감성의 원인과 C

1. 필수 지식

1) 5급 와동 수복의 경우

전치부를 수복하는 경우 술후 민감성이 나타나는 경우는 대부분 5급 와동 수복 시
발생한다. 5급 와동의 대부분이 상아질이며, cervical margin의 대부분이 sub- 또는
eqi-gingival이어서 상아질 접착제 및 복합레진의 사용 방법에 따른 영향을 많이 받
기 때문이 것으로 생각된다. 술후 민감증을 줄이기 위하여 다음을 주의한다.

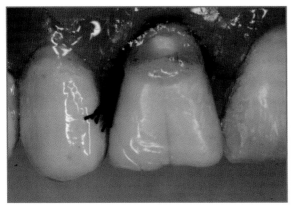

그림 9-1-1
법랑질 부위에 먼저 산 부식제를 위치시킨다.

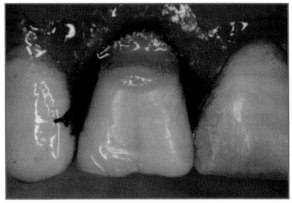

그림 9-1-2
법랑질에 산 부식제를 위치시킨 후 그리고 일정한 시간이 경과한 후(약
20초) 상아질에 산 부식제를 위치시키며, 상아질에 산 부식제가 닿는 시간
을 10초 정도로 제한한다.

(1) 상아질에 산 부식을 너무 오랫동안 하지 않는다(그림 9-1-1, 2).

사용하는 산 부식제의 산의 농도에 따라 그 적용시간을 달리한다. 30~40%의 인산을 사용할 경우에는 상아질은 15초가 넘지 않게(10초 정도가 안전)하는 것이 중요하다. 반면에 법랑질은 30~60초 정도 충분히 산 부식시킨다. 필자의 경우, 산 부식을 시킬 경우 옆에서 꼭 시간을 불러 줘서 시간을 지키려고 노력한다. 예를 들면 법랑질 부위에 먼저 산을 위치시키고, 20초 경과한 후에 상아질에 산을 위치시킨 후, 10초 후에 같이 수세하게 되면 법랑질은 30초, 상아질은 10초 산 부식시킨 것이 된다(⟨2장 V. 상아질 접착제⟩ 참고).

(2) 산 부식제가 원하지 않은 부위에 닿지 않도록 주의한다.

산 부식제를 치아에 적용하는 과정에서 인접치아의 원치 않는 부위로 흘러들어 갈 수 있다. 산 부식제의 점도는 그 내에 포함된 실리카 등의 함량에 따라 대개 결정되는데, 개인에 따라 선호도가 다르겠지만 흐름성이 너무 높은 것은 이런 이유에서 적절하지 않다고 생각된다. 농도가 낮은 10~20%의 인산이 포함된 산 부식제는 비교적 낮은 점도를 나타내고 있다. 법랑질과 상아질 원하는 부위에 적절히 위치시킬 수 있고, 인접 부위로 흐르지 않고 자기 위치에 오래 머물 수 있는 점도를 선택하는 것이 중요하다(⟨2장 V. 상아질 접착제⟩ 참고).

(3) Wet bonding이 적절히 되어야 한다.

적절히 wet bonding시키는 방법은 매우 다양하다. 필자의 경우, 면구에 물을 묻히고 꼭 눌러서 여분의 수분을 짜 버린 후, 와동 벽에 가볍게 두드린다. 그 후 primer(3-step etch & rinse system의 경우) 또는 primed adhesive(2-step etch & rinse system의 경우)를 도포한다. Primer 도포 후에는 10~20초 정도 기다린 후 그 표면을 완전히 건조시킨 후 접착제를 도포해야 한다.

Etch & rinse system 중 알코올을 용매로 하는 것들이 이러한 wet bonding 술식에 비교적 덜 technique sensitive하게 반응한다고 하며 성공률도 일반적으로 높게 보고 되고 있다(⟨2장 V. 상아질 접착제⟩ 표 1 참고).

(4) 접착제가 너무 얇게 발라지지 않도록 주의한다.

특히 2-step의 etch & rinse system의 경우 adhesive system이 얇아지기 쉽다. 따라서 접착제를 바른 후 압축공기보다는 brush를 이용하도록 하며, 접착제에 filler가 포함된 system을 사용하는 것이 너무 얇아지지 않아 유리하다. 접착제가 너무 얇게 발라지면 광중합을 시켜도 중합이 잘 되지 않는다. 이 경우 그 위에 복합레진을 도포하고 광중합을 시키면 접착제가 굳지 않은 상태에서 복합레진이 중합수축하면서 상아질과 접착제 사이에 접착이 잘 이루어지지 않아서 민감증 등이 발생할 수 있다. 3-step의 etch & rinse system이나 2-step의 self etching system의 접착제는 2-step에 비하여 두껍게 발라지기 때문에 이런 문제가 적게 발생한다.

(5) 5급 와동의 치경부 margin은 gingicord 등을 이용하여 노출시킨 후 치료를 하여야 한다(그림 9-1-3).

치경부 margin이 완전히 치은 위로 위치하는 경우는 이 과정이 필요 없지만, 그렇지 않은 경우는 gingicord를 치은열구에 삽입하여서 치은의 변연을 약간 내려줘서 치경부의 변연을 노출시키고, 치은열구액(gingival fluid)으로부터의 오염을 막아준다. (〈3장. III. 5급 와동의 수복〉 참조).

(6) 크기가 큰 와동의 경우에는 적층법을 이용하도록 한다.

와동이 큰 경우는 적층법을 이용하도록 하며, 이 경우 교합면 쪽을 먼저 충전하고, 치은 쪽을 수복하도록 한다(그림 9-1-4). (〈3장. III. 5급 와동의 수복〉 참조).

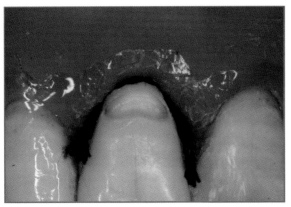

그림 9-1-3
5급 와동의 치경부 margin을 노출시킨다.

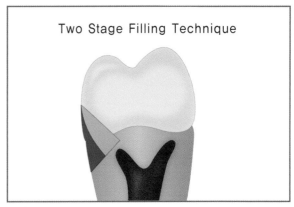

그림 9-1-4
5급 와동의 복합레진도 크기가 큰 경우에는 나누어 충전한다. 이때 교합면 쪽의 부분을 먼저 충전한다.

(7) Flowable resin 사용은 최소화 한다.

Flowable resin은 사용이 편리하지만, 중합수축의 관점에서 보면 일반 복합레진에 비하여 불리한 점이 많은 것이 사실이다. 작은 크기의 5급 와동을 flowable resin 만으로 사용하는 것은 무방하지만, 크기가 큰 와동은 lining하는 정도로 용도를 제한하는 것이 좋고 나머지 부분을 일반 복합레진으로 충전하는 것이 바람직하다. (〈3장. III. 5급와동의 수복〉 참조).

(8) 마무리 및 연마에 주의한다.

마무리 및 연마 시 치질에 대한 손상이 가해지지 않도록 주의한다. 보통 bur 의 표면에 노란 색이나 흰색 띠가 둘러져 있는 표면 조도 40 um 이하의 high speed bur와 Soflex 등의 disk를 사용한다. 납짝한 diamond tip이 앞 뒤로 움직이는 저속의 diamond file(예: Eva system) 등도 치은 변연, 인접면 쪽을 마무리하는 데 도움을 준다(**그림 9-1-5, 6**). (〈3장. III. 5급 와동의 수복〉, 〈2장. IX 마무리 및 연마〉 참고).

(9) 필요한 경우 적절한 치수보호를 시행한다

Direct pulp capping이 필요한 경우, Ca(OH)2, MTA 등을 이용하여 시행하고, 글라스아이노머를 이용하여 base를 해주고, 복합레진으로 수복한다. 과거 한 때, 치수가 노출되었을 경우 상아질 접착제를 이용하여 direct pulp capping 하여 주는 방법이 소개되기도 하였으나, 이는 바른 술식이 아니다. MTA의 변색이 전치부에서 문제가 될 수 있는데, 국내에서 사용 가능한 재료 중 Endocem Zr, RetroMTA, OrthoMTA 등은 이러한 문제를 해소하여 주고 있다.

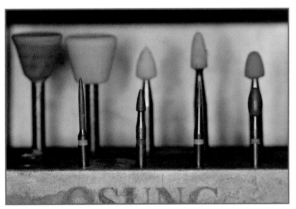

그림 9-1-5
마무리 및 연마 과정을 위한 재료. 치경부 또는 치질과 접하는 부위를 다듬을 경우에는 되도록 입자가 고운 fine한 것을 사용하도록 한다.

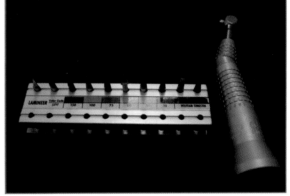

그림 9-1-6
Diamond file(EVA system). 치경부와 치간 사이의 변연을 다듬을 경우에 사용한다. 인접치아에 손상을 주지 않고 변연을 마무리 할 수 있으며, 거칠기를 조절할 수 있다.

(10) Etch & rinse system보다는 self etch system을 이용하는 것이 술후 민감증을 발생시킬 확률이 적다. 단 이때 법랑질은 30~40% 인산을 사용하여 따로 산부식시킨다. 아직까지는 1-step self etch system보다는 2-step self etch system 을 사용하는 것이 바람직하다. 적절한 self etch system의 사용법에 관해서는 〈**2장 V. 상아질접착제**〉를 참고하기 바란다.

2) 구치부 직접법의 경우

복합레진을 이용하여 구치부 수복을 하려면 일반적으로 전치부에 비하여 더 많은 복합레진이 사용되고, C-factor도 높고, 교합력도 높게 받는 편이다. 또한 2급 와동의 경우, 복합레진의 중합수축에 의한 교두변위 현상도 발생하여 정확한 교합조정을 해 주지 않으면 수복 후 민감한 반응을 보일 가능성이 더 높다. 술후 민감성을 예방하려면 다음을 고려한다.

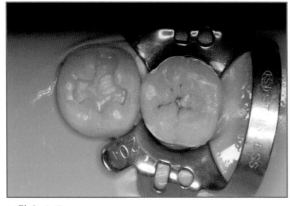

그림 9-1-7
Total bonding – 비교적 작고 깊지 않은 크기의 와동에 적용하는 것이 바람직하다. 삭제된 와동의 모습.

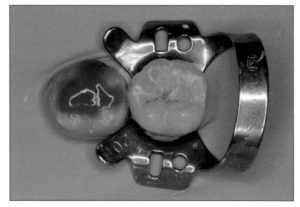

그림 9-1-8 **적절한 산 처리를 한다.**
1. Etch & rinse system 을 사용할 경우:
　　1) 10~15% 인산용액 사용 시: 법랑질과 상아질 동시에 15초간 처리한다. 이 때 법랑질은 15초간 문질러준다.
　　2) 30~40% 인산용액 사용 시: 법랑질 먼저 시작(20초 경과) 후 상아질 적용(5~10초).
2. Self etching primer system을 사용하는 경우: 회사의 주장과 달리 법랑질 부위는 30~40% 인산을 이용하여 산 부식시키는 것이 바람직하다.

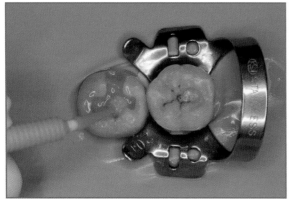

그림 9-1-9
적절한 방법으로 상아질 접착제를 도포한다. Etch & rinse system에서는 wet bonding 기법을 이용하여 상아질 면을 처리하고, 접착제를 도포한다. 접착제 도포 후에는 10~20초간 광중합시킨다. Self-etch system에서는 와동을 먼저 건조시킨 후 primer를 와동에 도포하고, 와동 내에 문질러 주면서 회사 별로 추천하는 충분한 시간이 경과하도록 기다리는 것이 중요하다(20~30초). 그 후 다시 와동 내를 건조시키고 bonding agent를 도포하고 10~20초간 광조사, 광중합시킨다.

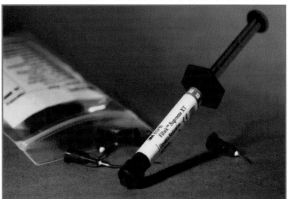

그림 9-1-10
Flowable resin을 이용하여 와동의 내면을 lining한다.

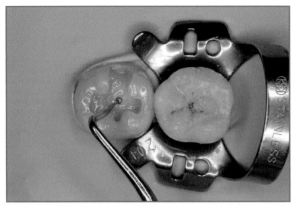

그림 9-1-11
와동의 내면을 lining하고 광조사한다.

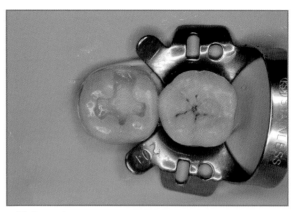

그림 9-1-12
Lining 후의 모습.

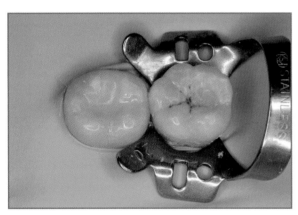

그림 9-1-13
복합레진을 충전하고 광조사한다. 충전 후의 모습.

(1) 적절한 접착 방법

접착제를 사용할 때의 주의점은 5급 와동에서 기술한 바와 같다. 다만 구치부의 와동에서 wet bonding을 적절히 시행하기란 전치부에 비하여 더욱 어렵다. 그렇게 때문에 법랑질 부위는 인산을 이용하여 따로 산부식시키고, 노출된 상아질은 2-step self etch system을 이용하는 것이 실수를 줄일 수 있는 방법이다. 2-step self etch system의 primer를 발라 줄 때는 정해진 시간(20~30초) 동안 문질러주고 건조시킨다. 접착제를 바른 때에는 너무 두꺼워지거나 얇아지지 않도록 brush를 이용하여 골고루 바르도록 주의하고 광조사 한다.

(2) flowable resin을 이용한 lining

그 후 flowable resin을 얇게 lining한 후 광조사하고 수복용 복합레진으로 충전한다. 이렇게 하는 것은 다음과 같은 두 가지 효과가 있다. 먼저 접착제의 중합을 보다 확실히 하는 효과가 있다. 즉, 접착제가 너무 얇게 발라질 경우 광조사를 하여도 중합이 제대로 되지 않는 경우가 나타난다. 일명 oxygen inhibition 효과 때문인데, 접착제가 제대로 중합이 되지 않은 상태에서 충전용 복합레진을 바로 충전하게 되면 충전용 복합레진의 중합수축의 힘을 접착제가 막아 주지 못하고, 결국 치아와의 사이에 defect를 만들어 술후 민감증의 원인이 될 수 있다. Flowable resin을 얇게 도포한 후 광조사하면 접착제를 추가적으로 중합시키는 효과가 나타나서 접착에 도움을 줄 수 있다.

Flowable resin의 또 다른 효과는 치아와 충전용 복합레진 사이에 쿠션과 같은 역할을 하여 충전용 복합레진의 중합수축의 응력이 치아로 직접 전달되는 것을 어느 정도 줄여 준다는 것이다. 단, 주의할 것은 flowable resin은 절대로 많은 양을 사용해서는 안 되며, 와동 벽에 얇게 lining하는 정도로 처리해야 된다는 것이다. flowable resin 자체는 충전용 레진보다 중합 수축을 훨씬 많이 해서 많은 양을 사용할 경우 높은 응력을 유발한다.

(3) 복합레진의 양을 줄이자!

와동이 깊고 커서 충분한 접착면을 가지고 있지만, 중합수축의 stress에 의한 영향이 너무 크다고 예상될 경우, glass ionomer base를 이용하여 복합레진의 양을 줄여 준다. Glass ionomer의 치아에 대한 접착강도가 복합레진에 비하여 현저히 떨어지기 때문에 접착의 관점에서는 다소의 희생이 있지만, 중합 수축의 stress를 줄일 수 있다(Selective Bonding concept). **〈2장 6. 중합수축과 base의 사용〉, 〈4장 복합레진을 이용한 구치부 직접수복〉 참고**) (그림 9-1-14~23).

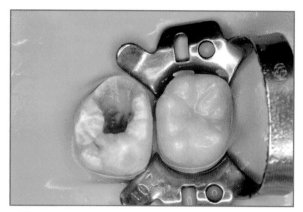

그림 9-1-14
Selective bonding. 비교적 와동이 깊고 큰 경우, C-factor가 높은 경우 사용하는 것이 바람직하다. 와동 삭제 후의 모습.

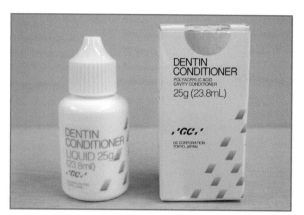

그림 9-1-15
글라스아이노머를 충전하기 전 치질에 적용하는 conditioner.

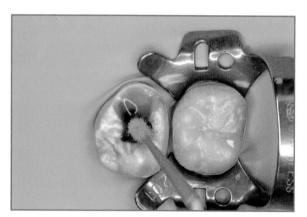

그림 9-1-16
Conditioner 적용 모습.

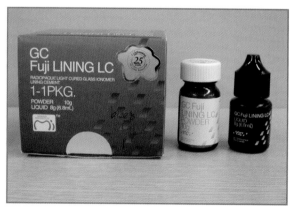

그림 9-1-17
기저재로는 광중합형의 glass ionomer가 바람직하다.

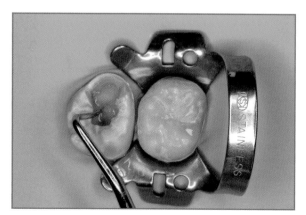

그림 9-1-18
글라스아이노머 적용 모습.

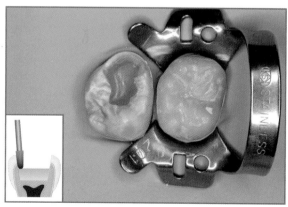

그림 9-1-19
광조사 후 내면을 다듬어 준다.

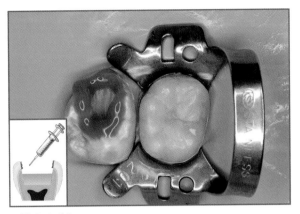

그림 9-1-20
치질에 대한 적절한 산 처리를 한다.

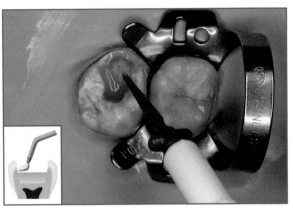

그림 9-1-21
노출된 상아질에 대해 primer를 처리한다.

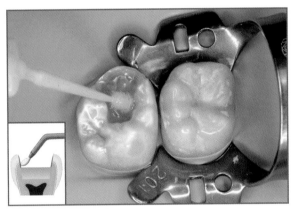

그림 9-1-22
접착제를 도포하고 광조사시킨다.

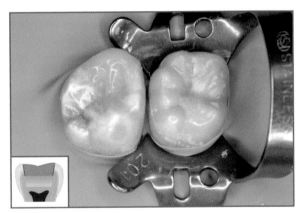

그림 9-1-23
복합레진을 충전한다.

(4) 복합레진은 조금씩 나누어 충전한다

위와 같은 selective bonding 기법을 사용하는 것이 술후 민감성을 줄일 수 있지만 접착에 있어서 불리한 점이 있다는 것을 지적한 바 있다. 이와 같은 것이 염려스러울 경우에는 복합레진을 조금씩 나누어 충전한다. 와동 내에 바로 복합레진을 충전하는 것보다는 flowable resin을 이용하여 와동 내를 얇게 lining한 후 복합레진을 충전하는 것이 더 바람직하다고 한다(**그림 9-1-24**).

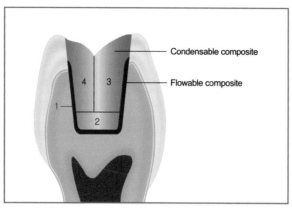

그림 9-1-24
복합레진을 위와 같이 되도록 나누어 충전하고 flowable resin도 사용해야
와동 내에서 중합수축의 힘이 적게 발생하며 변연 및 내면 적합성을 높일
수 있다.

복합레진은 한 번에 충전하지 않고, 2 mm의 깊이로 나누어 충전하는 것이 바람
직하다. 동시에 교두의 모습 등을 재현하며, 나누어 충전할 수도 있다. 이 때 더
깊은 부위의 복합레진에는 더 많은 시간을 할애하여 광조사시킨다. 예를 들면 4
mm 깊이의 와동을 충전해야 한다면 위의 2 mm는 20초, 아래 부분의 2 mm는
30초간 광중합시키는 것이다.

(5) 적절한 치수보호
와동이 깊은 경우는 절절한 치수 보호를 시행하고 복합레진 충전을 하는 것이
좋다. 즉, direct pulp capping이 필요한 경우는 $Ca(OH)_2$, MTA 등을 이용하
여 시행하고, 글라스아이오노머로 base를 해주고, 복합레진으로 수복한다.

(6) 수복 후 교합 조정에 충분한 시간을 할애한다.
복합레진 충전 후 치아는 일종의 stress를 받고 있는 상태이다. 특히 2급 와동의
경우는 중합수축력에 의하여 교두변위 현상이 발생할 정도로 심한 stress 상태에
있다. 아말감을 와동 내에 충전했을 때와는 아주 다른 상황이다. 이러한 상황에
서 교합이 조금만 높아도 환자는 매우 불편해 한다. 그래서 교합 조절에 세심한
주의를 기울여야 한며 접착제 및 flawable resin을 적절히 사용하여 와동과의 계
면에서 defect가 생기지 않아야 한다.
접착이 잘 이루어지지 않았거나, 너무 많은 복합레진을 한꺼번에 충전하여 수
복물이 내면에 defect가 발생하면 교합 시 시큰거리는 현상이 발생할 수 있
다. 이를 막기 위하여 앞에서 설명한 바와 같이 적절한 접착 기법을 사용하고,

flowable resin을 사용하며, 복합레진을 조금씩 충전하여 광중합시키도록 한다 (**그림 9-1-25**).

환자는 마취가 된 상태에서 교합이 적절한지 잘 판단을 못하는 경우도 많으므로, 완벽하게 교합을 맞추었다고 생각해도 그렇지 못한 경우가 종종 발생한다. 치료 전, 교합의 상태를 기록하여 두고 이를 참고하면 도움이 된다. 치료 후, 음식을 씹을 때 시큰시큰한 느낌이 날 수 있을 가능성을 환자에게 미리 고지하고, 이 경우 교합조정을 통하여 바로 조절될 수 있다는 것을 알려주면 환자와의 신뢰를 높일 수 있을 것이다.

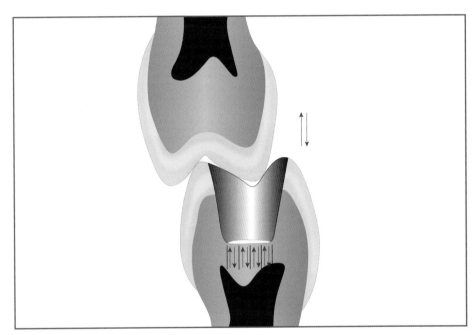

그림 9-1-25
구치부 복합레진 수복 후 교합에 민감한 현상이 가끔 발생한다. 이는 대개 중합수축의 stress에 의하여 와동 내부의 일부에서 defect 등이 생기면서 발생한다. 이 경우 정상적인 교합높이에서도 저작시 시큰거리는 불편함을 호소할 수 있다. 이때는 수복물을 제거하고, IRM 등으로 임시수복을 한 후 경과를 지켜보는 것이 좋다.

3) 글라스세라믹과 복합레진을 이용한 간접수복의 경우

수복물을 합착 후 환자가 시린 증상을 호소하면 참 난감하다. 간접수복에서 환자가 술후 민감증을 호소하는 이유는 매우 여러 가지지만, 치아 형성 후 노출되는 상아질을 적절히 보호하면, 이를 크게 줄일 수 있는 것으로 보고되고 있다. 또한 합착의 과정에서 적절한 접착 및 합착 술식을 사용하여야 한다. 간접수복물에서 술후 민감성을 줄이려면 다음을 고려한다.

(1) 올바른 치아 내면의 처리: Immediate dentin sealing과 dual bonding 기법

와동 삭제 후, 노출된 상아질을 상아질 접착제를 이용하여 sealing을 한 후 (immeidate dentin sealing), 인상을 채득하고, 임시 수복을 한다. 그 후 cementation을 할 때 다시 한 번 상아질 접착제를 처리하고(dual bonding) 합착(cementation)을 하는 것이다. 결국 접착제를 2번 바르기 때문에 dual bonding 기법이라고 불리고 있다. 자세한 술식은 〈5장 복합레진을 이용한 간접수복〉과 〈8장 글라스세라믹을 이용한 간접수복〉에서 '7. 3)치아의 내면 처리〉 편을 참고하기 바란다.

(2) 올바른 수복물 내면의 처리

Glass ceramic system에서는 수복물의 내면을 불산을 이용하여 산 처리시키는 반면, 복합레진을 이용한 간접수복에서는 sandblast나 bur를 이용하여 수복물 내면을 거칠게 한 후, 각각 silane으로 1 분 이상 처리 후 건조시키고 내면에 접착제를 도포한다. 〈5장 복합레진을 이용한 간접수복〉과 〈〈8장 글래스세라믹을 이용한 간접수복〉에서 '7. 3)치아의 내면 처리〉 편을 참고해 주기 바란다.

(3) 합착용 cement의 선택과 충분한 광조사

레진시멘트는 접착제 사용 유무에 따라서 self-adhesive resin cement와 adhesive resin cement로 나눌 수 있으며, adhesive resin cement에는 다시 etch & rinse system을 이용하는 경우와 self-etching system을 이용하는 경우로 나누어 볼 수 있다. 또한 중합 형태에 따라서는 광중합형, 이원중합형, 화학중합형으로 나누어 볼 수 있다. 접착제로 처리된 치아에 이원중합 레진시멘트, 화학중합 레진시멘트 등을 이용하여 기공물을 합착시킨다. Glycerine 등을 margin 부위에 도포하여 oxygen-inhibition을 방지해 주고, 한 면 당 1분 이상 충분한 시간을 할애하여 광조사한 후 남아 있는 resin cement가 없도록 마무리 한다. Crown 등에 많이 사용하는 self-adhesive resin cement 등은 치아에 대한 접착 강도 등에서 접착제를 사용하는 system보다 떨어진다. 따라서 inlay, onlay,

laminate 등에는 바람직하지 않다. (⟨8장 간접수복을 위한 **cementation**⟩ 참고)

레진시멘트의 접착에 사용하는 이원중합형 레진시멘트에 대하여 치과의사들은 광중합이 충분히 이루어지지 않더라도 결국 화학중합이 충분히 이루어지리라는 환상을 가지고 있다. 하지만 재료마다 약간의 정도 차이는 있지만 대부분의 이원중합 레진시멘트는 광중합을 충분히 받아야 자기의 성능을 완전히 발휘하게 된다. 따라서 광조사 시간을 충분히 확보하는 것이 중요하다. 요즘 출시되는 광조사기는 대부분 1,000 mW/cm^2 이상의 높은 power density를 나타낸다고 선전을 하고 있지만, 이것이 약 2~3 mm 두께의 복합레진이나 세라믹수복물을 통과하고 나면 실제 power density의 1/2~1/3 이하로 기록되는 경우가 대부분이다. 더욱이 세월이 흐르면서 LED type의 광조사기의 power density도 떨어지는 것이 대부분이어서 처음에 구입하였을 때 1000 mW/cm^2 이상의 높은 power density를 나타내는 경우도 500~800 mW/cm^2 정도로 낮아진 경우가 많다. 따라서 레진시멘트를 충분히 중합시키기 위해서는 1면당 1분 이상을 충분히 광조사하는 것이 안전하다. 예를 들면, MO나 DO 수복물의 경우는 교합면과 협측 인접면 설측 인접면을 각각 1분씩 총3분 광조사시켜주는 것이 안전하다. MOD 수복물은 5분 정도의 광조사가 필요하다. 광조사 시간이 오래 지속될 경우 치수 내에 과도한 온도상승이 있을 수 있는데, 이는 광조사하면서 air syringe로 치아를 식혀주는 방법으로 충분히 막을 수 있다.

Q 5급 와동을 수복 후, 환자가 이가 시리다고 합니다. 이유가 무엇이고 어떻게 대처해야 하나요?

먼저 ice stick 등을 이용하여 환자가 시려하는 부위가 정확히 어디인지 확인하는 것이 중요합니다. 해당 치아가 아닌 부위를 시려하는 경우도 많이 있습니다. 일단 해당 부위가 확인이 되면, 그 상황에 따라 대처 방법이 달라지겠지요.

예를 들면, 치료한 치아의 인접 치아가 시리다고 하면 인산처리를 하는 과정에서 인접 부위로 흘러 들어가서 생겼을 가능성이 높으며, 치아가 재광화하면서 시간이 경과함에 따라 해소될 가능성이 큽니다. 불소처리 등을 하면 조금 더 빨리 회복될 수 있습니다.

해당 치아가 시리다고 하면 수복이 덜 된 부위가 있어서 그럴 가능성이 높습니다. 어느 부위가 시려하는지 잘 살펴보고, 해당 부위를 추가로 충전하여 주면 될 것입니다. 이 때 기존의 복합레진을 제거할 필요는 없습니다. 적절한 접착처리 후 모자란 부위만 보충을 하면 됩니다. 자주 수복물 주위의 치은 연하에서 시리다고 하는 경우가 있습니다. Gingicord나 기구 등을 통하여 치은 아래 쪽을 잘 살펴보고, 민감한 부위를 발견하면 추가로 수복을 하여 줍니다. 이때는 대개 매우 적은 부위일 경우가 많기 때문에 적절한 접착 처리 후 flowable resin 만으로 충분한 경우가 많습니다.

이러한 경우가 자주 발생한다면, 본인의 접착 방법 술식에 대해 다시 한 번 검토해 봅니다. 이에 대한 사항은 본문의 〈(1) 5급 와동 수복의 경우〉를 참고해 주기 바랍니다.

Q 복합레진으로 구치부 직접수복을 한 후, 환자가 이가 시리다고 합니다. 이유가 무엇이고 어떻게 대처해야 하나요?

먼저 환자가 시리다고 하는 내용이 정확하게 무엇인지 알아야 합니다. 즉, 온도변화에 시리다고 하는 것인지, 아니면 씹을 때 시리다고 하는 것인지 확인을 합니다. 만약 찬 것이 시리다고 하면, 구치부 수복물과 관계 없이, 해당치아의 다른 부분, 또는 다른 치아에서 발생했을 가능성이 높습니다. 예를 들면, 2급 와동 수복을 한 후 환자가 찬 음식에 대해 시리다고 하여 확인했더니, 해당 치아의 치경부 cervical abrasion 부위가 시린 것으로 나타나는 등의 일입니다. 이 경우는 해당 부위를 따로 치료하면 됩니다. 만약 씹을 때 시큰거린다고 하면 먼저 교합이 높지 않은 지 검사합니다. 교합이 높은 경우는 조금만 조절해 주어도 환자는 금방 씹기가 훨씬 편하다고 합니다.

제일 문제가 되는 경우가 교합과 관계없이 시큰거린다고 하는 경우인데, 이 경우에는 복합레진과 치수벽(pulpal floor) 사이의 접착에 문제가 발생했기 때문입니다(그림 9-1-26). 이런 경우는 우선 문제가 생긴 복합레진을 제거하고 강화형유지놀시멘트나 글라스아이노머 시멘트 등으로 충전 후 예후를 관찰합니다. 대부분의 경우 환자의 불편감이 해소되며, 그 후 다시 복합레진 수복을 해주면 됩니다. 가장 안타까운 경우는 이런 증상이 나타났다고 해서 무조건 근관치료를 하는 경우입니다.

Q 글라스세라믹을 이용하여 인레이 수복을 할 때, 와동 내에 바른 접착제를 광조사시킨 후, 합착시키려면 접착제의 두께 때문에 높아진 느낌을 많이 받아서 접착제를 중합시키지 않고 cementation했더니, 환자가 자꾸 시려하는 것 같습니다. 어떻게 해야 하나요?

수복물 내면에 바른 접착제에는 절대 광조사시키면 안 됩니다. 반면에 와동 내에 바른 접착제는 두꺼운 부위가 생기지 않게 brush를 이용하여 가능한 골고루 펴주도록 하고 광조사를 합니다. 근래 판매되고 있는 universal bonding system 중 Allbond Universal (Bisco 사)과 Optibond Versa (kerr), Tetric n-bond Universal (Ivoclar Vivadent)은 접착제의 두께가 기존의 접착제보다 얇아 이러한 문제 해결에 도움을 줍니다. 만약, 사용하는 bonding agent 등이 두꺼워, 광조사 후 inlay를 위치시킬 때 잘 들어가지 않을 우려가 클 경우에는 접착제에 self-cure activator를 혼합하여 와동에 도포하고(광중합시키지 않고), 합착 후 resin cement와 함께 광조사시키는 방법을 사용할 수 있습니다(〈2장 5. 상아질 접착제〉, 〈8장 간접수복을 위한 cementation〉 참고). 최근에 출시된 universal bonding system의 하나인 Singlebond Universal (3M ESPE)은 자사의 레진시멘트인 Ultimate와 같이 접착을 시킬 경우에는 self-cure activator를 별도로 혼합하여 사용하지 않고도 같은 효과를 얻을 수 있어서 편합니다.

Chapter

10 글라스아이노머

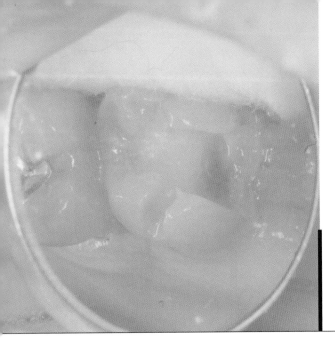

1. 필수 지식

1) 글라스아이노머시멘트(GIC)와 광중합형 글라스아이노머시멘트(LCGIC).

(1) 특징

전통적인 GIC는 여러 장점이 있었지만, 초기 경화시간이 너무 오래 걸리고, 물성이 취약한 것이 문제가 되었다. 그래서 이를 극복하고자 복합레진에서 사용되는 HEMA 등의 단량체(monomer)를 섞어서 빠른 시간에 경화를 이루게 하고 물성도 높인 것이 LCGIC이다. LCGIC는 일반 GIC의 문제점을 많이 개선하였지만, 교합압에 저항하고 영구수복물로서 활용될 수 있을 정도의 물성은 아직 갖추지 못하였다. 하지만 교합압이 직접 가해지지 않는 5급 와동이나 크기가 크지 않고 교합력이 미약하게 가해지는 일부 3급 와동에서는 영구 수복물로서 활용될 수 있다. 또한 최종 수복 방법을 아직 결정하지 못하고 일정 기간 관찰할 필요가 있는 구치부 영역의 치료에서 interim restoration으로서 활용될 수 있다. 기저재(base)로서도 많이 활용되고 있다(〈2장. 4. 치수의 보호〉 참고).

은을 글라스 분말에 코팅하는 소위 cermet 기법을 이용하여 GIC의 물성을 증가시켜서 유구치 수복 및 코어 용도로 사용 가능하게 한 제품도 있다.

(2) 화학반응

① GIC: 분말과 용액을 mix하거나 paste와 paste를 mix하면서 발생하는 산, 염기 반응에 의하여 경화된다. 또는 capsule 형의 용기를 혼화장

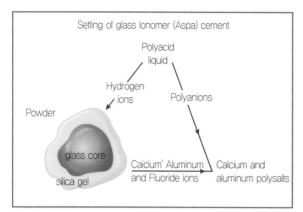

그림 10-1-1 GIC의 경화반응
Polyacid 성분에 의하여 glass의 표면이 영향을 받게 되면서 glass 표면의 F, Ca, Al 등의 성분이 빠져나가고, 이것들이 다시 음이온과 반응하여 불용성 염을 형성해 나가는 과정에 의하여 경화가 된다. 한편 금속이온이 빠져나간 글라스의 표면은 silica gel의 형태를 띄게 된다.

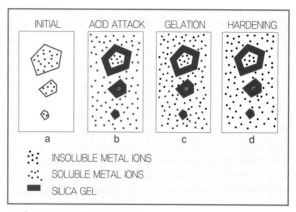

그림 10-1-2 GIC의 경화반응
a. 반응 전의 단계
b. Polyacid 성분에 의하여 glass의 표면이 영향을 받게 되면서 glass 표면의 F, Ca, Al 등의 성분이 빠져나가고, glass 표면은 silica gel의 상태가 된다.
c. 빠져 나간 F, Ca, Al 등은 처음에는 수용성을 나타내다가 음이온과 반응하여 불용성 염을 형성해간다. 이러한 경화 과정은 매우 천천히 그리고 길게 진행이 된다.
d. 경화 반응이 완전히 끝난 상태. 완전히 경화되는 데는 수개월~1년까지 소요된다고 한다.

치(amalgamator) 등에 넣고 돌려, 분말과 용액을 mix하기도 한다. 즉, polyacid 성분에 의하여 glass의 표면이 영향을 받게 되면서 glass 표면의 F, Ca, Al 등의 성분이 빠져나가고, 이것들이 다시 음이온과 반응하여 불용성 염을 형성해 나가는 과정에 의하여 경화가 된다. 한편 금속이온이 빠져나간 글라스의 표면은 silica gel의 형태를 띄게 된다(**그림 10-1-1, 2**).

② LCGIC: 일반 글라스아이노머에서 일어나는 산, 염기 반응과 복합레진에서 일어나는 광중합과정에 의하여 수복물의 경화가 일어난다.

(3) 적응증

① 유전치 및 유구치의 수복.

② 유구치의 수복 (cermet cement).

③ 영구치 5급 와동 수복.

④ 영구치 일부 3급 와동 수복: 크기가 크지 않고, 심미적인 문제가 없으며, 교합력이 미약하게 가해지거나 가해지지 않을 경우.

⑤ Interim restoration: 일정 기간 관찰을 한 후 최종적인 수복을 할 필요가 있는 경우.

⑥ 코어용 (cermet cement).

(4) 임상 술식

① 색상의 선택: 일반 복합 레진에서와 동일함.

② 치아의 형성.

최소한의 지질 삭제를 원칙으로 하며, 우식 부위만 제거하고 undercut 등은 부여할 필요 없다.

③ 치수보호.

치수와 근접한 부위는 $Ca(OH)_2$, MTA을 도포한다.

④ Conditioner, 접착제 도포.

Smear layer를 제거하기 위하여, conditioner를 약 10초 정도 처리한 후, 와동을 수세 건조시킨다. 제품에 따라서 추가로 접착제를 도포하는 제품도 있다(예: Ketac N100, 3M ESPE).

⑤ 일반 글라스아이노머 LCGIC의 충전.

재료를 혼화(mix)하고 충전한 후 광조사 한다(20초 이상).

⑥ Varnish나 접착제로 수복물의 표면을 발라 보호해 준다.

⑦ 현재 국내에서 사용 가능한 충전용 GIC 및 LCGIC 재료는 다음과 같다.

GIC	Fuji II, Fuji IX GP (GC) Ketac Molar Aplicap (3M ESPE) Ketac Silver (3M ESPE) (silver reinforced cermet cement)
LCGIC	Ketac N100 (3M ESPE) Fuji II LC Improved (GC)

2. 증례

증례 1: 시간을 갖고 관찰을 요하는 경우 - 환자의 complaint와 객관적인 사실이 일치하지 않는 경우.

환자의 주소: gold inlay 수복한 이가 깨진 지 몇 개월 지났는데, 한달 전부터는 씹을 때 이가 아픈 것 같고 요사이는 가만히 있을 때도 아픈 것 같다. 찬 것에도 무척 시리다(**그림 10-1-3**).

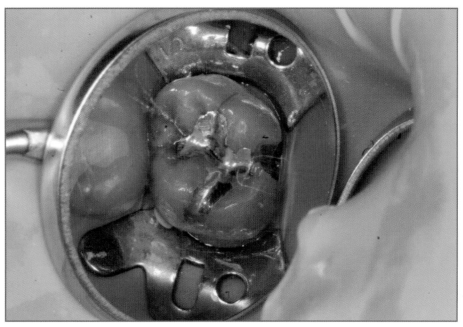

그림 10-1-3
초진상태.

현증: #27 원심부의 치아 파절. 치아 우식.
　Ice (++), Per (+−), bite test (+−).

Treatment Plan:
　① Gold inlay 제거 후, crack, 우식 진행 정도 검사.
　② 적절한 치수 보호 후, 관찰 (2주). 근관치료 가능성을 환자에게 알림.
　③ 근관치료 또는 final restoration.

참고사항: 과거 치과치료에 대한 공포심과 불만이 높고, 일반적인 시술과정에도 매우 예민하게 반응함.

치료 경과 :

① Gold inlay 제거와 치아 우식 제거, crack 여부 검사(**그림 10-1-4**). 원심부
인접면의 깊은 치아 우식이 발견되었으나, 치수를 침범한 상태는 아니었음.
Crack 여부로 의심이 되는 부위는 있었으나 확실하지는 않음.

② LCGIC로 충전한 후, 경과를 관찰하였음(2주) (**그림 10-1-5**). 환자에게는
관찰 기간 동안 자발통, 씹을 때 불편한 증상, 시린 증상 등의 개선이 되는지
관찰한 것을 설명함. 증상의 개선 정도에 따라 근관치료 또는 crown 등이 가
능하다는 것을 설명하였고, 특별한 문제가 없을 경우 복합레진을 이용한 수
복을 하게 될 것이라고 설명함.

③ 2주 후 환자는 전혀 불편한 곳이 없음을 설명하였고, 이미 충전한 LCGIC를
base로 이용하여 복합레진을 충전함.

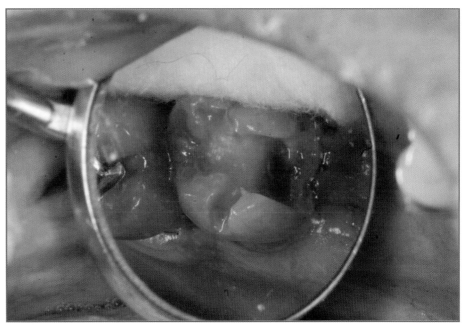

그림 10-1-4
금 인레이와 우식을 제거한 상태. 인접부위에 깊은 우식이 발견이 되지만
치수를 침범한 상태는 아니다.

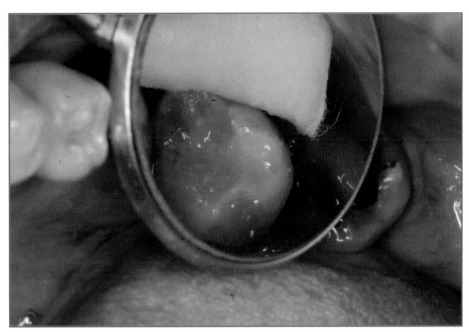

그림 10-1-5
LCGIC 로 충전 후 경과 관찰.

교훈: 환자가 호소하는 증상이 객관적으로 관찰되는 여러 가지 사실들과 맞지 않는 경우가 매우 많다. 환자의 현 상태에 대한 객관적인 의사의 관찰이 부족할 수도 있지만, 환자의 불편함이 과장되어 표현되는 경우도 매우 많다. 환자가 의사에게 거짓말을 하려고 해서가 아니라, 환자가 실제보다 더 불편하게 느끼는 경우도 많은 것 같은데, 이러한 환자들 중에는 통증 자체에 대한 역치가 다른 사람들보다 매우 낮은 환자가 많으며, 정상적인 치료에도 매우 예민하게 반응하며, 치과치료 자체에 대한 불만도 높다. 실제로 개인치과의원에서 문제가 생겨서 대학병원 보존과로 refer되는 많은 환자들의 과거력을 잘 검토해 보면 이러한 현상이 매우 많은 것을 알게 된다. 이러한 환자들을 치료할 경우에는 치과의사가 환자를 위해 매우 신중하고 체계적으로 환자의 불편을 최소화 하기 위하여 노력한다는 것을 뚜렷이 인식시키면서 진행하는 것이 환자와의 분쟁을 줄일 수 있는 중요한 방법이다.

이 환자의 경우도 과거 치과치료에 대한 불만과 공포심을 가지고 있었으며, 환자가 호소하는 증상은 객관적으로 관찰되는 사실과 맞지 않았다. 즉, 환자의 증상으로만 보면 바로 근관치료를 해야 하는 경우였지만, 객관적으로 관찰되는 사실은 수복치료로도 충분할 가능성이 높았다. 하지만 crack 등의 문제를 최종적으로 배제하기 위하여 임시 수복 후 관찰기간을 갖고 최종적으로 치료방향을 결정할 것을 환자에게 설명했고, 관찰되는 증상에 따라 치료방향이 달라질 수 있음을 미리 설명하였다. 환자는 처음에는 재차 치과치료를 받아야 한다는 사실에 불만을 말하였지만, 이러한 과정이 불필요한 치료를 막기 위한 것임을 환자에게 충분히 설명한 후 받아들였다. 그 후 처음 호소했던 환자의 증상은 없어졌으며, 수복치료만으로 환자의 치료를 종료할 수 있었고, 환자도 만족을 하고 돌아갔다.

증례 2: 쇼그렌 환자의 5급 와동 수복.

환자의 주소: 전치부에 충치가 갑자기 생긴다. 아프지는 않지만 치료 받고 싶다.
현증: #14, 12, 11, 22, 23, 24의 치경부 우식(**그림 10-1-6**).

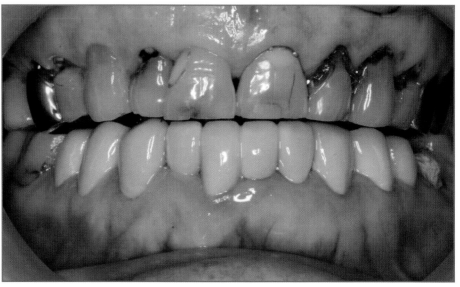

그림 10-1-6
초진 사진. 14, 12, 11, 22, 23, 24 의 치경부 우식

전신질환: 쇼그렌증후군 (최근에 진단받았다고 함).

Treatment Plan: 치경부 우식 부위을 제거하고, 글라스아이노머로 충전 후 이차 우식 등의 진행여부를 관찰한 후, 복합레진을 이용항 최종 수복을 시행.

치료 경과 :

① 우식부위의 제거.

② GIC로 충전 (#12,11,22,23,24) (**그림 10-1-7**)

③ 현재 1년 정도 경과 관찰 중(**그림 10-1-8**).

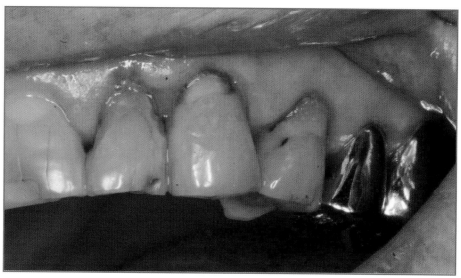

그림 10-1-7
GIC로 임시수복 후 경과 관찰 중

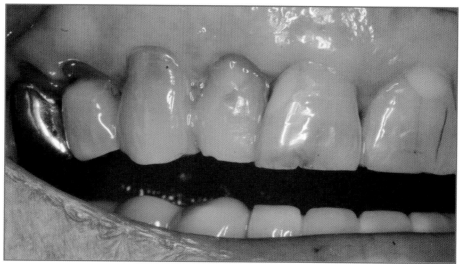

그림 10-1-8
GIC로 임시수복 후 경과 관찰 중

교훈: 타액량의 감소는 우식의 발생에 매우 큰 영향을 미친다. 노인환자들은 일반적으로 연령의 증가함에 따라 여러 가지 약을 먹게 되고, 대부분의 약제는 타액 분비량을 감소시키는 결과를 초래한다. 이와 같은 약제에 의한 타액분비량의 감소는 구강관리를 좀 더 철저히 함으로서 특별한 문제없이 관리될 수 있지만, 쇼그렌증후군과 같은 질환을 가진 환자들은 그 정도에 따라서 단기간에도 치아 우식 발생이 매우 높아지게 된다. 수복을 하여 주어도 계속 이차우식이 발생하여 재치료를 해야 하는 경우가 생기기 때문에, 병이 어느 정도 안정화될 때까지는 GIC 등의 수복을 통하여 주기적으로 관찰하여 주고, 관찰기간 중 이차우식이 발생하면 빨리 repair하여 주는 과정이 필요하다. 다행히 GIC의 경우 보험 적용이 되기 때문에 환자는 큰 부담을 피할 수 있다. 병이 어느 정도 조절되는 단계에 이르면, 영구수복물을 복합레진, 세라믹 등의 영구수복물을 이용하여 수복을 하여 주는 것이 좋겠다.

Chapter
11
컴포머 (compomer)

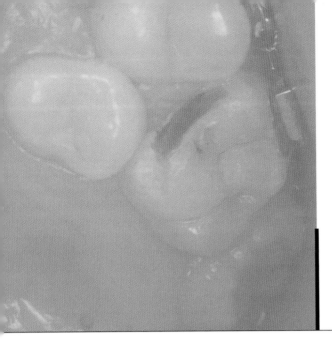

Chapter 11

컴포머 (compomer)

1. 컴포머를 위한 필수 지식

복합레진이나 글라스아이노머에 대해서는 잘 알고 있지만, 컴포머라고 하면 고개를 갸우뚱하는 치과의사들이 많으며, 복합레진과 같은 것으로 생각하는 임상의들도 적지 않다. 하지만 컴포머는 개발 과정에서 역사적으로 매우 중요한 목적을 가지고 개발된 재료이다. 즉, 1990년대부터 유럽에서 아말감을 사용하는 빈도가 급격히 줄어들면서, 환자들의 입장에서는 아말감처럼, 저렴한 가격에 충전할 수 있는 재료가 없어지고, 상대적으로 치과 진료비가 상승하는 문제가 발생했다. 한편 치과의사 입장에서는 아말감이 비록 심미적이지 않다는 단점은 있지만, 비교적 복잡한 과정 없이 저렴한 가격에 환자들에게 치료를 해줄 수 있었는데, 이것의 사용이 제약을 받게 되면서 환자들의 치과병원 문턱을 올리는 결과를 초래하게 되었다. **복합레진과 같이 치아 색을 내면서도, 상품가격이 저렴하고, 아말감과 같이 쉽고 편하게 충전을 할 수 있는 재료가 개발되면, 치과로부터 멀어진 환자들을 다시 불러올 수 있는 방법이 될 것이라고 생각하고, 이러한 목적으로 개발된 것이 컴포머이다.**

결과적으로, 아말감보다 심미적으로 우수하고, 복합레진보다는 간편하게 적용할 수 있는 재료를 만들어내는 데는 성공했지만, 아말감과 같이 유치와 영구치의 구치부 영역에 폭넓게 적용할 수 있는 높은 물리적 강도를 갖는 수복제를 만들어내지는 못 하였다. 또한 복합레진과 유사하기는 하지만, 복합레진의 물성, 심미성에는 미치지 못한다. **그래서 현재 컴포머의 주요 적용 영역은 유치의 모든 전·구치부 영역, 영구치에서는 5급 와동과 교합압을 받지 않는 작은 구치부 와동에 한정된다고 할 수 있다.**

384

1) 컴포머의 특징

(1) 복합레진과 글라스아이노머의 특징을 모두 가지고 있다.

컴포머(compomer)라는 이름이 붙여진 유래는, 이 새로운 화합물의 구조식이 복합레진 (composite)과 글라스아이노머(glass ionomer)의 중요 부분을 모두 포함하고 있어서 이러한 이름이 붙여졌다고 한다. 즉, 복합레진에서 중합에 관여하는 탄소 사이의 이중결합 구조와, 글라스아이노머에서 산-염기 반응을 일으키는 카르복실기(COOH)가 한 구조식 안에 모두 포함되어 있다(**그림 11-1-1**). 복합레진 모노머 구조 안에 COOH-기가 있어서 acid-modified composite라고도 한다.

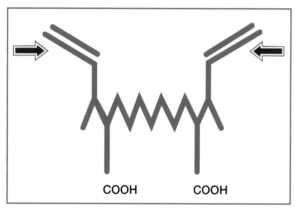

그림 11-1-1
탄소와 탄소의 이중결합부위(화살표)는 복합레진의 구조와 닮아 있고,
COOH 기는 글라스아이노머의 구조와 닮아 있다.

(2) 외견상 복합레진과 흡사하면서, 복합레진보다 끈적거리지 않아서 조작이 더 편하다.

(3) 불소를 방출한다.

(4) 접착의 과정에 산 부식제는 따로 사용하지 않고, 접착제만을 도포하고, 컴포머를 충전한다.

(5) 충전 시, Layering을 최소로 하여 충전하여 복합레진보다는 빠르고 쉽게 충전이 가능하다.

(6) Compomer가 개발됨으로써 치과의사들은 복합레진보다는 쉽고 편하게,

그리고 저렴하게 치아색 나는 수복물을 환자들에게 치료해 줄 수 있었으며, 환자들의 입장에서는 복합레진보다 저렴한 가격에 치아색 나는 수복물을 할 수 있게 되었다.

2) 컴포머의 화학반응

광조사를 하게 되면 복합 레진에서와 같은 중합반응이 먼저 일어나고, 시간이 흐르면서 수분과 접촉하는 과정에서 글라스아이노머에서와 유사한 산-염기 반응이 추가로 일어나게 된다. 이 과정에서 불소 등이 유리된다. 중합반응이 주 반응이라고 할 수 있고, 산-염기 반응은 부가적인 반응이라고 할 수 있다.

3) 컴포머의 적응증

유치: 전 · 구치부 모든 영역.

영구치: 5급 와동, pit & fissure sealing.

4) 컴포머의 금기증

5급 와동을 제외한 영구치의 수복.

- 다음의 상황에서는 영구치에도 적응증이 될 수 있다.
  - 1급 와동: 교합압을 적게 받는 크지 않은 와동.
  - 정상적인 교합이 이루어지지 않은 혼합치열, 또는 교정치료 중의 수복(영구 수복 전의 interim restoration).

(1) 컴포머의 임상 술식

① 색상의 선택: 일반 복합레진에서와 동일함.

② 치아의 형성.
  - 유구치에서 아말감에서와 같은 개념으로 와동 형성을 한다.
  - 유전치부에서는 복합레진에서와 같은 bevel 형성은 필요 없이 단순한 와동 형성을 한다.
  - 영구치의 5급 와동 수복에서는 복합레진에서와 동일한 개념으로 하지만, 법랑질 부위에 대한 bevel 형성은 필요 없다.

③ 치수보호

일반 복합레진에서와 동일함.

④ 접착제의 도포

산 부식제는 적용할 필요가 없고, 접착제만 상아질과 법랑질에 20~30초간 적용하고 건조시킨다. 건조 후 용매가 충분히 증발하면 반짝거리는 표면을 얻을 수 있는데, 그 후 광조사시킨다. 여기서의 접착제는 일종의 1-step self etching primer와 같은 개념으로 작용하는 것으로 생각하면 되겠다.

⑤ 컴포머의 충전

Layering을 최소로 하여 충전하여 간략하게 충전하고 광조사 한다(20초 이상).

⑥ 현재 국내에서 사용 가능한 재료는 다음과 같다.

Dyract AP (Dentsply)

Dyract flow (Dentsply)

F2000 Compomer Restorative

2. 증례

증례 1: 교정치료 중인 치아의 인접면 수복

환자의 주소: 특별한 불편함은 없다. 교정치료 중 교정과에서 충치가 생겼다고 가보라고 해서 왔다.

현증: #26 근심면의 넓은 인접면 우식(**그림 11-1-2**).

환자의 전체적인 TBI 상태는 좋지 않음.

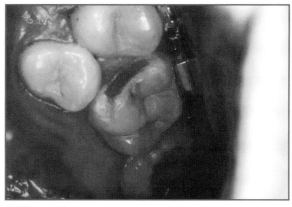

그림 11-1-2
#26 치아 근심부의 우식이 관찰된다.

Treatment Plan :

① 1차적으로 Compomer를 이용한 2급 와동 충전(**그림 11-1-3**).

② 교정치료 완료 후, 치아 우식 상태 다시 평가하여 복합레진 또는 세라믹을 이용한 충전 시행.

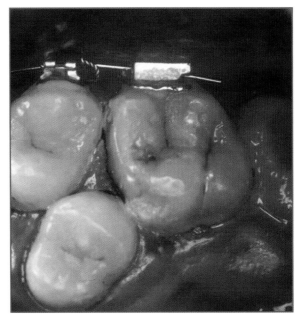

그림 11-1-3
컴포머를 이용하여 근심부의 우식 부위를 수복하였다.

치료 경과:

① 일종의 interim restoration으로서 #26 치아의 인접면에 와동을 형성하고, 컴포머를 이용하여 충전 시행.

② 교정치료가 끝나면 인접면 우식 상태를 다시 평가하여 복합레진 또는 세라믹을 이용하여 최종 수복을 할 예정.

교훈: Oral hygiene을 소홀히 하는 환자의 치료 계획은, 되도록이면, 환자의 oral hygiene이 일정한 수준에 이르고 구강 내의 상태가 안정화된 후에 최종적으로 수립하는 것이 바람직하다. 상기 환자는 oral hygiene이 원래 좋지 않은 상태에서 교정치료까지 받고 있었고, #26 치아의 근심면에는 깊지는 않지만 넓은 우식이 발생하였다. 앞으로 교정치료의 기간도 1~2년이 예상되는 상황에서 지금 #26 치아에 대한 치료를 하더라도, 교정치료가 끝날 쯤에는 2차 우식이 다시 발생하지 않으리라 확신할 수 없는 상황이었다. 따라서, 1~2년 정도의 기간 동안 interim restoration의 용도로 수복을 한 후 교정치료가 끝나면 최종적인 수복을 하는 것으로 치료 방향을 잡았다. Interim restoration으로써 광중합형 글라스아이노머를 생각할 수도 있지만, 구치부 2급 와동인 점을 고려할 때, 일반적인 물성이 더 우수한 컴포머를 선택하였다.

Q 컴포머 설명문에 법랑질에 산 부식을 하지 말라고 되어 있는
데, 왜 그런가요?

사실은 법랑질에 산 부식을 하면 변연 접합성이 약간 증가한다는 보고도 많습니다.
그런데 산 부식을 하지 말라고 하는 것은 원래 컴포머의 개발 배경과 관련이 있습니
다. 즉, 앞에 설명한 바와 같이, 아말감 대용으로 되도록 간단한 술식을 적용할 수 있
는 물질로 개발되었기 때문에, 이런 식으로 설명하는 것입니다. 그리고 유치에서는
와동의 크기가 작아, 수복물의 제한적인 기대 수명 기간 동안에는 산 부식을 한 경
우와 그렇지 않은 경우 사이에 차이가 크지 않을 수 있습니다. 하지만 어떠한 이유
에서 영구치에 컴포머를 적용한다면 법랑질에 산 부식을 추가로 시행해도 잘못된
술식으로 볼 수는 없습니다.

Q Compomer가 영구치의 interim restoration 용도로 적당
하다고 설명하셨는데, interim restoration이 무슨 의미인
가요?

중간단계의 수복물을 의미합니다. 즉, 6개월 이내의 수복을 목적으로 하는 임시수
복물(temporary restoration), 5년 이상을 기대하는 것이 영구수복물(permanent
restoration)이라고 한다면, interim restoration은 이 중간 단계의 기대수명(약 2~3
년)을 갖는 수복물을 의미합니다. Transitional restoration이라고 표현되기도 합니
다. 아직 논란의 여지는 있지만, 치과 영역에서 이러한 interim restoration으로 분류
할 수 있는 것이 light cured glass ionomer cement(LCGIC)와 compomer가 있습
니다.

Q Light cured glass ionomer와 compomer의 차이가 무엇인가요?

두 재료 다 복합레진의 성질과 글라스아이노머의 성질을 다 가지고 있다는 것은 동일합니다. 그런데 light cured glass ionomer에는 복합레진 성분과 글라스아이노머 성분이 같이 있는 일종의 혼합물과 같은 성격인데 반하여, compomer는 두 가지 성질을 모두 갖은 새로운 화합물을 만들어 냈다는 것이 차이점입니다. 일반적으로 불소 배출 능력은 글라스아이노머가 더 우수하지만, 일반적인 물성과 심미성은 컴포머가 더 우수합니다

Q 설명문에 Layering을 최소로 해도 된다는 의미는 중합수축이 복합레진보다 적기 때문인가요?

그렇지 않습니다. 오히려 컴포머의 중합수축은 일반적인 복합레진보다 더 높습니다. 이렇게 설명하는 것도 역시 그 개발 배경과 관련이 높습니다. 아말감과 같이 쉽고 편하게 하기 위하는 것을 강조하다 보니, 복합레진에서 행하여지는 layering 같은 번거로운 과정을 최소화 하였다는 의미로 이해하면 되겠습니다. 와동의 크기가 비교적 작은 유치와 작은 크기의 영구치를 적응증으로 하다 보니, 이러한 경우는 layering 없이 할 수도 있다는 정도로 이해하면 될 것 같습니다.

Q 복합레진과 컴포머는 외견상 흡사한데 차이가 무엇입니까?

외견상 비슷하지만 다른 물질입니다. 일반적인 물성, 심미성, 접착강도 모두 복합레진이 더 우수합니다. 하지만 컴포머는 조작이 더 간편하고, 복합레진보다 쉽고 편하게 치료할 수 있습니다. 수복물의 기대수명은 더 짧습니다. 유치의 수복, 영구치 5급 와동 수복에 사용할 수 있고 또 혼합치열기의 영구치의 interim restoration으로써 사용할 수 있습니다

Chapter

12 수복 후의 관리

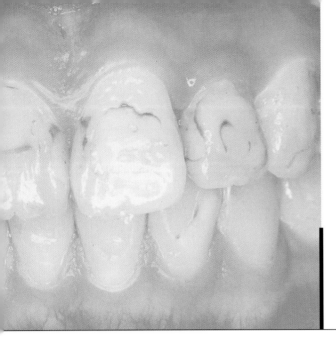

Chapter 12

수복 후의 관리

평생 사용할 수 있는 수복물은 아직까지는 없다. '수복물을 얼마나 사용할 수 있느냐' 라는 질문이 수복치료 후 환자로부터 가장 많이 듣는 질문 중의 하나일 것이다. 여러 article에서 아말감, 복합레진, 세라믹 수복물의 AFR(Annual Failure Rate)과 평균 사용 기간에 대한 보고서들을 발표하고 있지만, 모든 article에서 공통적으로 지적하고 있는 사항이 수복물 자체의 질 뿐만이 아니고 환자가 이것을 어떻게 관리하느냐가 매우 중요한 요소로 작용한다는 사실이다. 치과의사가 아무리 열심히 치료해주고 좋은 수복물을 만들어 주었어도 환자가 관리를 하지 않으면, 이차우식, 치주염 등으로 수복물의 수명은 급격히 짧아지게 된다.

시간이 흐르면서 수복물 자체의 문제점도 생기게 된다. 예를 들면 복합레진의 변색과 같은 것이다. 하지만 이러한 것은 주기적인 관리를 통하여 최소화 시켜줌으로써 수복물의 수명을 연장시켜 줄 수 있다.

금속성 수복물들은 대개 수복물 자체보다 치아의 문제가 먼저 발생한다. 예를 들면 금 인레이 자체는 멀쩡하지만, 이미 시멘트는 다 녹아 있고, 이차우식은 생성된 것과 같은 상황을 생각하면 되겠다. 하지만 복합레진, 세라믹 등과 같은 수복물은 수복물에 대한 문제가 대개 먼저 발생하면서 치아에 대한 이상이 생기는 경우가 대부분이다. 예를 들면, 5급 와동의 복합레진 수복물이 닳으면서 치경부가 다시 노출이되어 이가 시리다든지, 구치부에 수복한 세라믹인레이가 부분적으로 깨져 나가서 환자가 다시 불편해진다든지 하는 등이다. 수복 후 여러 가지 문제가 나타날 수 있으며, 가장 흔하게 접하는 것으로 수복물의 변색, 수복물 주위의 이차우식, 치아 및 수복물의 파절 또는 crack 등을 들 수 있다. 이번 장에서는 각각의 원인과 처치 및 예방법 등에 대하여 알아보도록 한다.

정기적인 검사와 조기 검진을 통하여 미리미리 조절하고(refurbishmement), 보수(repair) 함으로서 수복물의 수명을 연장할 수 있다.

1. 변색

복합레진 수복에 의한 변색은 3가지 종류로 볼 수 있으며, 각각 그 원인이 다르다.

첫째 시간이 흐르면서 복합레진 자체의 색이 변하는 경우가 있다(Body discoloration). 이러한 변색은 복합레진 내의 3급 아민 성분에 기인한 것으로 특히 과거에 많이 사용되어 왔던 화학 중합형 복합레진에서 심한 편이다(**그림 12-1-1**). 라미네이트나 tooth colored restoration에 주로 사용되는 이원중합형 레진시멘트의 화학중합형 성분을 가지고 있어서 이러한 변색에 영향을 받는다.

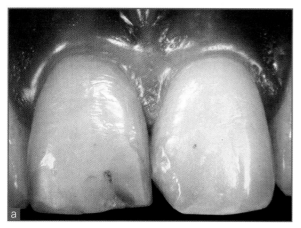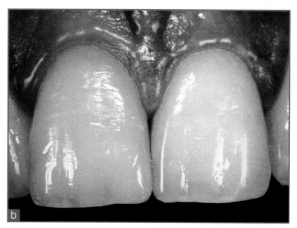

그림 12-1-1
a. 화학중합형 복합레진 자체의 변색을 일으킨 예. b. 이를 광중합형 복합레진으로 재수복하였다.

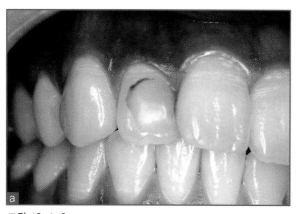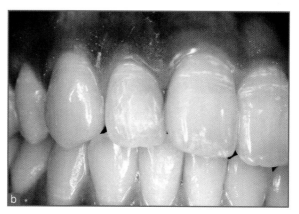

그림 12-1-2
a. 복합레진의 표면과 변연의 변색이 같이 생겼다. b. 이러한 변색은 간단한 polishing 만으로도 쉽게 제거된다.
이러한 변색은 복합레진 충전 후 3~6개월이면 벌써 나타날 수 있어서 복합레진 충전 후 약 6개월 후 반드시 recall check-up 하도록 하고, 그 후에는 1년에 1번 정도의 recall을 통하여 표면을 polishing해 주는 것이 바람직하다.

둘째, 복합레진의 표면의 색이 변색되는 경우가 있다(**그림 12-1-2**)(Surface discoloration). 복합레진 표면이 거칠어지든지, 수분의 영향을 받아서 표면에서 filler들이 빠져 나오면서 영향을 주로 받는다. 섭취하는 음식에 따른 영향을 많이 받는다.

셋째, 수복물 주위로의 변색이다(**그림 12-1-3**) (Margin discoloration). 부적절한 접착에 의하여 나타나기도 하고, 또는 시간이 흐르면서 변연 부위의 얇은 복합레진이 벗겨지면서, 주변치아 부위와 층을 이루면서, 음식물 등의 영향으로 변색이 생기는 경우이다. 수복물 주위의 치아 우식과는 구별되어야 한다.

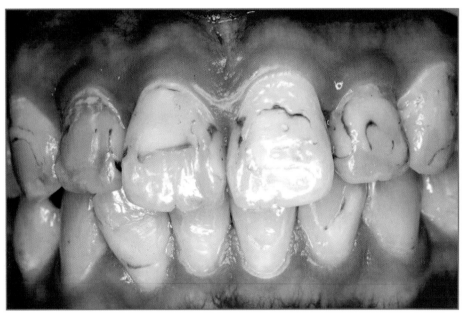

그림 12-1-3
복합레진의 변연 변색. 산부식과 접착제 처리가 충분히 되지 않은 부위로 복합레진이 수복될 경우 가장 많이 발생한다.

2) 예방법 및 처치 방법

복합레진 자체의 색이 변한 경우는 복합레진을 제거하고 다시 해주는 것이 좋다(**그림 12-1-1**).

복합레진의 표면 색이 변색된 경우는 polishing 만으로 변색된 표면의 색을 충분히 개선할 수 있다(**그림 12-1-2**). 환자에게는 복합레진 충전 후 이러한 문제점을 충분히 인식시키며, 정기적인 polishing 의 중요성을 강조해야 한다. 필자의 환자의 경우 복합레진 충전 후 3~6개월, 그 후에는 1년에 한 번씩 정기적인 polishing을 환자에게 강조한다. 이 문제와 관련하여 또 한가지 생각해 볼 것이 복합레진 충전 후

finishing과 polishing 시기에 관한 문제이다. 많은 경우, 복합레진 충전 후 당일로 finishing과 polishing을 모두 마치는 경우가 많은데, 첫 날은 대충 교합과 불편한 정도를 없애는 정도로만 수복물을 정리하고(약간 overfill된 상태), 적어도 24시간이 경과한 후에 final finishing과 polishing을 하는 방법이 바람직하다고 생각한다. 물론 학자들에 따라 아직 논란이 있기는 하지만, 이렇게 하는 것이 적어도 나쁘지는 않다는 것에서는 일치된 의견을 나타내고 있다. 그 이유는 광중합형 복합레진이라도 적어도 24시간이 경과된 후에야 중합이 어느 정도 완성되기 때문에 이때 복합레진을 정리하는 것이 완전히 중합된 표면을 노출시킬 수 있기 때문이다.

수복물 주위로의 변색은 적절한 bevel을 형성하고, etching된 면까지 정확하게 bonding할 수만 있다면 많이 예방할 수는 있겠지만, 현실적으로 어려운 경우가 많다. 따라서 정기적인 polishing을 통하여 해결해주는 것이 현실적이라고 할 수 있다(**그림 12-1-2**). 이러한 변색은 충전 후 3~6개월 사이에 이미 오기 시작하며, 실제로 이 시기에 이러한 변색 문제를 해결해 주면 그 후에는 그 빈도가 확연하게 줄어 든다.

2. 수복물 주위의 우식 (그림 12-1-4, 5, 그림 12-1-6~8)

1) 처치 방법

이전에는 secondary caries라는 용어를 사용했는데, 지금은 caries adjacent to restoration이라는 용어를 사용한다. 접착성 수복물 등이 많이 사용되면서 충전물 주위로 생긴 우식이 이전에 한 충전물과 사실상 관련이 없이 생기는 경우도 많기 때문이다. 금속성 수복물(아말감, 금 등)은 수복물 주위에 우식이 생겼을 경우 대부분의 경우 수복물을 전부 제거하고 다시 수복해야 했다. 하지만 접착성 수복물은 문제

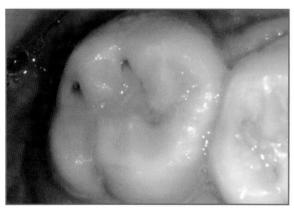

그림 12-1-4
수복물 주위의 우식. 해당부위만 제거하고 접착술식을 이용하여 충전할 수 있다.

그림 12-1-5
이미 중합반응이 완료된 오래된 복합레진 또는 파절된 glass ceramic과 새로운 복합레진의 접착을 증진시키기 위하여 사용되는 silane.

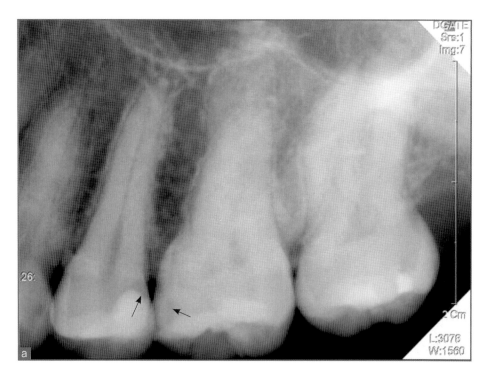

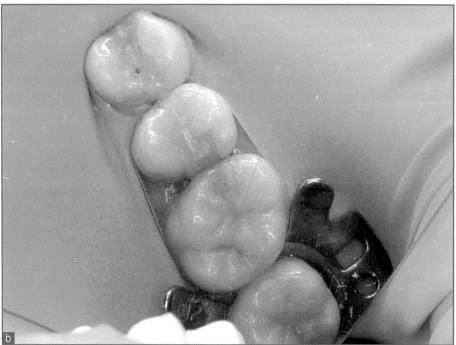

그림 12-1-6
a. #25 치아의 복합레진 하부에 2차우식이 보이고, #26번 치아도 우식이 생겼다(화살표).
b. 임상사진에서 보면 외견상으로는 충치 부위가 잘 보이지 않는다.

가 생긴 부분만 국소적으로 제거하고 충전을 할 수 있다. 접착 술식을 사용하기 때문에 작은 부위에서도 효과적인 유지력을 얻을 수 있기 때문이다(**그림 12-1-4**). 이 경우 노출된 기존의 복합레진이나 ceramic의 계면에는 silane을 처리한 후, 와동 삭제를 완성하고(**그림 12-1-5**), 나머지 치아 부위에 접착의 과정의 통하여 수복물을 접착시키면 된다.

만약, 복합레진의 부분적 제거로 치료가 용이하지 않을 경우(예: 2급 와동의 치경부 우식), 수복물을 전부 제거하고 다시 충전해 주는 것이 바람직하다(**그림 12-1-6~8**).

2) 예방법

정기적인 recall 과정에서 문제를 미리 예방하는 것이 중요하다. 수복 후 시간이 경과함에 따라 수복물의 표면이 다소 거칠어지는 않았는지, 치아와의 계면에 작은 fracture 등이 생겨서 음식물 등이 잘 끼지는 않는지, 환자의 이닦이가 제대로 이루어지고 있는지, 정기 내원 시 검토하여 미리 문제를 해결하는 것이 바람직하다.

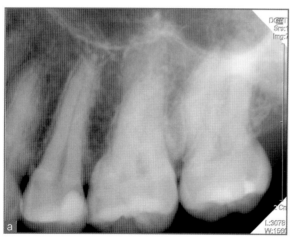
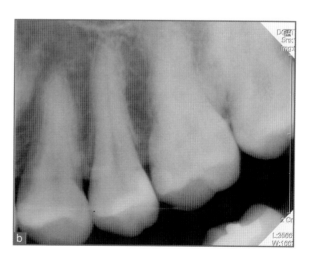

그림 12-1-7
수복 전후의 X-ray 사진 비교.
a. 수복 전   b. 수복 후

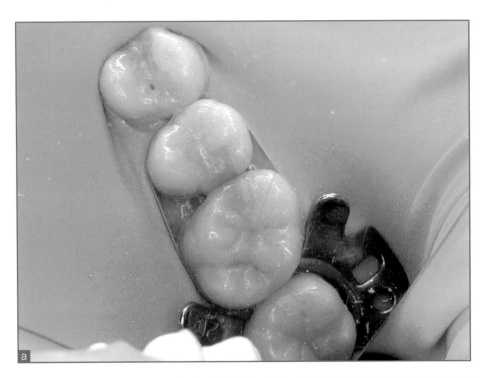

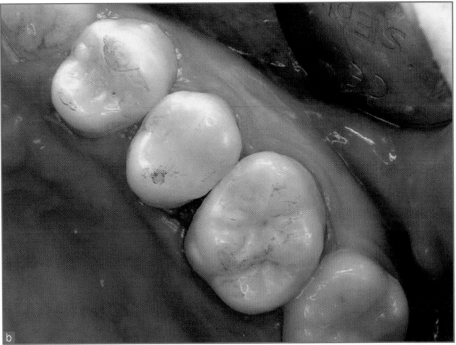

그림 12-1-8
수복 전, 후 임상 사진 비교.
a. 수복 전   b. 수복 후

3. 수복물의 파절 (그림 12-1-9~12)

1) 복합레진

수복한 지 얼마 되지 않아(수개월~1년 이내) 복합레진 수복물의 fracture가 일어났다면 2 가지를 검사해야 한다. 첫째, 복합레진이 충분히 중합되었는지? 둘째, 환자의 저작습관, 저작력 등에 의한 영향은 없는지?

광조사기의 광도는 정기적으로 check하는 것이 바람직하며, 광조사 시간도 항상 일정하게 하는 것이 좋다. 그리고 이러한 정보는 staff들과 공유해야 한다. 예를 들면 필자의 clinic에서는 400 mW/cm^2 이상의 power density의 갖도록 하고 있으며, 한 번 복합레진 충전 시 광중합 시간은 최소 20초로 하고 있다.

굴곡강도 등의 물성에 있어서 구치부 전용 복합레진이 전·구치부에 모두 사용할 수 있는 범용 복합레진에 비하여 약간 높기는 하지만 그리 큰 차이가 나는 것은 아니다. 단지 구치부 전용 복합레진의 경우 끈적거림 등이 적어서, 구치부 사용 시 범용 복합레진에 비하여 사용하기 편하다. 따라서 충분히 중합되었음에도 불구하고 복합레진 수복물의 파절이 일어났다면 금 등의 간접수복을 고려해야 하며, 만약 환자가 tooth colored restoration을 원한다면 단순한 feldspathic type의 ceramic 수복물보다는 더욱 굴곡강도가 높은 Lithium disilicate(E.max 등), Zirconia 계통의 수복물을 고려하는 것이 현명한 방법이다. 자세한 와동 형성 방법, 접착방법 등은 **〈7장. 글라스세라믹을 이용한 간접수복〉** 편을 참고하기 바란다.

수복물의 파절이 매우 적은 양이고 기능적인 부위와 무관하다면, 파절되어 날카로워진 부위를 polishing하는 정도로도 충분하다(Refurbishment)(**그림 12-1-9**). 하지만 파절 양이 크고, 치아의 기능적인 면에도 영향을 준다면, 파절된 수복물을 완전히 제거하고 적절한 재료를 이용하여 다시 수복하여 준다(Replacement)(**그림 12-1-10**). 만약 부분적인 보수만이 필요하면(Repair) 문제되는 부위만 다시 복합레진으로 충전하여준다. 이때는 기존의 복합레진 부위를 거칠게 한 후, silane, 접착제, 복합레진의 순으로 적용하며 치아 부위는 일반적인 접착 술식을 행한다(**그림 12-1-11**).

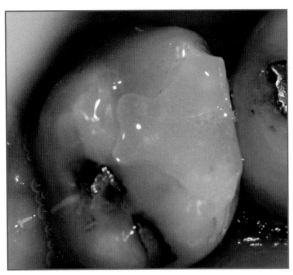

그림 12-1-9
#16 치아의 mesial margin 쪽의 약간의 fracture가 발생하였지만. 재수복 없이 날카로워진 변연부위를 약간 polishing하여 주는 정도로도 환자는 별 불편함 없이 지낼 수 있을 것이다.

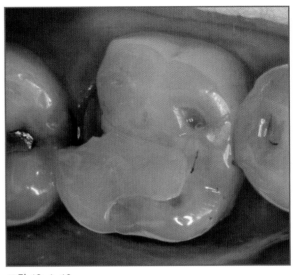

그림 12-1-10
수복물에 이 정도의 파절이 발생하였다면, 파절의 원인이 무엇인지를 면밀히 검사할 필요가 있다. 파절된 치아 부위의 마모가 많이 관찰되고, 파절된 부위의 인접면 변연부위도 지나치게 얇아져 있는 것을 볼 수 있다. 환자의 교근도 매우 발달된 상태여서 상대적으로 큰 교합력, 또는 이상교합습관과 부적절한 와동형성이 수복물 파절의 원인이라 추측되었다. 이러한 환자에게는 남아 있는 수복물을 제거하고, 금 수복 인레이가 바람직하다고 사료되며, 만약 환자가 tooth colored restoration을 원한다면, lithium disilicate (E.max) 또는 zirconia 계통이 적절하다고 사료된다.

Tooth	Resin
Defect Removal	Defect Removal + Surface Roughening
Etching with Phosphoric acid	(Cleansing)
	Silanization
Bonding agent	Bonding agent
Flowable resin Restorative resin	Flowable resin Restorative resin

그림 12-1-11
복합레진 수복물을 repair하는 방법.

Tooth	Ceramic
Defect Removal	불산처리
Etching with Phosphoric acid	Silane
Bonding agent	Bonding agent
Flowable resin Restorative resin	Flowable resin Restorative resin

그림 12-1-12
세라믹 수복물을 repair하는 방법.

2) 세라믹

복합레진에서와 같이 파손된 정도가 세라믹을 연마 정도만 하여도 해결되는 정도인지, 또는 repair를 해야 하는 경우인지 아니면 완전히 교체(Replacement)를 해야 하는지 판단한다. Repair를 해야 한다면 깨진 ceramic 수복물의 종류를 아는 것이 도움이 된다. 불산 적용 시간이 달라지기 때문인데 4.5~9.6% 불산을 이용하여 세라믹의 종류에 따라 empresss 60초, E.max 20~30초, 일반 장석형 세리믹 2분 간 표면 처리를 하고, silane, 접착제 복합레진의 순서로 적용을 하여 복합레진으로 repair한다. 치아에는 정상적인 접착의 과정을 적용한다(**그림 12-1-12**). 불산 대신에 aluminumalum를 이용하여 blasting하는 방법이 있으나, 불산을 이용하는 것보다는 접착력이 떨어지는 것으로 보고되고 있다. 불산을 사용할 경우에는, rubber dam을 철저히 하여, 인접 연조직이나 건전 치질에 닿지 않도록 주의한다.

4. 치아의 crack 및 파절 (그림 12-1-13, 14)

1) 원인

금 수복물이나 아말감 등에 비하여 접착성 수복물은 일반적으로 남아 있는 치질을 강화하는 효과가 있다고 한다. 그래서 금속수복물에 비하여 접착성 수복물을 할 경우 교두를 덮는 onlay crown 등의 치료보다는 되도록 치질을 많이 삭제하지 않고, 교두를 남기는 술식을 선호하게 된다. 하지만 접착성 수복물에 있어서도 어느 정도까지 direct restoration으로 가능하고, 어느 이상이면 indirect restoration이 필요한지, 또 cusp capping이 필요한 경우에 대한 명확한 기준은 아직까지 없다. 따라서 남아 있는 치질의 양, 환자의 저작습관, 치아의 교모 정도, 비정상적인 습관, 저작근의 발달 등의 요소를 종합적으로 고려해야 할 것이다. 이에 관한 판단이 잘못될 경우 치질의 파절을 초래하게 된다.

2) 예방법

이갈이 등의 습관이 있는 환자, 저작근이 많이 발달되어 있고, 질기고, 단단한 음식을 선호하는 환자, 심한 교모 등이 관찰되면, 와동의 크기가 큰 경우, direct restoration을 할 경우 각별히 주의를 기울여야 한다. 이런 류의 환자를 치료할 경우에는 남아 있는 치질의 양에 더 주의를 기울여야 하며, indirect restoration을 이용한 cusp capping도 보다 더 적극적으로 고려해야 할 것이다. 2급 와동의 삭제시 인접면 부위의 치질의 양이 충분히 확보되도록 각별히 주의를 기울여야 하며, 와동 삭제 시 치아 외면과 이루는 각도에도 신경을 써서 법랑질 응력이 되도록 적게 집중되도록 해야 할 것이다(**그림 12-1-14. 〈2장 3. 와동의 삭제〉참조**).

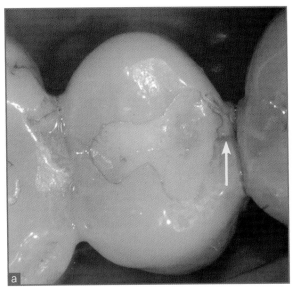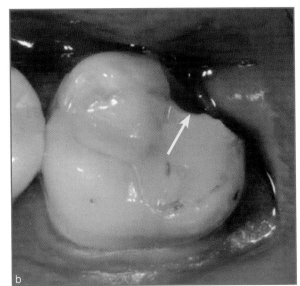

그림 12-1-13
수복물 주위로의 치아의 균열(a) 및 파절(b).

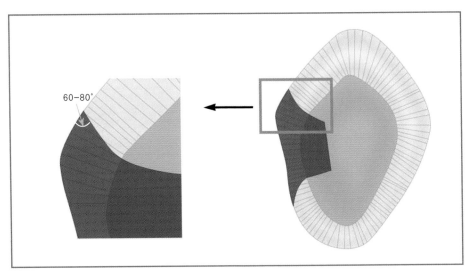

그림 12-1-14
인접면 수복물의 파절을 막기 위해서는 치아 외면과 60~80도의 각을 이루도록 인접면 와동을 형성하여야 한다.

5. 증례

증례 1: 기존 복합레진과 치아에서의 변색을 walking bleaching, home bleaching, 복합레진 수복을 이용하여 치료 (그림 12-1-15~23).

환자의 주소(chief complaint): 이전에 치료한 복합레진의 색이 변했다. #21 치아도 검게 변한 것 같다. 전반적인 심미치료도 같이 받았으면 한다.

현증: (그림 12-1-15~16)

① 복합레진 수복 (#11, #21).

② #11: 복합레진 표면의 작은 defect가 나타났고, 약한 정도의 복합레진 표면 변색이 나타남.

③ #21: 치아의 변색, Sinus tract (+), EPT(−), ICE(−), Per(−), Mob:normal limit

Enamel surface defect.

Composite margin discoloration.

과거 치과 치료:

① 본 18세 여자 환자는 8년 전 초등학교 때 앞니를 다쳐서, #21 치아는 pulp capping과 복합레진 치료를 받음. 4년 전 #21 잇몸 부위에 다시 고름이 잡혀서 근관치료 계획을 잡았으나, 고등학생 때라 시간이 없어 치료를 연기했다고 함.

② #11 치아는 6년 전 복합레진 수복.

치료계획:

① #21: Endodontic treatment.

② #21: walking bleaching.

③ Home bleaching.

④ #11, #21: Composite restoration.

치료의 진행:

① #21에 대한 근관치료를 먼저 완료하고, sinus tract이 소실되는 것을 확인.

② Walking bleaching을 통하여 #21 치아의 변색을 해소함(**그림 12-1-17**).

③ Home bleaching을 통하여 전반적인 치아의 색을 밝게 함(**그림 12-1-18, 19**).

④ 변경된 치아 색에 맞추어서 복합레진을 다시 수복함(Filtek Supreme A1) (**그림 12-1-20~21**).

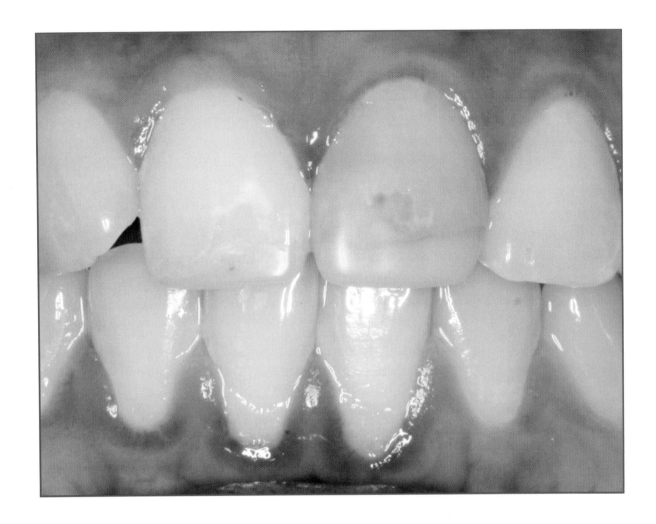

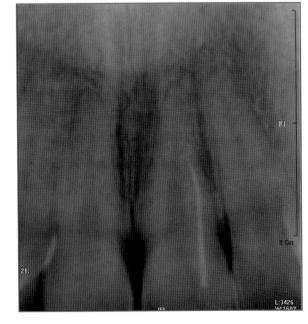

그림 12-1-15(▲), 16(▶)
초진 소견. #11는 복합레진 표면의 작은 defect와 약간의 변색을 제외하고는
모두 정상 소견 보였고, #21은 복합레진의 변연 변색, 치아의 defect을 보이
고 cold (−), EPT(−) 소견 보였으며, 잇몸에 sinus tract 형성되어 있었음 (a).
Gutta percha point를 넣어 tracing한 사진 (b). #21 치아는 근관치료하기로
결정함.

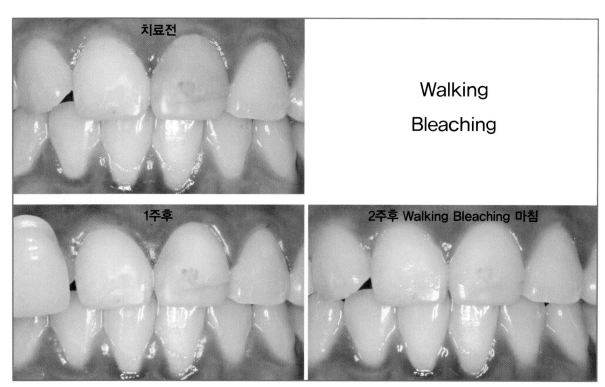

그림 12-1-17
#21의 근관치료 후 walking bleaching 진행 과정. 색이 점차 개선되어 가고 있는 것을 볼 수 있다.

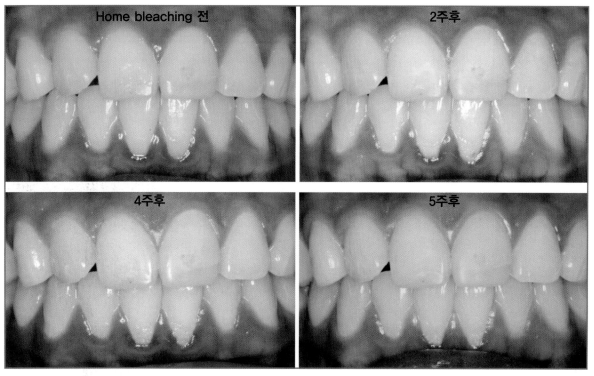

그림 12-1-18
Walking bleaching 중단하면서 상악 먼저 home bleaching 시작. 초진 시 shade는 easyshade로 측정 시 A2 정도로 나타남. 환자의 home bleaching tray 장착에 대한 협조도가 떨어져 시간이 오래 걸렸다. 5주후 하악에도 tray delivery하고 home bleaching 시작함.

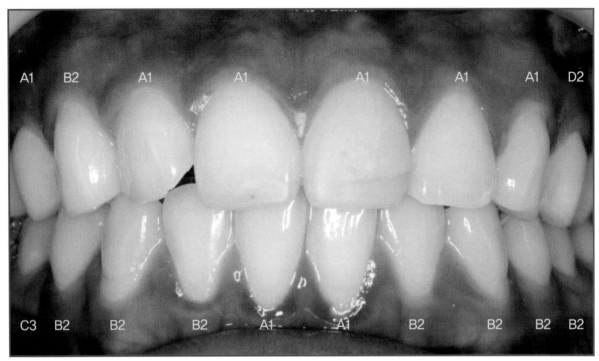

그림 12-1-19
환자분 기존 치아 색상이 A2 정도로 크게 어둡지 않았고 협조도도 떨어져서 눈에 띄게 색상 변화를 관찰할 수 없었으나, 약 2개월 후 내원 시 자동색 측정기인 Easy shade로 측정해 보았을 때 상악 전치부는 대부분 A1 shade였고, 환자도 shade 만족하여 미백치료 중지하기로 함. 하악도 예전보다 밝아진 것 같다고 하였지만 2주 더 사용하기로 하였다. Bleaching 후 #11, #21의 복합레진 수복부위가 어두워 보여, 새로 수복하기로 함.

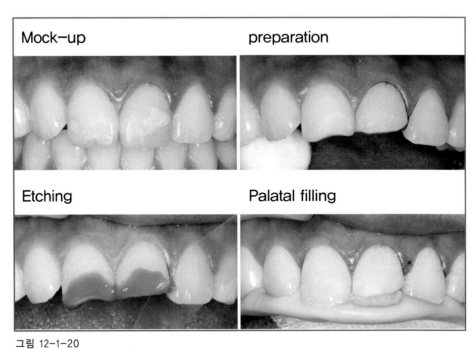

그림 12-1-20
Filtek supreme A1 Enamel, body 이용하여 mock-up 시행.
법랑질의 defect를 포함하고 자연스러운 shade matching을 위해 기존 resin 부위에서 enamel 쪽으로 길게 bevel을 형성. 에칭 및 bonding 처리하고 putty index로 A1E shade로 palatal surface부터 filling 시행.

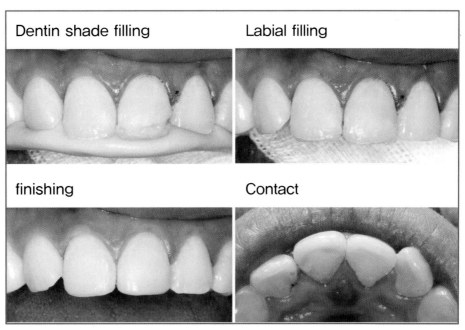

그림 12-1-21
A1B shade로 중간 부분 충전하고 다시 enamel shade로 바깥쪽을 충전 후 finishing. 교합조정 시행.

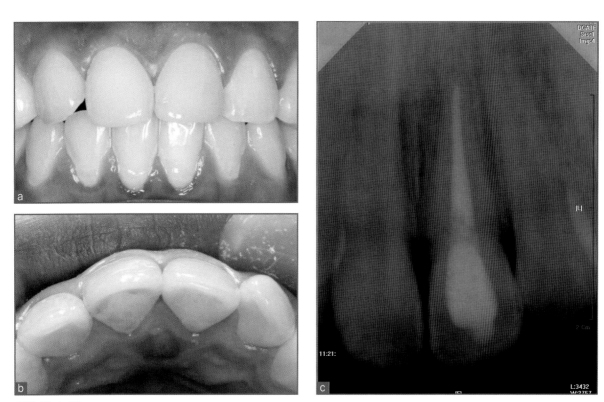

그림 12-1-22
Pogo 이용하여 final polishing 시행.
Incisal 부위가 좀 두껍다고 하셔서 조정해드렸고 Biscover를 도포하여 stain resistance를 높이고자 했다.
치료 마무리하고 찍은 방사선 사진(c).

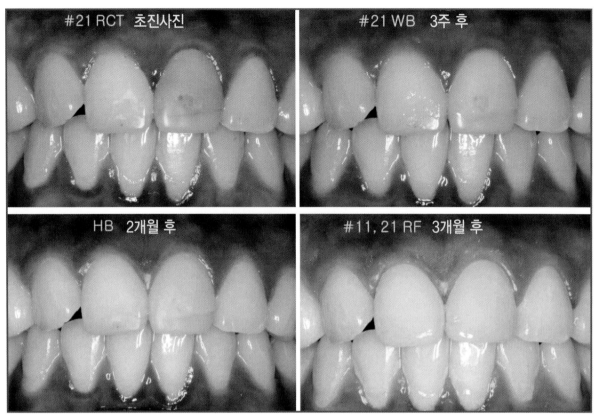

그림 12-1-23
치료 경과를 요약.

교훈: 치아에 대한 trauma는 어렸을 때 자주 일어나게 되는데, 복합레진을 이용하여 최소한의 치아 삭제로 치료를 한 경우에 이 환자의 경우처럼 성인이 되었을 때 얼마든지 심미적으로 치료할 수 있다. 비록 불가피하게 후에 다시 괴사가 일어나기는 했지만, 그 당시 #21 치아에 대하여 pulp capping과 복합레진 수복으로 치료하신 선생님의 훌륭한 치료를 칭찬하지 않을 수 없다.

4급 와동이었고 7~8년이 경과했지만, 복합레진은 와동 내에 잘 부착되어 있었다. 단지 bevel의 형성이 부족하여 치아와의 구분이 너무 명확히 보이는 문제가 있었고, 정기적인 polishing을 하지 않아서 복합레진의 defect와 변색이 있었다. 새롭게 복합레진을 치료할 때 이에 대한 주의를 더욱 높였다.

이 환자는 원래 walking bleaching 후 바로 복합레진 수복을 하려고 하였으나, 치료 과정 중 환자의 심미적인 욕구가 점차 증대하여 결국 home bleaching을 먼저 하게 되었다. 만약 처음부터 home bleaching을 치료계획에 넣었더라면 walking bleaching과 home bleaching을 동시에 진행하여 시간을 절약할 수 있었을 것 같다.

증례 2: 파절된 복합레진 수복 부위를 Ceramic restoration을 이용하여 수복 (그림 12-1-24~26).

환자의 주소(chief complaint): 3년 전 치료 받은 #16 부위가 깨져서 왔다.

현증: (그림 12-1-24)

#16: 복합레진 Fracture.

Per(−), Ice (+)

수복물 안쪽으로 약간의 이차우식 진행됨.

와동 내에 남아 있는 재료는 glass ionomer로 추측됨.

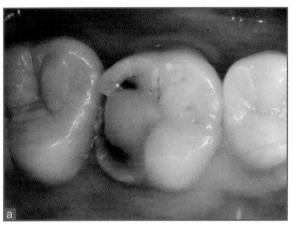 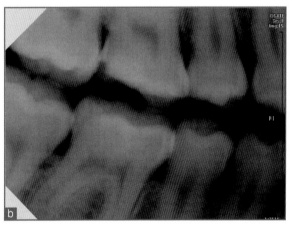

그림 12-1-24
술전 사진과 x-ray. Glass ionomer base 주위로 이차우식이 일어난 것이 보인다

과거 치과 치료: 3년 전 #16에 대한 복합레진 치료.

치료계획: 와동을 확장하여 ceramic inlay로 수복 (cerec system)

치료의 진행: (그림 12-1-25~26)

인접면 와동 부위를 협측부위로 확대시켜서 이차우식과 너무 적게 남을 법랑질 부위를 제거하고, 기존의 남아 있는 glass ionomer cement을 제거한 후 상아질 접착제와 복합레진을 이용하여 새롭게 base를 함.

그 후 one-day ceramic inlay 수복.

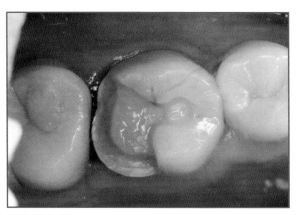

그림 12-1-25
상아질 접착제와 복합레진을 이용하여 core 부위를 충전하고 와동을 확장
형성하여 cerec restoration에 적합하게 확장 형성하였다.

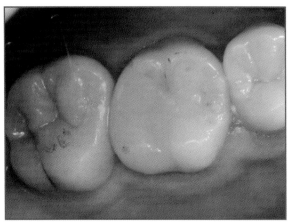
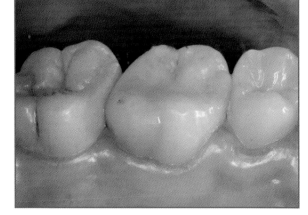

그림 12-1-26
술후 사진.

교훈: 이 치아는 원래 직접법으로 하기에는 크기가 큰 수복물인데, glass ionomer base를 이용하여 중합수축에 대한 응력을 줄여준 후 직접법으로 치료를 했었던 것으로 추정된다. 그런데 문제는 glass ionomer의 양이 너무 많아서 resin 양이 너무 적어진 것 같다. 그림 12-1-24에서 인접면 쪽의 복합레진의 두께는 1 mm 정도였을 것으로 추정할 수 있다. 또한 glass ionomer base를 사용할 때의 문제는 복합레진과의 접착강도가 떨어진다는 문제인데, 이 경우에 특히 이것이 문제가 되었을 가능성이 있다. 즉, 복합레진과 glass ionomer와의 낮은 접착이 복합레진 자체의 강도를 더욱 낮추었을 가능성이 있다. 와동 내부에 생긴 2차우식을 보면, 전체적인 수복물의 접착상태도 좋지 않았을 것으로 추정된다. 새롭게 와동을 삭제 함에 있어서 기존의 와동보다 base 부위의 양을 줄여서 ceramic의 충분한 두께를 확보하도록 노력했다. 한편 기존의 glass ionomer base를 제거한 후 2-step self etching system과 복합레진을 이용하여 새롭게 base를 했는데, 적은 양으로도 교합력에 저항할 수 있는 재료를 사용하기 위한 목적과 resin cement와의 접착에 glass ionomer보다 유리한 면이 있기 때문이었다(cerec system을 이용하여 one-day ceramic inlay 수복을 적용했던 증례임을 상기해 주기 바란다).

Q 어떤 복합레진이 변색이 적게 일어나나요?

일반적으로 nanofill type의 복합레진이 변색이 제일 적고 광택이 잘 유지됩니다. 대표적인 nanofill type의 복합레진으로는 Filtek Z350XT가 있습니다.

Q 유난히 변색이 잘되는 환자가 있습니다, 원인과 처치법은?

먼저 환자의 식습관을 살펴 보아야 한다.

포도주, 콜라, 커피 등이 특히 직접 수복물을 많이 변색시킵니다. 이러한 것을 즐기는 환자는 정상적인 follow-up 기간(통상 1년에 1번)보다 더 짧게 잡아서 수복물을 정기적으로 polishing하여 주는 것이 바람직하다.

글라스아이노머는 복합레진이나 컴포머 계통의 수복물보다 훨씬 더 변색이 잘 됩니다. 따라서 이를 피하는 것이 좋겠습니다.

Ceramic 계통의 변색은 복합레진, 컴포머, 글라스아이노머 등의 직접수복물의 변색보다 훨씬 작게 일어나기 때문에 follow-up이 여의치 않고, 심미적으로 매우 민감한 환자라면 direct restoration보다는 ceramic을 이용한 수복이 더 바람직하겠습니다. 단, 치아 삭제량은 훨씬 많아질 수 있습니다.

Q 치아를 라미네이트로 치료했는데, 시간이 어느 정도 지나서 라미네이트를 한 치아의 색이 달라 보인다는 것을 주소로 환자가 재내원하였습니다, 이러한 현상의 원인이 무엇이고, 어떻게 막을 수 있을까요?

라미네이트를 접착시킬 경우 대개 dual cure type의 resin cement을 사용합니다. 그런데 이 dual cure type의 resin cement에는 chemical cure 용도로 사용되는 3급 아민이 있는데, 이것이 시간이 지나면서 변색을 일으키게 됩니다.

또 다른 원인으로 불충분한 광조사 시간을 들 수 있습니다. 많은 치과의사 선생님들이 dual cure type의 resin cement는 light curing이 충분히 되지 않아도 시간이 흐르게 되면 완전히 중합하는 것으로 오해하지만, 대부분의 dual cure type resin cement은 그렇지 않습니다. 수복물을 통하여 빛 에너지가 도달해야 하므로 1분 이상의

light curing을 해 주는 것이 안전합니다.

따라서 porcelain laminate 등을 cementation할 경우에는 light cure type의 resin cement을 사용할 것을 추천합니다. 이 light curing resin cement는 충분히 light curing 해 주어야 하며(1분 이상), 800 mW/cm² 이상의 충분한 광도를 갖는 curing light를 사용하는 것이 바람직합니다. 여러 개의 라미네이트를 합착시키는 경우, 주의를 소홀히 하면 광조사를 충분히 시키지 못하는 경우가 자주 발생합니다. light cure type의 resin cement에 대해서는 〈8장. 간접수복을 위한 cementation〉을 참고해 주기 바랍니다.

Q Mylar strip(celluloid strip)으로 복합레진을 처리하는 것이 제일 매끈한 복합레진 면을 얻을 수 있으며, 변색을 예방하는 좋은 방법인가요?

Mylar strip(celluloid strip)으로 표면 처리를 한 복합레진이 가장 매끈한 면을 얻는 것은 맞지만, 장기적으로 변색이 가장 적은 것은 아닙니다. 오히려 disk와 bur 등을 이용하여 polishing한 경우보다 장기적으로는 변연 변색, 표면변색이 모두 많이 일어나는 편입니다.

변연 변색이 많은 이유는 mylar strip을 사용하면서 접착제로 처리된 치아 면을 넘어서 복합레진이 얇게 덮이게 되는 경우가 많은데, 이것이 눈에 잘 띄지 않아서 후에 변색을 일으키게 됩니다.

표면 변색이 많은 이유는 Mylar strip으로 표면 처리를 한 경우는 polishing을 한 경우보다 중합 초기에 중합이 충분히 되지 않은 표면이 남게 됩니다. 따라서 초기에 착색 물질 등에 의한 오염이 있을 경우 더 쉽게 영향을 받습니다. 또한 polishing된 표면보다 matrix 함량이 많아서 수용성 착색물질이 더 쉽게 침착되며, 더 빨리 거칠어지는 문제를 가지고 있습니다. 기구에 의한 finishing polishing이 어려운 부위면 어쩔 수 없이 mylar strip 등을 이용해야 하겠지만, 기구를 사용할 수 있다면 이를 이용하여 마무리하는 것이 바람직하다고 하겠습니다.

Q Bleaching을 해도 수복물의 색이 변하지 않나요?

Vital bleaching을 하게 되면 복합레진의 색도 변합니다. 물론 치아만큼 큰 색의 변화는 보이지 않는 경우가 대부분이어서 눈에 띄지 않는 경우가 대부분이지만, 이러한 것에 매우 민감한 환자들도 있어서 bleaching 전 미리 동의를 구하여 놓는 것이 좋습니다(**그림12-1-27**).

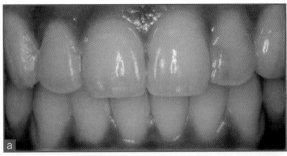

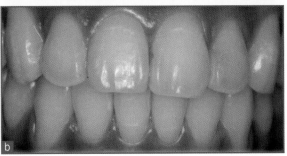

그림 12-1-27
Bleaching 전, 후 22번 부위의 복합레진의 색의 변화: 자연치아보다는 훨씬 색의 변화가 적지만, 복합레진 부위도 미세한 색의 변화가 관찰된다.

Q 전치부 근관치료 수복 후 복합레진으로 코어를 한 후, 몇 년 지나서 치아가 다시 변색이 되었습니다, 어떻게 해야 하나요?

먼저, gutta-percha가 치관 위로 너무 길게 확장되지 않았나 살펴봅니다. Gutta percha는 근관 내의 잇몸부위보다 아래에서 잘라줘야 변색의 우려가 적습니다.

복합레진 자체 치관의 색이 변해 있는 경우가 많습니다. 특히 불충분한 중합이 일어났을 경우 이러한 현상이 많습니다. Bur를 이용하여 치질로부터 복합레진을 조심스럽게 제거하고 다시 충전하든지, 필요한 경우 walking bleaching의 과정을 거친 후 다시 충전해 주도록 합니다. 물론, 충분한 광조사 시간의 확보는 필수적입니다.

Chemical, 또는 dual-cure type의 core는 사용은 편하지만 화학중합을 위해 포함한 3급 아민성분 때문에 변색될 수 있습니다. 특히 전치부에선 시간은 더 걸리지만 light cure type의 core나 복합레진을 사용한 후 충분히 광조사 시키는 것이 중요합니다.

Chapter

13 연구의 응용

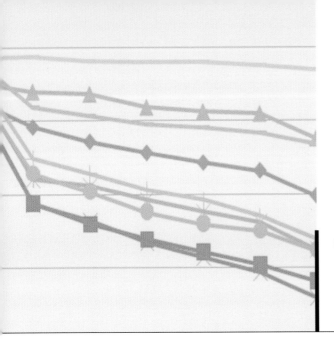

Chapter 13

연구의 응용

　학생이나 일반 치과의사들을 대상으로 하여 강의를 할 경우, 대학에 있는 사람으로서 가장 곤혹스러운 점이 연구 data에 관한 부분을 설명할 때이다. 강의하는 사람 입장에서는 강의의 핵심적인 내용이 이곳에 녹아 있는 경우가 많은데, 듣는 사람 입장에서는 임상과 관계 없는 것처럼 보이는 여러 수치들을 볼 때만큼 따분한 일도 없기 때문이다.

　학생시절, 보존학을 처음 배우기 시작할 때, 『Art & Science』라고 적힌 책의 제목을 보며 어렴풋하게, 보존학이라는 학문의 어렴풋한 감을 잡았던 기억이 난다. 지금도 학문의 성격을 말해주는 매우 적절한 표현으로 생각이 되어진다.

　이 책의 맨 마지막 단락으로, 무엇을 할까 생각하다가, 제일 재미는 없겠지만, 내 입장에서는 매우 중요한 이야기를 하기로 마음을 잡았다. 최대한 간략하게 임상적으로 관계 깊은 내용들만을 추려서 설명하고자 한다.

주제 1. 복합레진의 선형 수축량 비교. (Unpublished data) (그림 13-1-1, 2)

현재 국내에서 사용되고 있는 충전용 복합레진과 flowable composite 중 일부를 대상으로 하여 선형중합수축량(linear polymerization shrinkage)을 측정하였다.

복합레진의 중합수축을 측정하는 데는 여러 가지 방법이 있는데, 본인의 연구실에서는 Linometer라는 주문 제작한 장비를 이용하여 선형중합수축량을 측정한다(**그림 13-1-1**). **그림 13-1-2**에서는 시간에 따른 다양한 복합레진의 중합수축량을 나타내주고 있다.

그림 13-1-1
Linometer 장비.

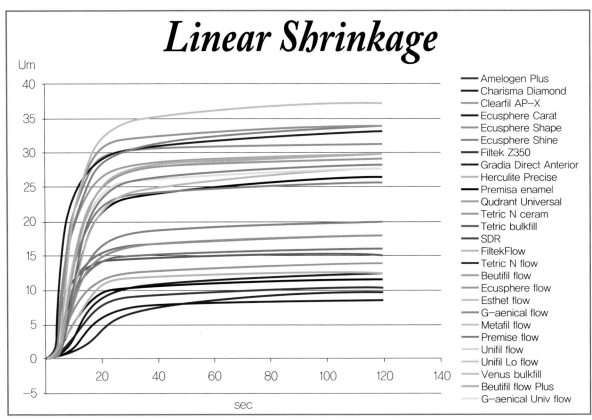

그림 13-1-2
시간에 따른 중합수축량.

임상 Hint!

일반적으로 flowable resin은 25~40 um, 일반 충전용 복합레진은 8~20 um 사이의 선수축량을 나타내고 있어서 flowable resin의 중합수축량이 훨씬 큰 것을 볼 수 있다.

Charisma Diamond, Amelogen Plus, Filtek Z350 등의 중합수축량이 다른 재료에 비하여 작게 나타나고, 이 그림에 나와 있지는 않지만 Filtek P90의 중합수축량이 제일 작게 기록이 된다.

주제 2. 복합레진의 중합수축력비교 (Unpublished data) (그림 13-1-3, 4)

주문 제작한 중합수축력 측정장비의 모식도(**그림 13-1-3**)과 data(**그림 13-1-4**).

중합수축량은 작아도 중합수축력은 클 수가 있다. 예를 들면 어떤 복합레진의 중합수축량이 매우 적더라도, 그 복합레진이 중합되면서 아주 딱딱해지는 특징을 가지고 있다면(높은 탄성계수를 가진다면), 중합수축력이 높게 나타날 수가 있다. 반대로 복합레진의 중합수축량은 많더라도 탄성계수가 낮은 특징을 가진다면 중합수축력은 상대적으로 낮게 측정될 수 있다.

Flowable resin과 일반충전용 복합레진의 차이는 중합수축량을 측정했을 때보다는 그 차이가 줄었지만 여전히 flowable resin의 수축력이 일반적으로 높게 나타나는 것을 알 수 있다. 중합수축응력을 측정하였을 경우보다는 flowable resin과 충전용 resin의 차이가 작게 나타나는 이유는 flowable resin의 탄성계수가 일반 충전용 복합레진에 비하여 낮기 때문이다.

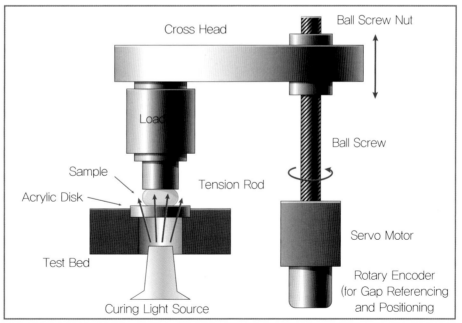

그림 13-1-3
중합수축력 측정장비 모식도.

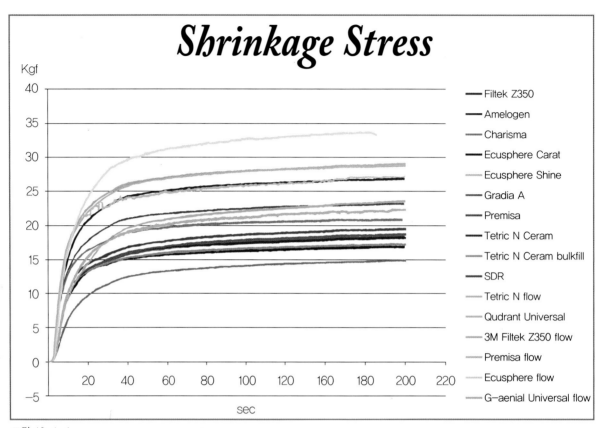

그림 13-1-4
시간에 따른 중합수축력의 변화(compliance 허용).

임상 **Hint!**

Charisma Diamond, Premisa, Tetric N Ceram Bulkfil 등의 중합수축응력이 비
교적 낮게 나타난다.

Flowable Bulkfil resin인 SDR은 다른 flowable resin에 비해서는 훨씬 낮은 중합수축
력을 나타내지만, 일반적인 복합레진과 비교해서는 중간 정도라고 할 수 있다.

주제 3. 복합레진의 gloss 측정 〈1〉. (Unpublished data) (그림 13-1-5, 6)

일반적으로 표면이 거칠수록 반사되는 빛은 산란을 많이 하고, 표면이 매끈할수록 전반사를 많이 한다. 이러한 물리학적인 성질을 이용하여 복합레진 표면의 활택도를 측정하는 장비를 Glossmeter라고 한다. **그림 13-1-5**와 **6**에서 여러 가지 복합레진을 Mylar strip, 600 SiC , 800 SiC, 1200 SiC로 각각 polishing한 후 표면의 gloss를 측정한 것이다. 600번, 800번, 1200번으로 번호를 높여감에 따라 복합레진 표면에서의 gloss는 높아지는 것을 알 수 있지만, mylar strip으로 표면을 처리했을 경우 가장 높은 gloss를 나타내는 것을 알 수 있다. 그런데 재미있는 현상은 mylar strip으로 처리했을 경우의 표면의 golss와 SiC paper로 polishing 했을 경우의 data가 다르다는 것이다. 예를 들면, Denfil A3는 mylar strip으로 처리했을 경우에는 높은 gloss를 나타내지만, polishing을 통해서는 가장 낮은 gloss를 나타내고 있다. 한편 Filtek Z350이나, Filtek Supreme는 mylar strip을 처리했을 때는 중간 정도의 gloss를 나타내지만, polishing 후에는 가장 높은 gloss를 나타내는 군에 속하게 된다.

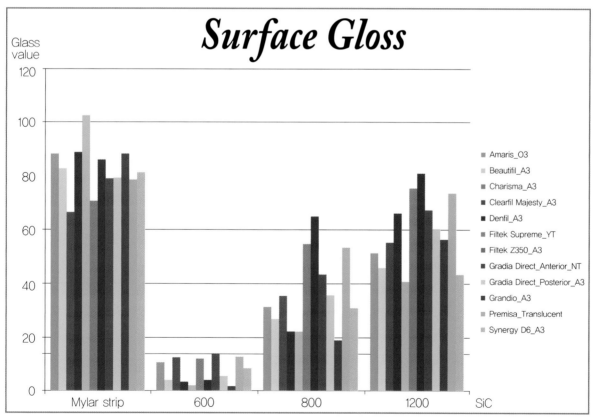

그림 13-1-5
복합레진 표면의 gloss 비교 (polishing 방법에 따른 비교).

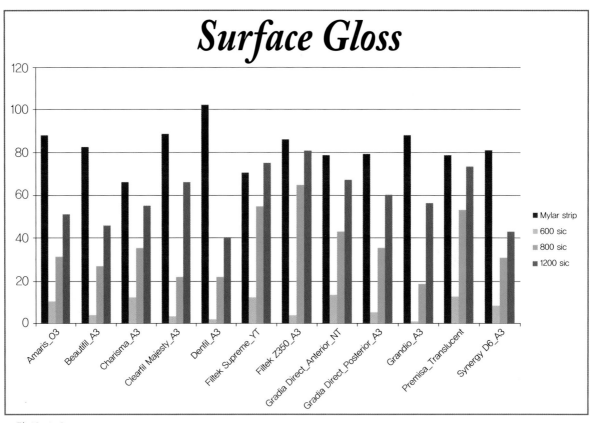

그림 13-1-6
복합레진 표면의 gloss 비교(복합레진 재료 사이의 비교).

임상 Hint!

Mylar strip으로 표면을 처리하는 경우에는 filler 성분은 아래쪽에 위치하고 주로 matrix 성분이 위로 올라오게 된다. 따라서 matrix가 mylar 표면에 잘 접촉될 수 있는 monomer system을 가진 높은 gloss를 나타내게 된다. 그래서 매우 반짝이는 표면을 나타내지만, polishing을 하게 되면 이러한 성분이 쉽게 없어지고, filler가 노출되게 되면서 filler의 크기, 조성 등이 polishing에 영향을 미치게 된다. Mylar strip 만으로 표면을 처리한 복합레진의 표면이 얼마 되지 않아서 쉽게 변색이 되는 이유가 여기에 있다. 복합레진을 mylar strip만으로 finishing하는 것보다는, 정성스러운 polishing을 통하여 표면의 gloss를 얻는 것이 장기적으로 유리할 수 있다.

주제 4. 복합레진의 gloss 측정 〈2〉. 칫솔질에 의한 영향(그림 13-1-7, 8)

(근거: 이진희 석사논문, 지도교수 박정원 "Gloss retention of nanocomposite resin after manual and electric tooth brushing")

9가지 재료를 대상으로 하여(**그림 13-1-7**) 칫솔질 후 복합레진의 gloss가 어떠한 영향을 받는지를 살펴 보았다. 사용된 재료 중 Heliomolar는 microfill type이고 Filteksupreme는 nanofill type, 나머지 재료는 nano(micro)hybrid type이라고 볼 수 있다.

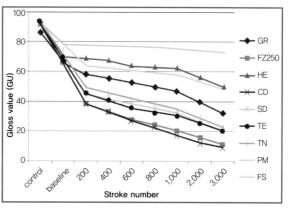

Gradia	GR	micro(nano)hybrid
Filtek Z250	FZ	micro(nano)hybrid
Heliomolar	HE	microfill
CeramX duo	CD	micro(nano)hybrid
Synergy D6	SD	micro(nano)hybrid
Tetric Evoceram	TE	micro(nano)hybrid
Tetric N−Ceram	TN	micro(nano)hybrid
Premisa	PM	micro(nano)hybrid
FiltekSupreme	FS	nanofill

그림 13-1-7
칫솔질에 따른 표면 gloss의 변화를 살펴보기 위해 사용한 재료.

그림 13-1-8
칫솔질의 횟수와 복합레진 표면 gloss의 변화.

임상 Hint!

모든 재료에서 칫솔질 횟수가 늘어 날수록 복합레진 표면의 gloss는 낮아졌는데, 이러한 영향이 제일 적은 제품은 FiltekSupreme (3M ESPE) 였다. 이 제품이 지금은 Filtek Z350으로 상품명이 변경되었다(**그림 13-1-8**).

표면의 gloss가 잘 유지되는 것은 좋은 장점이다. 하지만, 모든 복합레진은 정도 차이는 있지만 시간이 흐르면서 표면의 gloss를 점점 잃고 있다. 따라서 정기적인 recall을 통하여 (처음 1년 동안은 6개월에 한 번, 그 후는 1년에 한 번) 복합레진을 polishing해 주면 처음의 표면 gloss 상태로 회복할 수 있다. 복합레진 재료의 성질도 중요하지만, 치과의사 자신의 노력에 의하여 재료의 차이는 극복할 수 있는 문제라고 생각된다.

주제 5. 복합레진의 변색 (그림 13-1-9)

(근거: Park SH et al., Celluloid strip-finished versus polished composite surface: difference in surface discoloration in microhybrid composites. Journal of Oral Rehabilitation 2004 31:62-66)

위에서 mylar strip으로 표면을 처리했을 경우에 제일 광택이 난다고 했다. 그렇다면 복합레진 표면을 mylar strip으로 처리하는 경우와 polishing을 하는 경우 표면의 변색되는 정도는 어떤 차이가 날까? 3가지 microhybrid type의 복합레진을 세 가지 다른 방법으로 처리하고, 표면의 변색 정도를 비교하였다. 즉, 1군은 복합레진 표면을 mylar strip으로 처리하고, 2군은 polishing을 하였으며, 3군은 공기중의 산소를 산소가 배제된 상태(질산가스로 차 있는 상태)에서 복합레진을 충전하고, mylar strip으로 표면처리를 한 후 표면 변색 정도를 측정하였다(**그림 13-1-9**). 결과는 1군과 2군 사이에 차이는 없었고, 3군은 다른 군에 비하여 표면변색이 낮게 나타났다.

Z100	Group 1	4.04 (0.71)
	Group 2	4.95 (1.19)
	Group 3	3.80 (1.06)
Spectrum	Group 1	4.84 (1.19)
	Group 2	5.70 (2.44)
	Group 3	2.61 (0.50)
Aelitfil	Group 1	4.00 (0.94)
	Group 2	4.89 (1.07)
	Group 3	2.54 (0.45)

1군: mylar strip 2군: Polishing
3군: nitrogen gas + Mylar strip

그림 13-1-9
복합레진의 표면 변색. 모든 복합레진에서 1군과 2군 사이에서는 차이가 없었고, 3군은 1, 2군에 비하여 낮은 변색 정도를 나타냈다.

임상 Hint!

결국 mylar strip으로 표면처리를 하면 표면도 반짝거리고 좋을 것 같은데, 장기적인 변색에 있어서는 polishing한 군과 차이가 없게 나타나는 것은 복합레진 표면이 mylar strip을 사용할 경우에 어느 정도의 oxygen inhibition에 의해 중합 방해를 받아서 충분히 굳지 않은 표면을 나타내기 때문인 것으로 분석이 되었다.

주제 6. 구치부 복합레진 수복 시 발생할 수 있는 교두변위 현상은 복합레진의 중합수축과 관계가 있을까? (그림 13-1-10, 11)

(근거: Lee SY & Park SH, correlation between the amount of linear polymerization shrinkage and cuspal deflection. Operative Dentistry 2006, 31(3)364-370)

구치부 2급 와동을 복합레진으로 수복 시 교두 변위 현상이 발생할 수 있다. 그러면 이러한 교두 변위 현상은 복합레진의 중합 수축과 얼마나 관련이 있는 것일까?

실험을 해 본 결과, 복합레진의 중합수축의 양과 교두 변위 현상은 비슷한 양상으로 나타나며(**그림 13-1-10**), 서로 관계가 있는 것으로 나타났다(**그림 13-1-11**). 하지만 중합수축력은 교두변위 정도와 큰 연관성은 나타나지 않았다(**그림 13-1-11**).

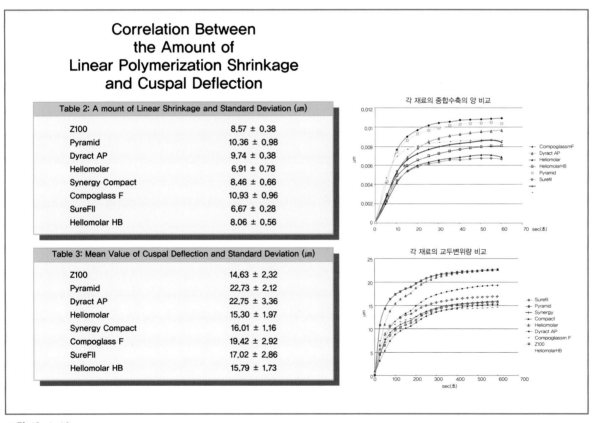

그림 13-1-10
중합수축의 양과 교두 변위의 양.

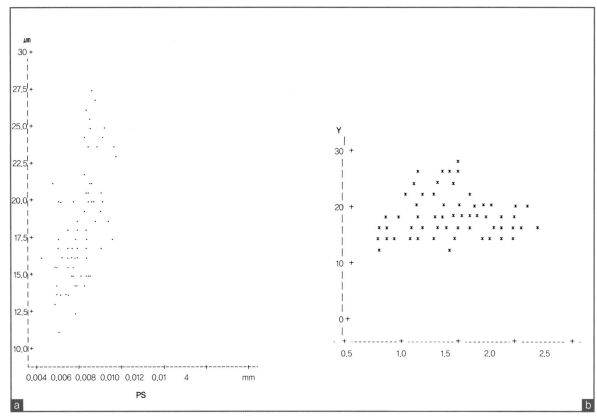

그림 13-1-11
A. 중합수죽의 양과 교두 변위의 앙은 언관싱이 있다.
B. 중합수축력과 교두변위의 양은 큰 연관성을 보이지 않는다.

임상 Hint!

2급 와동의 수복에 있어서 중합수축량이 적은 복합레진을 선택하는 것이 교두변
위를 줄여줄 수 있는 요건이 된다.

주제 7. Indirect tooth colored restoration cementation에서 후유증도 최소로 하고 접착강도를 최대로 하기 위해서 할 수 있는 방법은? (그림 13-1-12, 13 참조)

(근거: Lee JI & Park SH The effect of three variables on shear bond strength when luting a resin inlay to dentin. Operative Dentistry 2009, 34(3); 288-292)

간접수복 후의 술후 민감성을 줄이기 위한 가장 중요한 과정 중의 하나가 immediate dentin sealing이다. 또한 cementation 과정에서도 접착제를 바른 후, light curing을 하고 cementation하는 것이 중요한데, 자칫, 접착제의 두께 때문에 문제가 생길 수 있다. 그래서 이러한 문제들을 어떻게 조절하여 접착의 효과를 극대화 시킬 수 있을까 연구하게 되었다.

세가지 변수 (① 와동 삭제 후 immediate dentin sealing 유무, ② cementation 과정에서 접착제에 가해지는 바람의 압력과 ③ light curing 유무)에 따라 Indirect tooth colored restoration cementation 방법을 6가지로 달리하여 cementation 후 접착강도를 측정하였다.

그림 13-1-12 에서 1, 2, 3군은 와동을 삭제한 후 immediate dentin sealing을 시행한 군이고, 4, 5, 6군은 immediate dentin sealing을 시행하지 않은 군이다. 그후 cementation 과정에서 1군과 4군은 와동에 접착제를 바르고 살짝 바람을 불어준 후 (0.5 kgf/m^2) light curing을 하고 cementation을 하였고, 2군과 5군은 접착제를 바르고 강한 바람을 불어 (3.0 kgf/m^2) 접착제를 최대한으로 얇게 한 후 light curing을 하고 cementation을 하였고, 3군과 6군은 접착제를 light curing하지 않고 cementation 과정을 진행하였다. Cementation에는 레진 인레이를 Duolink 또는 Z100을 이용하여 와동에 광조사를 하여 고정시켰다. 그리고 microshear bond

Table 1: Flow Chart of Materials Application Methods on Dentin Surface						
Group	1	2	3	4	5	6
	Tooth slicing					
Immediate dentin sealing using AdheSe	O	O	O	x	x	x
	Impression					
	Temporary filling with Fermit					
	Tescera inlay making					
	Storage (4 days)					
	AdeheSE application					
Air blow pressure	0.5kg/m²	3.0kg/m²	0.5kg/m²	0.5kg/m²	3.0kg/m²	0.5kg/m²
Light curing	Yes	Yes	No	Yes	Yes	No
	Tescera inlay setting with DuoBond or Z250					
	Storage (1 day)					
	Shear bond strength test					

Table 2: Results of Shear Bond Strength Test (MPa)						
	1	2	3	4	5	6
Z-250	14.90±2.50	12.22±1.61	9.60±3.54	12.16±2.29	9.61±3.21	3.54±0.97
Duo-Link	14.65±2.01	13.04±1.39	8.39±1.94	12.67±2.13	10.10±1.82	2.88±0.64

그림 13-1-12

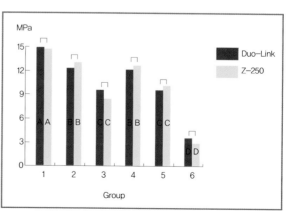

그림 13-1-13

strength를 이용하여 접착강도를 측정하였다. 측정 결과 두 종류의 cementation 재료 모두에서 1군>2군, 4군>3군, 5군>6군의 순서로 microshear bond strength가 높게 나타났다 (**그림 13-1-13**).

임상 Hint!

Immediate dentin sealing도 하고 cementation 과정에서 접착제를 바르고 살짝 바람을 불어 준 후 light curing을 먼저하고 cementation을 하는 것이 가장 결과가 좋았다(1군). 그런데 만약 cementation 과정에서 접착제를 바르고 light curing 하고 cementation하는 술식이 수복물을 위치시키는데 방해가 될 수 있어서 부담스럽다고 생각될 경우에는 차선책으로, 3군에서와 같이 시행하면 될 것이다. 즉, immediate dentin sealing은 하고, cementation 시 접착제는 미리 중합시키지 않고, cementation 후 cement와 같이 중합시킨다. 하지만 절대로 6군(immediate dentin sealing도 안 하고, cementation 시 접착제로 미리 중합 안 하는 것)과 같은 술식을 하면 안 되며, 술후 민감증의 큰 원인이 될 것이다.

주제 8. 구치부 수복 시, 복합레진을 나누어 중합시키는 것이 교두변위를 줄일 수 있을까? (그림 13-1-14, 15 참조)

(근거: Kim ME & Park SH Comparison of premolar cuspal deflection in bulk or in incremental composite restoration methods. Operative Dentistry 2011 36(3) 326-334)

네 가지 복합레진 재료(Heliomolar, Heliomolar HB, Filtek supreme XT, Renew)를 표에서와 같이 세가지 방법(1군은 bulk fill, 2군은 two-layer increment, 3군은 three-layer increment)으로 충전 방법을 달리해서 2급 와동에 충전을 한 후, 교두변위의 변화를 살펴 보았다(**그림 13-1-14**). 그 결과 bulk fill보다는 나누어 중합하는 것이 교두 변위를 줄일 수 있었다. 재료에 따라서 2군과 3군 사이에서는 차이가 없었다(**그림 13-1-15**).

	Method	Composite, g	Curing time, s
Group 1	Bulk Filling	0.15	60+60+60
Group 2	Two–layer increme nts	0.8+0.7	(30+30+30) +(30+30+30)
Group 3	Two–layer increme nts	0.5+0.5+0.5	(20+20+20) +(20+20+20) +(20+20+20)

	Group 1	Group 2	Group 3
Hellomolar	14.56 ±15.2a	12.42 ±1.82ab	10.41 ±1.97b
Hellomolar HB	19.33 ±3.48a	16.17 ±1.37b	14.33 ±1.92b
Filtek supreme XT	15.22 ±1.49a	12.45 ±1.07b	11.58 ±2.27b
Renew	14.43 ±0.56a	12.02 ±2.37b	10.33 ±1.65b

* Smalf a, b는 각 재료에 있어서 군 간의 통계적인 차이를 표현한 것이다.

그림 13-1-14
네 가지 복합레진 재료(Heliomolar, Heliomolar HB, Filtek supreme XT, Renew)를 표에서와 같이 세가지 방법(1군은 bulk fill, 2군은 two–layer increment 3군은 three–layer increment)으로 충전 방법을 달리해서 2급 와동에 충전을 한 후, 교두 변위양을 측정하였다. 그 결과 bulk fill보다는 나누어 중합하는 것이 교두 변위를 줄일 수 있었다.

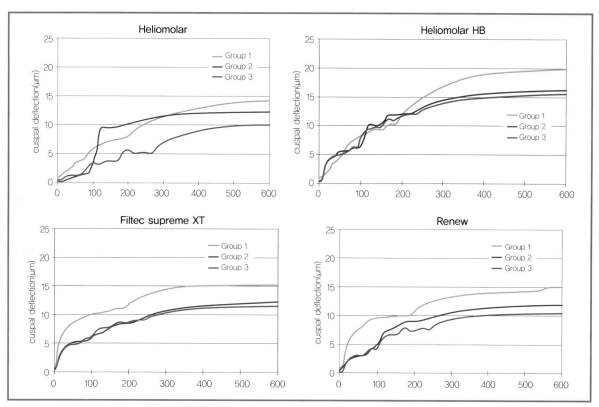

그림 13-1-15
충전 방법에 따른 교두변위의 비교.

임상 Hint!

2급 와동에서 재료를 나누어 중합하면 교두변위를 줄일 수 있다.

주제 9. 간헐적 광중합 방법은 복합레진의 중합수축속도, 미세경도 그리고 치아의 교두변위에 어떤 영향을 미칠까? (그림 13-1-16~21 참고)
(근거: 김민경 박사 논문, 지도교수 이찬영 "복합레진의 간헐적 광중합 방법이 중합 수축 속도, 미세경도 및 치아의 교두변위에 미치는 영향")

2가지 재료(Heliomolar, Pyramid)를 이용하여 3가지 방법의 intermittent polymerization을 하여서(**그림 13-1-16**) continuous light curing한 경우와 중합수축의 속도, 미세경도, 그리고 치아의 교두변이(**그림 13-1-17**)를 비교하였다.

Intermittent polymerization은 두 재료에서 모두 중합의 속도를 늦추어 주었고(**그림 13-1-18**), 미세경도 역시 두 재료 모두에서 군 간의 차이를 보이지 않았다(**그림 13-1-19**). 교두 변위의 양에 있어서는 Heliomolar의 경우 4⟨3⟨2⟨1 (**그림 13-1-20**), Pyramid의 경우에는 4, 3⟨2, 1로 나타났다(**그림 13-1-21**).

Grouping	
Curing type	Photo-activation method
continuous	60s with light on & 0s with light off for 60s (Group 1)
intermittent	2s with light on & 1s with light off for 90s (Group 2)
intermittent	1s with light on & 1s with light off for 120s (Group 3)
intermittent	1s with light on & 2s with light off for 180s (Group 4)

그림 13-1-16
Slide glass 상부에 이번 실험을 위해 자체 제작한 광조사 차단장치(R&B Inc., Daejon, Korea)를 위치시키고 광 조사기를 위치시킨 다음 각각의 중합 주기(Table 2): (1) 60초간 계속 광조사하는 연속 광중합군; (2) 90초간 2초 광조사, 1초 광차단하는 간헐적 광중합군; (3) 1초 광조사, 1초 광차단을 120초 동안 시행하는 간헐적 광중합군; (4) 간헐적 광중합군으로 1초 광조사, 2초 광차단을 180초 동안 시행하였다. 광조사시간은 군 별로 총에너지량이 동일하도록 조절하였다.

그림 13-1-17
교두변위를 측정하는 장치 설비.

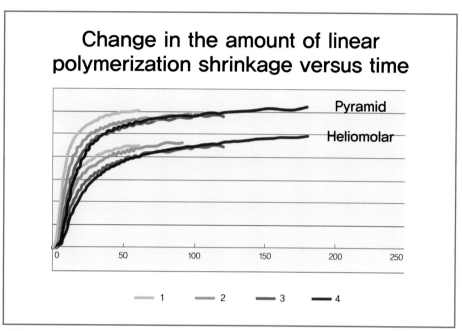

그림 13-1-18
Helomolar보다 Pyramid의 중합수축량이 많았고, intermittent polymerization은 중합수축의 속도를 늦춰 주었다.

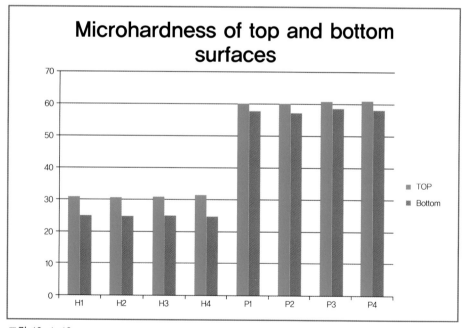

그림 13-1-19
두 레진 모두 윗면보다 아래면에서 미세경도가 작았고, 윗면의 미세경도는 군간에 서로 차이가 없었다. Heliomolar에서는
아래면에서도 군간의 유의차를 보이지 않았으나 Pyramid에서는 2군 〈 1군 〈 4군, 3군의 순으로 나타났다.

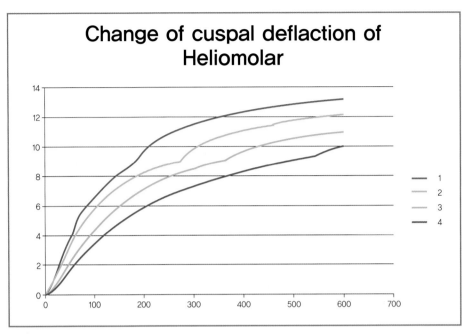

그림 13-1-20
Heliomolar의 교두변위. 교두변위 양은 4 〈 3 〈 2, 1군 순으로 측정되었다.

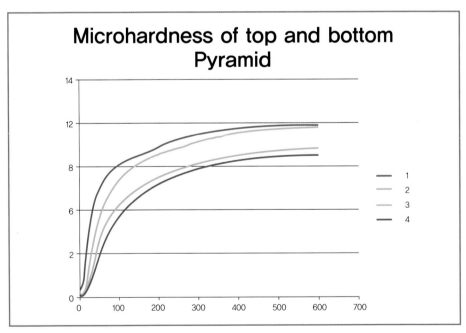

그림 13-1-21
Pyramid의 교두 변위. 교두변위 양은 4, 3 〈 2, 1군 순으로 측정되었다. Heliomolar보다 교두 변위량이 더 많았다.

즉, Intermittent polymerization에 의하여 중합수축에 의한 미세경도의 변화 없이 중합수축의 속도를 줄여줄 수 있고, 교두변위의 양도 줄여 줄 수 있었다.

주제 10. Base로 사용하는 재료의 탄성계수(elastic modulus)는 복합레진의 변연접합성에 영향을 미치지 않을까? (참고 그림 13-1-22~25)

(근거: The influence of elastic modulus of base material on the marginal adaptation of direct composite restoration. Kwon OH, Kim DH, Park SH. Operative Dentistry 2010,35(4):441-447)

서로 다른 탄성계수(Elastic Modulus)를 갖는 5가지 복합레진 및 글라스아이노머 제품을 이용하여(**그림 13-1-22**), 표준 와동에 base로 사용한 후, 동일한 복합레진으로 충전하였다(**그림 13-1-23**). 그 후 변연접합성을 광학현미경으로 측정하였고, chewing simulator를 이용하여 600,000회의 저작압과 온도변화를 가한 후(**그림 13-1-24**) 다시 변연접합성을 측정하여 분석하였다. Chewing simulator를 돌리기 전에는 변연접합성에 차이가 없었지만, chewing을 돌린 후에는 imperfect margin이 3, 4, 6군이 제일 적었고, 2군, 5군의 순으로 높아졌고, base를 전혀 하지 않은 1군이 가장 높았다(**그림 13-1-25**).

Groups Material	Base	Filling Mayerial	Flexural Base	Modulus (GDa) Filling
1	No	Tetrtic Ceram		9.4[b]
2	Experimental Flowable	Tetrtic Ceram	2.6[a]	9.4[b]
3	Heliomolar Flow	Tetrtic Ceram	4.4[b]	9.4[b]
4	Tetric Flow	Tetrtic Ceram	5.3[b]	9.4[b]
5	HeliomolarHB	Tetrtic Ceram	6.5[b]	9.4[b]
6	Fuji II LC	Tetrtic Ceram	7.9[c]	9.4[b]

a, b and c are from scientific documents released by each company. Denkist (a), Ivoclar Vivadent (b) and GC Inc (c).

그림 13-1-22
서로 다른 탄성계수(elastic modulus)를 갖는 5가지 복합레진 및 글라스아이노머 제품을 base 로 사용한 후, 동일한 복합레진으로 충전하였다.

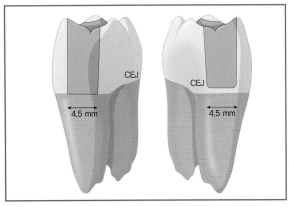

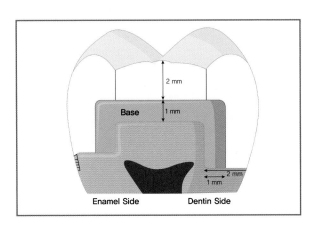

그림 13-1-23
와동 및 base, 충전물의 모습.

그림 13-1-24
Chewing simulator를 이용하여 600,000회의 저작압과 온도변화를 가하는 모습.

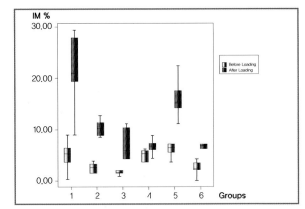

그림 13-1-25
Chewing simulator 돌리기 전, 후의 각 군의 변연접합성. Chewing simulator 를 돌리기 전에는 변연접합성에 차이가 없었지만, chewing을 돌린 후에는 imperfect margin이 3, 4, 6 군이 제일 적었고, 2군, 5군의 순으로 높아졌고, base를 전혀 하지 않은 1군이 가장 높았다.

임상 Hint!

이 실험을 통하여 base의 사용은 변연접합성을 향상시키는데 도움을 주며, 재료의 탄성계수에 따라서 변연접합성도 달라지는데, base로서의 복합레진 elastic modulus는 4~6 GPa 영역이 제일 적당하다는 것을 알았다. 구치부 복합레진을 수복할 때, 낮은 탄성계수를 갖는 flowable resin을 이용하여 lining하는 것은 적절한 방법인 것 같다.

주제 11. 복합레진의 중합수축은 internal adaptation에 영향을 미치는가? Micro
CT를 이용한 internal adaptation의 측정은 기존의 방법을 대체할 수 있
을까? (그림 13-1-26~33)

(근거: Measurement of the internal adaptation of resin composites
using micro-CT and its correlation with polymerization shrinkage.
Kim HJ & Park SH operative Dentistry 2014;39(2): E57-E70)

Code	Product	Manufacturer	Base Resin	Fller, wt%/vol%	EM, GPa
P9	Filtek P90	3M ESPE, St Paul, MN, USA	Silorane-based	76%/55%	9.6
GD	Gradia Direct	GC Co, Milford, DE, USA	UDMA dimethacrylate co-monomers	76%/65%	6.3
Z3	Filtek Z350	3M ESPE, St Paul, MN, USA	Bis-GMA/EMA, UDMA	78.5%/59.5%	11
CH	Charisma	Herarus Kulzer, Domagen, Germany	Bis-GMA, TEGDMA	78%/62%	8
SD	SDR	Dentsply Caulk, Milford, DE, USA	Modified urethane dimethacrylate EBPADMA/TEGDMA	68%/45%	5.7
TF	Tetric N-flow	Ivoclar Vivadent, Schaan, Liechtenstain	Bis-GMA, TEGDMA	63.8%/55%	5.3

Abbreviation; P9, Filtek P90; GD, Gradia Direct; Z3, Filtek Z350; CH, Charisma; SD, SureFil SDR; TF, Tetric N- flow; Bis-GMA, bisphenol A dimethacrylate; Bis-EMA, blsphenol A polyethylene glycol diether dimethacrylate; EBPADMA, ethoxylated bisphenol Adimethacrylate; EM, elastic modulus; TEGDMA; triethyleneglycol dimethacrylate; UDMA, urethane dimethacrylate.
[a] Base resin composition, filler content and elastic modulus are from manufacturer's technical reports and information.

그림 13-1-26
실험에 사용한 재료.

6가지의 충전용복합레진, bulkfil resin 그리고 flowable resin을 이용하여(**그림 13-1-26**) 중합수축량과 중합수축력 그리고 internal adaptation을 측정하여 중합수축과 internal adaptation 간에 상관관계가 있는지 살펴 보았다. Internal adaptation을 측정하기 위하여 표준 1급와동을 형성하고, 해당 복합레진을 충전하고, 600,000번의 thermomechanical loading 전, 후의 internal adaptation을 측정하였다. 이 때 기존의 방법(시편을 잘라서 내면을 염색약과 현미경으로 관찰하여 defective margin의 비율을 구하는 방법, %RP)과 이번에 새로 시도한 방법(micro CT와 질산은을 이용하여 defective margin의 비율을 구하는 방법, %SP) (**그림 13-1-27, 28**)을 비교하였다.

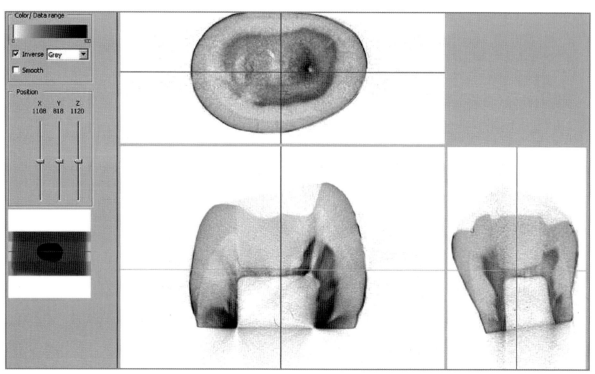

그림 13-1-27
Micro CT를 이용하여, internal adaptation을 측정하는 모습 ⟨1⟩.

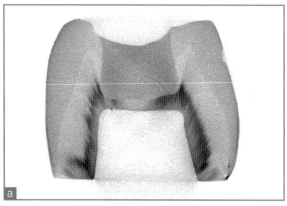 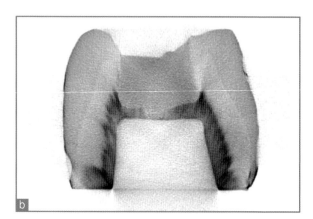

그림 13-1-28
Micro CT를 이용하여, internal adaptation을 측정하는 모습 ⟨2⟩.
a. mechanical loading 전의 모습.   b. mechanical loading 후의 모습.

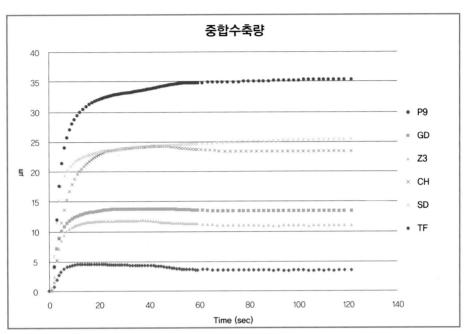

그림 13-1-29
측정된 중합수축량. P90 〈 Z350 ≤ Gradia Direct 〈 Charisma ≤ SDR 〈 Tetric Flow 순으로 나타났다.

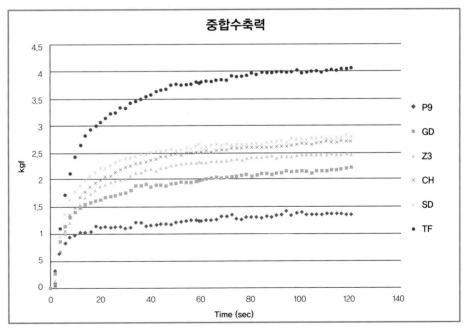

그림 13-1-30
측정된 중합수축력. P90 ≤ Gradia Direct ≤ Z350 ≤ Charisma ≤ SDR 〈 Tetric Flow 순으로 나타났다.

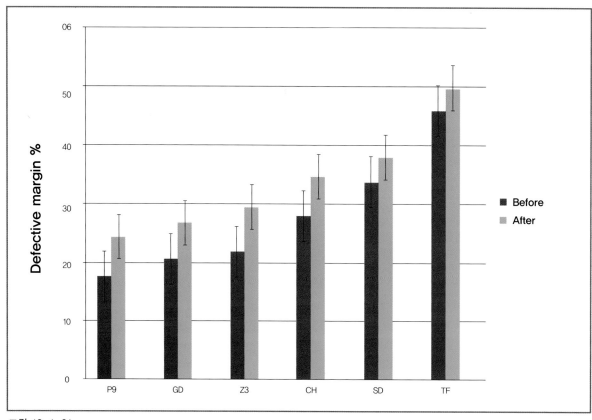

그림 13-1-31
Loading 전, 후 각 군의 Defective margin의 %. loading 전에는 P90 ≤ Gradia Direct ≤ Z350 〈 Charisma ≤ SDR 〈 Tetric Flow의 순서로 나타났고, loading 후에는 P90 ≤ Gradia Direct ≤ Z350 ≤ Charisma ≤ SDR 〈 Tetric Flow로 나타났다.

Code	Total Microgap	SD
P9	34.4[a]	10.8
GD	36.7[a]	9.2
Z3	37.1[a]	9.1
CH	41.7[ab]	11.8
SD	49.1[ab]	11.9
TF	55.3[ab]	10.9

Abbreviation; P9, Filtek P90; GD, Gradia Direct; Z3, Filtek Z350; CH, Charisma; SD, SureFil SDR; TF, Tetric N─ flow
* Different letters indicate different microgap values at $p < 0.05$ level.

그림 13-1-32
전통적인 방법으로 측정한 defective margin의 %.

Thermomechanical Loading	%SP		%RP
	Before	After	After
Polymerization shrinkage strain	0.805	0.777	0.655
Polymerization shrinkage stress	0.819	0.785	0.686

Abbreviation; P9, Filtek P90; GD, Gradia Direct; Z3, Filtek Z350; CH, Charisma; SD, SureFil SDR; TF, Tetric N─ flow
[a] %SP is equal to (silver nitrate penetration length/pulpal floor lenght) × 100. %RP is calculated as (rhodamine penetration + silver nitrate penetration length/pulpal floor lenght) × 100.

그림 13-1-33
중합수축량과 중합수축력 모두 internal adaptation과 높은 상관관계를 나타내며, internal adaptation을 위하여 새롭게 도입된 방법(%SP)은 기존 방법(%RP)의 단점을 극복할 수 있는 좋은 대안이 될 것으로 사료된다.

중합수축량을 측정하였을 때 P90 < Z350 ≤ Gradia Direct < Charisma ≤ SDR < Tetric Flow 로 나타났고(그림 13-1-29), 중합수축력을 측정하였을 경우에는 P90 ≤ Gradia Direct ≤ Z350 ≤ Charisma ≤ SDR < Tetric Flow로 나타났다 (그림 13-1-30). Thermomechanical loading 전에는 defective margin의 비율(%SP)이 P90 ≤ Gradia Direct ≤ Z350 < Charisma ≤ SDR< Tetric Flow 의 순서로 나타났고, loading 후에는 이 P90 ≤ Gradia Direct ≤ Z350 ≤ Charisma ≤ SDR < Tetric Flow로 나타났다(**그림 13-1-31**). Load 전, 후의 %는 load 후가 모두 높았고(그림 13-1-31), %SP와 %RP는 높은 상관관계를 나타냈다(**그림 13-1-32, 33**)

결론적으로 중합수축량과 중합수축력 모두 internal adaptation과 높은 상관관계를 나타내며(**그림 13-1-32, 33**), internal adaptation을 위하여 새롭게 도입된 방법은 기존 방법의 단점을 극복할 수 있는 좋은 대안이 될 것으로 사료된다.

임상 Hint!

중합수축이 적은 복합레진을 사용하는 것이 internal adaptation을 향상시키는데 도움을 준다.

주제 12. Internal adaptation을 측정하는데, micro CT를 이용하는 방법과 SS-OCT를 이용하는 방법 간에 차이가 있을까? (그림 13-1-34~37)

(근거: non-destructive evaluation of an internal adaptation of resin composite restoration with swept-source optical coherence tomography and micro-CT. Han SH, Sadr A, Tagami J, Park SH Dental materials 2016;32: e1-e7)

3-step etch & rinse system (Group 1), 2-step etch & rinse system (Group 2), 2-step self etch system (Group 3), 1-step self etch system (Group 4)을 이용하여 표준화된 와동 내에 복합레진을 이용하여 충전을 한 후, SS-OCT와 micro CT를 이용하여 internal adaptation (% Defective Spot, %DS)을 측정하여 그 값을 서로 비교하였다(그림 13-34~36). %DS은 두 방법 모두에서 Group 3≤ Group 4 < Group 1 ≤ Group 2로 나타났고, 측정값은 SS-OCT에서 높게 나타났지만 두 방법 간에는 높은 일치도를 보였다(**그림 13-1-37**).

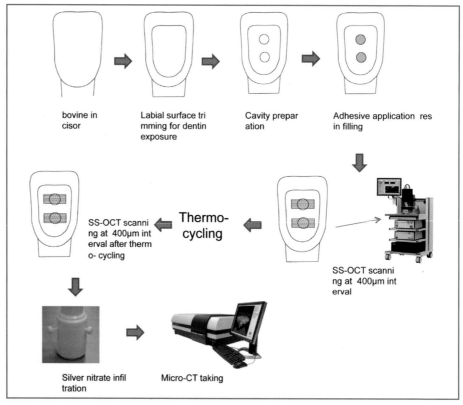

그림 13-1-34
연구 흐름도. 소의 전치부 치아에 표준화된 와동을 파고, 각 군의 접착제를 이용하여 접착하고, 복합레진을 충전한 후, SS-OCT 를 측정하고, thermo-cycling 후 다시 SS-OCT를 측정하였다. 그 후 동일 시편을 Micro CT를 이용하여 측정하였다.

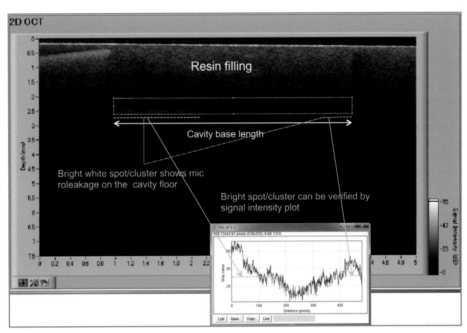

그림 13-1-35
SS-OCT를 이용하여 defective spot의 상대적인 길이를 측정하는 방법.

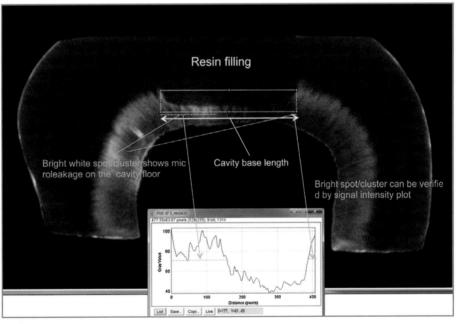

그림 13-1-36
Micro CT를 이용하여 defective spot을 측정하는 방법.

	Group 1	Group 2	Group 3	Group 4
SS–OCT				
Before thermocycling	35.71 (7.6)[a]	30.14 (3.5)[a]	28.88 (5.1)[a]	31.18 (6.9)[a]
After thermocycling	57.43 (12.2)[a,b]	61.68 (11.6)[a]	42.57 (3.9)[c]	45.11 (5.9)[b,c]
Micro–CT				
After thermocycling	30.49 (4.7)[a,b]	31.09 (6.6)[a]	22.46 (3.1)[c]	23.08 (4.0)[b,c]

Same superscript represents no statistically significant difference ($p < 0.05$)
Values in the parenthesis represent standard deviations

그림 13-1-37
측정된 결과, %DS은 두 방법 모두에서 Group 3 ≤ Group 4 〈 Group 1 ≤ Group 2로 나타났고, % 두 방법 간에는 높은 일치도를 보였다.

임상 **Hint!**

Self etch system의 internal adaptation이 etch & rinse system보다 우수하다.

주제 13. 복합레진의 투명도는 재료들마다 어떻게 다를까? (그림 13-1-38~41)

(근거: Evaluation of resin composite translucency by two different methods. Kim DH, Park SH Operative Dentistry 2013; 38(3) E1-E15)

Code	Product	Shade		Lot Number	Manufaturer
BF	Beautifil II	Dentin	A3O	091022	Shofu Inc
		Enamel	A3	030804	
		Translucent	Inc	020806	
DF	Denfil	Dentin	A3O	DF0N19533	Vericom
		Enamel	A3	DF9OO363O	
		Translucent	I	DF9D276I	
ED	Empress Direct	Dentin	Dentin A3	M13573	Ivoclar Vivadent
		Enamel	Enamel A3	M14199	
		Translucent	Trans 30	M13042	
ES	Estellite Sigma Quick	Dentin	OA3	E636	Tokuyama Dental
		Enamel	A3	W966	
		Translucent	CE	W463	
GD	Gradia Direct	Dentin	AO3	0808261	GC
		Enamel	A3	0901271	
		Translucent	CT	0809081	
PR	Premise	Dentin	A3O	3035636	Kerr
		Enamel	A3	3195564	
		Translucent	CT	2955400	
TC	Tetric N-Ceram	Dentin	A3.5[a]	L56796	Ivoclar Vivadent
		Enamel	A3	L55382	
		Translucent	T	K08551	

[a] A3.5D is the brightest in the dentin shade category of Tetric N-Ceram.

그림 13-1-38
실험에 사용된 복합레진.

두 가지 방법(Light Transmittance, Translucency Parameter)을 이용하여 복합레진들의 투명도를 비교하였다(**그림 13-1-38**). 각각의 제품에서 dentin, enamel, translucent resin 용 복합레진의 투명도를 측정하였다(**그림 13-1-39**). Translucency Parameter를 이용하여 측정한 결과 각각의 복합레진에서 translucency는 dentin, enamel, translucent 순으로 높아졌다(**그림 13-1-39**). dentin 군, enamel 군, translucent 군에서 각 재료들의 투명도를 비교한 것이 **그림 13-1-40**에 나타나 있다. 임상적으로 dentin과 enamel용 복합레진을 주로 사용하게 되는데, 이 두 가지 측정값을 합친 값을 그림 13-1-41에 나타냈다(total translucency).

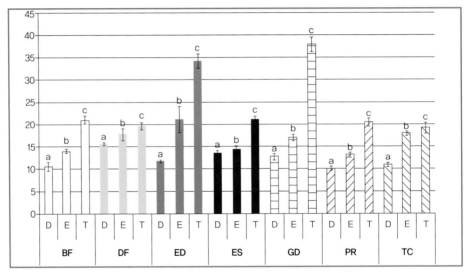

그림 13-1-39
Translucency parameter로 측정한 각 제품별 투명도 비교 〈1〉. (D: Dentin E: Enamel T: Translucent 용 복합레진).

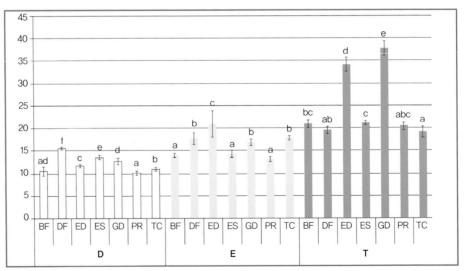

그림 13-1-40
Translucency parameter로 측정한 각 제품의 투명도 비교 〈2〉.

	Translucency Parameter Value	Light Transmittance Value
BF	24.64	0.22
DF	33.368	3.304
ED	32.77	1.14
ES	28.062	0.22
GD	29.63	0.658
PR	29.168	1.254
TC	28.832	0.894

그림 13-1-41
각 제품의 투명도를 total translucency (enamel shade + dentin shade)로 계산한 값.

임상 Hint!

이 수치들을 잘 참고하면 임상적인 필요에 따라 복합레진을 선택하여 사용할 수 있을 것이다. 예를 들면, 안쪽의 치아 색조가 어두울 경우 이를 차단할 필요가 있으면, Beautiful II같은 재료를 사용할 수 있을 것이다. 또 투명도를 높여서 심미적인 효과를 극대화 하고 싶을 경우에는 Empress Direct 같은 재료가 적당할 것이다. 이 재료는 dentin 용은 다른 재료에 비하여 중간 정도의 투명도를 나타내지만 enamel 용 레진의 투명도가 제일 높은 편이다 (**그림 13-1-41**).

주제 14. 복합레진을 광조사시키면 치아 내부의 온도는 얼마나 상승하는가? (그림 13-1-42~45)

(근거: influence of cavity preparation, light-curing units, and composite filling on intrapulpal temperature increase in an in vitro tooth model, Choi SH, Roulet JF, Heintze SD, Park SH Operative Dentistry 2014, 39(5), E195−E205)

치아 협측을 통하여 thermocouple을 넣어 치수벽에 위치시키고, 뿌리 쪽에 metal tube를 위치시켜서 물이 치수강을 순환하게 하면서(**그림 13-1-42**), 치아를 수조에 위치시키고, 60초간 광조사시키면서, 치수벽의 온도 변화를 관찰하였다(**그림 13-1-43**). 와동 형성, 복합레진 충전 여부 및 충전물질의 종류에 따라 4군으로 나누어 온도의 변화를 관찰하였는데(**그림 13-1-44**), 시간에 따른 온도상승의 결과를 **그림 13-1-45**에 나타냈다. Power density가 1100~1200 정도 되는 curing light로 광조사할 경우 20초 정도 광조사하면 약 5도 내외가 상승하고, 40초 이상 광조사하면 10도 이상 상승하는 것을 알 수 있다.

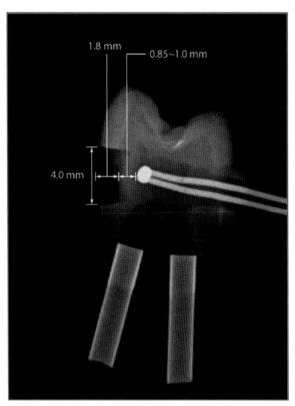

그림 13-1-42
치아 협측을 통하여 thermocouple을 넣어 치수벽에 위치시키고, 뿌리 쪽에 metal tube를 위치시켜서 물이 치수강을 순환하게 하였다.

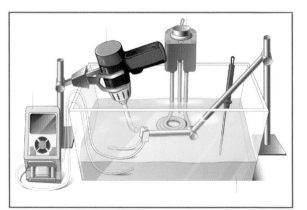

그림 13-1-43
온도측정을 위한 치아 model이 수조 내에 위치된 모습.

	Cavity Preparation	Composite Filling	Light-Curing	Temperature Recording, min
Group 1	×	×	LED$_{low}$ (60 s)	3
			VIP Junior (60 s)	3
			LED$_{high}$ (60 s)	3
Group 2	○	×	LED$_{low}$ (60 s)	3
			VIP Junior (60 s)	3
			LED$_{high}$ (60 s)	3
Group 3	○	Tetric N Ceram	LED$_{low}$ (60 s)	3
			VIP Junior (60 s)	3
			LED$_{high}$ (60 s)	3
Group 4	○	Tetric N Flow	LED$_{low}$ (60 s)	3
			VIP Junior (60 s)	3
			LED$_{high}$ (60 s)	3

[a] Cavity dimension: 4.0 mm (width) × 4.0 mm (height) × 1.8 mm (depth).
LED$_{low}$: Bluephase low power, 785 mW/cm^2; QTH: vip jUNIOR, 891 mW/cm^2; and LED$_{high}$: Bluephase high power, 1447 mW/cm^2

그림 13-1-44
와동 형성, 복합레진 충전 여부 및 충전물질의 종류에 따라 4군으로 나누어 온도의 변화를 관찰.

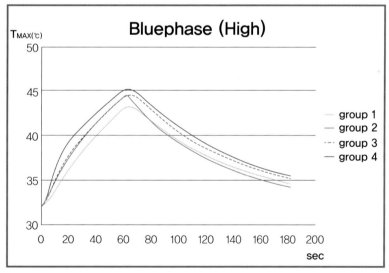

그림 13-1-45
시간에 따른 치수벽의 온도 상승.

임상 Hint!

동물실험에서 치수강 내의 온도가 5도 이상 상승할 경우, 치수 내에서 문제가 발생하는 경우가 있었다. 광조사 시간이 길어질 경우, air syringe 등을 이용하여 치아를 cooling시키는 것이 바람직하다고 하겠다.

주제 15. 최근 판매되고 있는 Bulk-fill composite 의 internal & marginal adaptation은 기존의 복합레진과 비교하여 어떠한가?
(그림 13-1-46~49)
(근거: 1. Comparison of internal adaptation in class II bulk-fill composite restorations using micro-CT. Han SH, Park SH. Operative Dentistry, 2017, 42(2), 203-204
2. Comparison of polymerization shrinkage, physical properties, and marginal adaptation of flowable and restorative bulk fill resin-based composites. Jung JH, Park SH, . Operative Dentistry 2017 in press.)

4~5 mm를 한꺼번에 광조사시킬 수 있다고 주장하는 Bulkfill composite resin이 최근 출시되었다. 만약 이러한 주장이 사실이라면 2 mm 마다 광조사시키는 것을 추천하는 기존의 복합레진에 비하여 확실한 장점이라고 할 수 있겠다. 하지만 이러한 복합레진들이 비록 깊이 중합된다고 하여도, 치면에 대한 adaptation이 떨어진다면, 사용을 자제하여야 할 것이다. 이번 연구들에서 이러한 의문에 답을 얻고자 하였다.

40개의 인간의 치아를 이용하여 MOD 와동을 형성하고, 4개의 군에서는 bulkfill resin을 이용하여, 그리고 1개의 대조군에서는 일반 충전용 복합레진을 이용하여 와동을 수복하였다(**그림 13-1-46**). 여기서 SDR과 Venus bulkfill은 Flowable type 의 bulkfill resin 으로 core 용으로 사용한 후 바깥쪽은 Filtek Z-350을 이용하여 충전하였고, Tetric N-ceram Bulk Fill과 SonicFill 은 restorative bulkfill resin으로 그 자체를 직접 와동에 직접 충전하였다. 대조군인 Filtek Z-350은 2 mm씩 layering 하면서 충전하였다(**그림 13-1-47**).

그 후 thermo-mechanical loading 후, micro-CT를 이용하여 internal adaptation을 측정하였고, stereomicroscope를 이용하여 marginal adaptation을 측정하였다.

그 결과, flowable type의 bulkfill resin (SDR과 Venus bulkfill)은 일반 충전용 복합레진(Filtek Z-350)이나, restorative bulkfill resin (Tetric N-ceram Bulk Fill과 SonicFill)에 비하여, Internal adaptation이나 marginal adaptation에서 모두 같거나 떨어지는 결과를 보였다. Restorative bulkfill resin은 일반 충전용 복합레진과 차이 없이 우수한 결과를 보였다(**그림 13-1-48, 49**).

임상 Hint!

Bulkfill resin을 사용하려면, flowable type보다는 restorative bulkfill resin을 사용하는 것이 바람직하다.

Code	Product	Manufacturer	Base resin	Filler (wt/vol.%)
Z3	Filtek Z350	3M ESPE, St Paul, MN, USA	Bis–GMA/EMA, UDMA	78.5/59.5%
SD	SDR	Dentsply Caulk, Milford, DE, USA	Modified urethane dimethacrylate	68/44%
			EBPADMA/TEGDMA	
VB	Venus Bulk Fill	Heraeus Kulzer, Dormagen, Germany	UDMA, EBPADMA	65/38%
TB	Tetric N–Ceram Bulk Fill	Ivocla Vivadent, Schaan, Liechtenstein	Bis–GMA, UDMA	78/55% (including prepolymer)
			Dimethacrylate co–monomers	
SF	SonicFill	Kerr, West Collins, Orange, CA, USA	Bis–GMA, TEGDMA, EBPADMA	83.5/68%

Composition and filler percentages are from the manufacturers.
Abbreviations: BIS–EMA, ethoxylated BIS–GMA, bisphenol A glycidyl methacrylate; EBPDMA, ethoxylated bisphenol A dimethacrylate; TEGDMA, triethyleneglycol dimethacrylate; UDMA, urethane dimethacrylate.

그림 13-1-46
실험에 사용한 재료

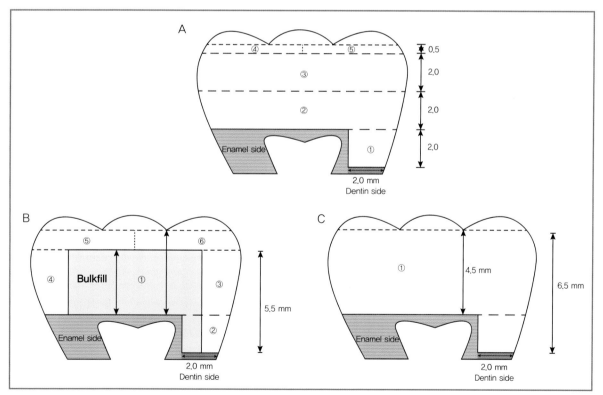

그림 13-1-47
A: Filtek Z350 충전방법   B. SDR과 Venus Bulk Fill 충전방법   C. Tetric N Ceram Bulk Fill과 sonicfill 충전방법

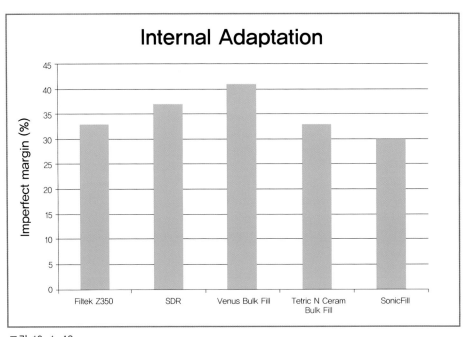

그림 13-1-48
두 레진 모두 윗면보다 아래면에서 미세경도가 작았고, 윗면의 미세경도는 군간에 서로 차이가 없었다. Heliomolar에서는 아래면에서도 군간의 유의차를 보이지 않았으나 Pyramid에서는 2군 〈 1군 〈 4군, 3군의 순으로 나타났다.

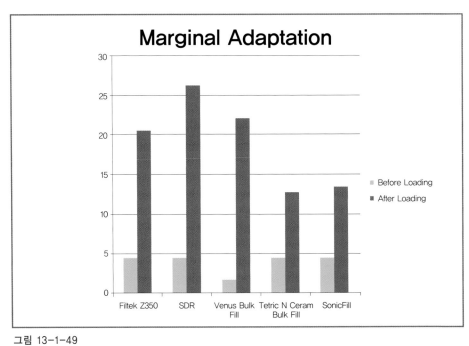

그림 13-1-49
두 레진 모두 윗면보다 아래면에서 미세경도가 작았고, 윗면의 미세경도는 군간에 서로 차이가 없었다. Heliomolar에서는 아래면에서도 군간의 유의차를 보이지 않았으나 Pyramid에서는 2군 〈 1군 〈 4군, 3군의 순으로 나타났다.